La Fille de Femme-Araignée

ANNE HILLERMAN

La Fille de Femme-Araignée

Traduit de l'anglais (États-Unis)
par Pierre Bondil

RIVAGES/THRILLER
Collection dirigée par François Guérif

RIVAGES

Titre original : *Spider Woman's Daughter*

NOTE DU TRADUCTEUR

Le lecteur américain est tout aussi ignorant que le lecteur français des mœurs et coutumes des Indiens Navajo. Nous avons donc décidé de respecter le choix de l'auteur, qui a disséminé ici et là dans son roman les informations nécessaires à en assurer la bonne compréhension, et de ne pas alourdir le texte d'une quantité de notes explicatives et de termes en italique. Toutefois, il nous a semblé utile de faire figurer en fin d'ouvrage un glossaire qui devrait permettre au lecteur qui en éprouverait le besoin d'avoir une meilleure vue d'ensemble de cette civilisation et de ses voisines. Les mots suivis d'un astérisque dans la traduction renvoient à ce glossaire. Nous avons en outre établi une carte des territoires concernés.

Par ailleurs, certaines particularités orthographiques (accords, majuscules notamment) se retrouvent dans le texte de Tony Hillerman ; et des termes d'origine indienne peuvent présenter des différences d'un livre à l'autre.

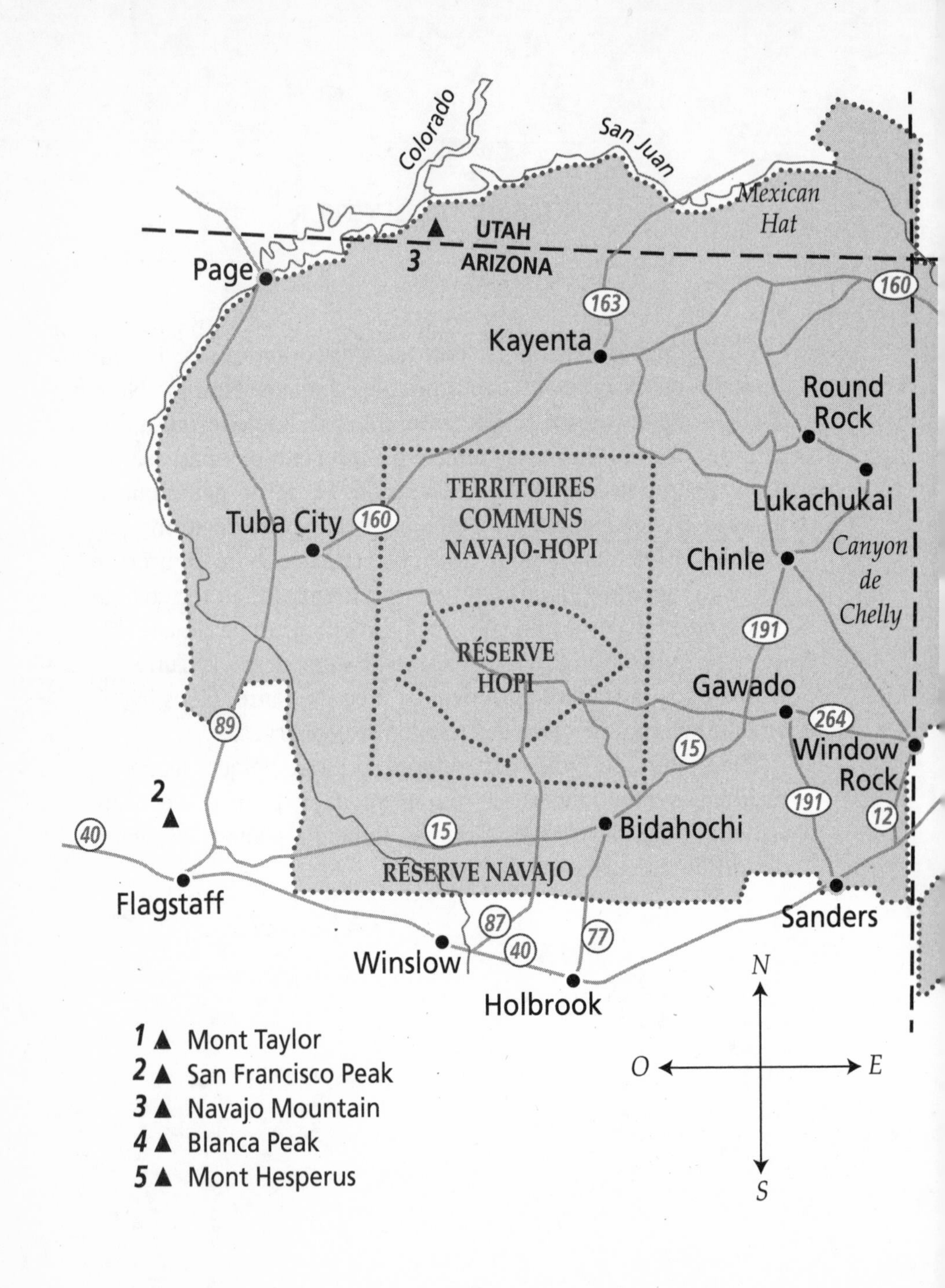

Colorado
San Juan
Mexican Hat
UTAH
ARIZONA
3
Page
163
Kayenta
160
Round Rock
Lukachukai
TERRITOIRES COMMUNS NAVAJO-HOPI
Tuba City
160
Chinle
Canyon de Chelly
191
RÉSERVE HOPI
Gawado
264
89
15
Window Rock
2
191
12
40
15
Bidahochi
RÉSERVE NAVAJO
Flagstaff
Sanders
87
77
40
Winslow
Holbrook
N
O
E
S
1 ▲ Mont Taylor
2 ▲ San Francisco Peak
3 ▲ Navajo Mountain
4 ▲ Blanca Peak
5 ▲ Mont Hesperus

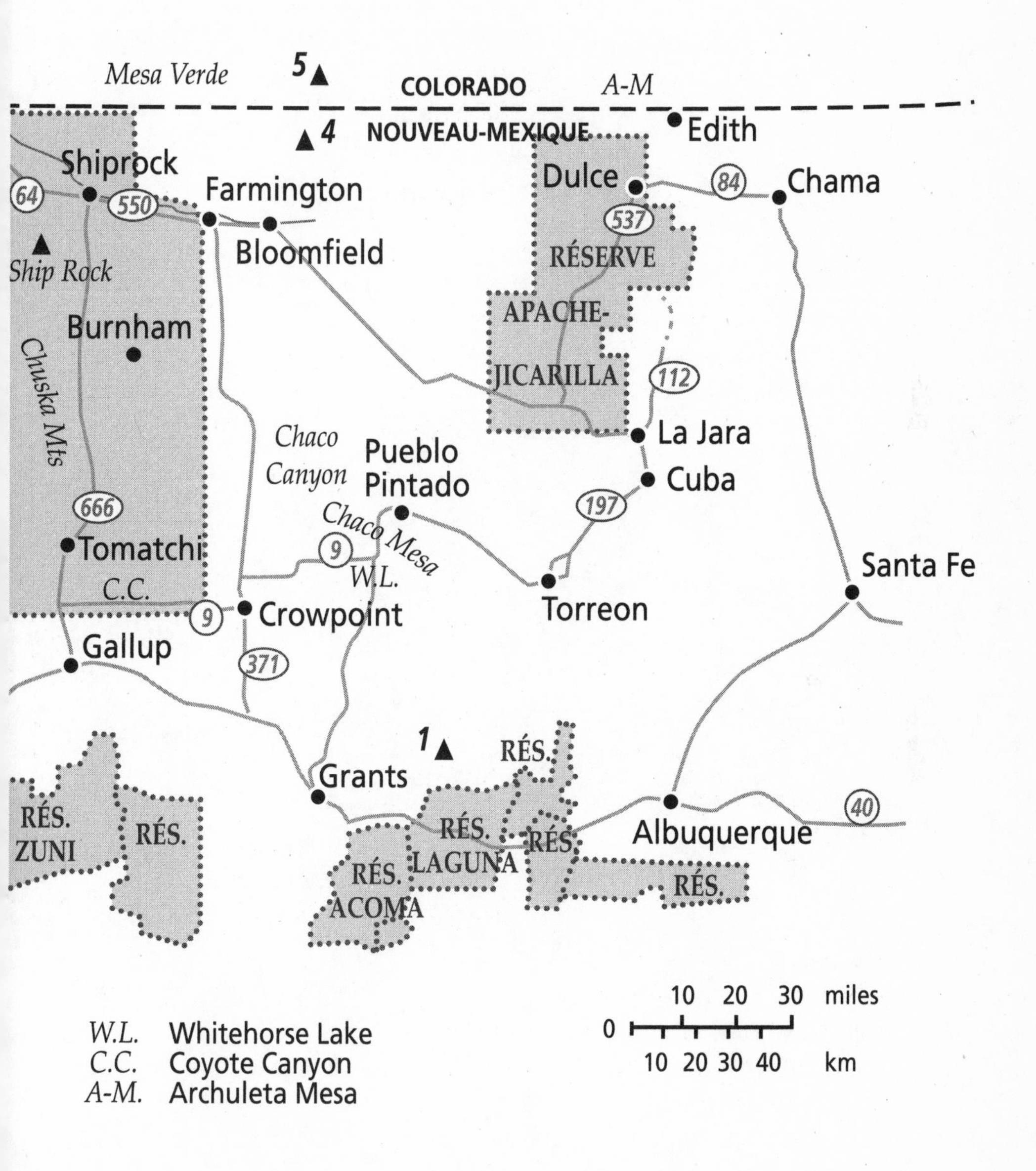

W.L. Whitehorse Lake
C.C. Coyote Canyon
A-M. Archuleta Mesa

Pour Don, mon inspiration
Pour ma mère, et en souvenir de mon père chéri

1

« Je reçois un coup de fil, comme ça, sans prévenir. Une femme. D'abord, elle me rappelle que je lui ai sauvé la vie. Après, elle me dit qu'elle veut que je lui rende un service… »

Le lieutenant de la Police Navajo Joe Leaphorn, à la retraite, observa une pause pour souligner ses effets tout en écartant l'assiette, parsemée de croûtes de pain et de sachets de gelée de raisin vides, afin de pouvoir poser ses avant-bras sur la table. « Vous ne pensez pas que c'est elle qui aurait dû me proposer de m'en rendre un ? »

Deux des policiers qui étaient assis à la table eurent un petit rire. « Ça devait être une de ces femmes blanches riches à qui vous venez en aide pour résoudre leurs problèmes d'assurances, dit l'agent Harold Bigman. Vous feriez mieux de ne pas en parler à votre chère Louisa.

– C'était quoi, ce service ? » demanda Bernadette Manuelito.

Leaphorn sourit : « Je ne sais pas, Bernie. Elle a proposé que nous nous retrouvions à déjeuner pour en parler et elle m'a fait faux bond. »

Nouveaux rires. « Peut-être voulait-elle découvrir si vous êtes vraiment un bon détective privé, lança quelqu'un.

– Tout est bien qui finit bien. En l'attendant, j'ai mangé un excellent sandwich bacon, tomate et salade, et j'ai profité du calme et de la tranquillité. Et elle m'a fourni une raison de ne pas aller jusqu'à Gallup, ce jour-là, pour une autre affaire. Je commence à me faire trop vieux pour tout ça. »

La serveuse vint remplir leurs tasses de café. L'Auberge Navajo était déjà un des lieux de rendez-vous préférés des policiers bien avant que Bernie devienne une des leurs, à l'époque où Leaphorn était enquêteur à temps plein, où il avait acquis la réputation d'être un des esprits les plus brillants de la communauté très soudée des membres de la police de la Nation Navajo.

Le capitaine Howard Largo déclara : « O.K., les gars, au travail. Comme toujours, Leaphorn, vous pouvez rester si vous le désirez. »

Le lieutenant jouissait d'une invitation permanente à se joindre à ces réunions du lundi matin, autour du petit déjeuner, destinées surtout à confronter des idées sur les affaires non résolues, avant de se réorienter vers des sujets prosaïques en rapport avec le budget et l'encadrement. Parfois, ils se contentaient d'échanger des plaisanteries en buvant du café. Leaphorn et Largo se connaissaient depuis très longtemps.

Chaque semaine, en sus de cette équipe qu'il dirigeait, Largo faisait intervenir au sein du groupe un agent plus jeune. Alors que ça aurait dû être son jour de congé, Bernie, honorée d'être invitée, avait enfilé son uniforme et roulé une heure pour venir de chez elle, près de Shiprock. L'échange d'idées n'avait généré aucun progrès sur les affaires en souffrance, mais ça lui avait paru amusant. Elle avait regardé Leaphorn sortir le petit calepin marron qu'il rangeait dans la poche de sa veste, prendre quelques notes. Dans un jour ou deux, s'il se conformait à son schéma habituel, il appellerait pour leur communiquer une bonne piste, un indice à suivre.

Elle sentit la vibration de son téléphone portable. Jim Chee, son collègue et époux, qui avait eu une saute d'humeur ce matin-là et qui l'appelait de son bureau de Shiprock.

« Il faut que je réponde. Je reviens tout de suite. » Elle se dressa de toute la hauteur de son mètre cinquante-huit et se dirigea vers l'entrée.

Leaphorn recula sa chaise : « Vous avez des problèmes de bureaucratie ennuyeux à régler, les gars. Je vais arrêter de vous embêter. Merci pour le petit déjeuner. »

Il sortit nonchalamment dans le hall, adressa un signe de tête à Bernie qui avait le portable à l'oreille. « Dites bonjour à Chee de ma part. » Elle le vit s'éloigner vers le parking et remarqua qu'il boitait légèrement. Elle savait qu'il avait un peu d'arthrite au genou. Elle aurait dû lui demander si ça allait mieux. Et comment se portait Louisa.

« Alors, ma belle, dit Chee. Finie, cette réunion ?

– Pas tout à fait. Le lieutenant avait de bonnes histoires à raconter. Maintenant, ce sont les sujets plus terre à terre qui se profilent à l'horizon. Tu as bien choisi ton moment. »

À travers la vitre de l'entrée, elle vit quelqu'un descendre de la voiture bleue garée en sens inverse à côté du petit camion blanc de Leaphorn. Elle regarda le lieutenant marcher vers son véhicule, sortir les clés de sa poche de pantalon.

« Tu m'en veux toujours ? lui demanda Chee. Je me suis levé du mauvais pied, ce matin. »

La silhouette tendit le bras vers Leaphorn. Bernie vit un pistolet. Entendit le bruit caractéristique de la détonation. Vit Leaphorn reculer en titubant, s'écrouler contre son pick-up. Glisser sur l'asphalte.

Chee continuait de parler. Elle lâcha le portable comme s'il était brûlant et se mit à courir, poussa les lourdes portes de verre du restaurant pour foncer vers le lieutenant en tentant de sortir son pistolet. Elle vit la personne qui avait tiré remonter précipitamment dans la voiture et entendit les pneus sur l'asphalte lorsqu'elle démarra en trombe. Bernie conserva la voiture bleue à la limite de son champ de vision jusqu'au moment où elle atteignit le lieutenant. Elle s'agenouilla, mit les doigts juste sous sa mâchoire, sentit une faible pulsation.

Les beaux yeux foncés de Leaphorn la fixaient sans la voir. Le sang coulait du trou qu'il avait au front, tombait sur les mains de la jeune policière.

« Ne partez pas, murmura-t-elle en navajo, la langue de son cœur. Ne mourez pas. Ne mourez pas, je vous en conjure. »

Elle entendit d'autres gens accourir derrière elle, perçut le mouvement flou des uniformes marron aux confins de son regard pendant qu'elle concentrait toute son attention sur le lieutenant. Elle reconnut la voix de Largo qui prenait la direction des choses, aboyait des ordres.

« Il est vivant, dit-elle. Conduite intérieure bleue, deux portes. Plaques de l'Arizona. Elle est partie vers l'ouest sur la 264. C'est le conducteur qui a tiré. Sweat à capuche noir. »

Elle remarqua que la peau du lieutenant pâlissait, que le sang dessinait une flaque sous sa tête. Elle n'avait jamais été impressionnable ; dès qu'elle avait été en âge de marcher, elle avait regardé sa grand-mère tuer le poulet pour le dîner et, parfois, trancher la gorge d'un vieux mouton. Mais si Leaphorn mourait, elle savait que son *chindi** ne trouverait pas le repos, qu'il essaierait de nuire aux vivants comme ils le faisaient tous car telle était leur nature. Cela n'y changerait rien qu'elle l'ait beaucoup aimé et que, à sa façon bourrue, officielle, il l'ait beaucoup aimée aussi.

Elle lui parla à nouveau en navajo. « Les secours arrivent. N'abandonnez pas, mon oncle*. » Elle s'approcha plus encore sur l'asphalte : du flanc, elle touchait maintenant le corps qui gisait sur le sol, lui tenait la main. Elle voulait poser la tête du lieutenant sur ses cuisses, mais la formation qu'elle avait reçue le lui interdisait. Elle savait que cela peut entraîner des complications supplémentaires, si on déplace quelqu'un qui est blessé à la tête.

Elle perçut le rugissement sourd des véhicules de la police qui sortaient du sommeil. Une sirène fit entendre son hurlement, suivie d'une autre.

Quelqu'un demanda : « Ça va, Bernie ?

– Oui. »

Le corps de Leaphorn fut secoué d'un frisson. « Restez avec moi, lui dit-elle. Je vous promets de découvrir qui vous a fait ça et pourquoi. » Qui pouvait désirer tuer un homme d'une aussi grande valeur ? Un vieil homme désormais. Où était la voiture bleue ?

Elle entendit une sirène différente, dont le gémissement s'amplifia en approchant. Lorsque l'ambulance se gara et que les urgentistes se précipitèrent, elle détourna les yeux de ceux de Leaphorn, qui étaient clos.

« Il a été touché par balle, dit-elle avant qu'ils ne lui posent la question. À la tête. Je l'ai vu s'effondrer. Je ne l'ai pas déplacé. »

Un urgentiste s'accroupit. Elle sentit l'odeur de transpiration qui émanait de son uniforme.

« Vous êtes blessée ?

– Non. Je n'ai rien.

– Qui est-ce ?

– Leaphorn. Le lieutenant Joe Leaphorn.

– C'est vrai ? J'ai entendu parler de lui. Il faut vous écarter, vous savez, pour que nous puissions intervenir. »

Elle serra la main du lieutenant et se releva. L'urgentiste parlait au blessé tout en cherchant son pouls, il l'observait en quête de réactions à ses questions. Son collègue poussait un brancard avec une bonbonne d'oxygène, une minerve, d'autres choses encore.

« Ça va ? » demanda le second urgentiste à Bernie.

Elle hocha la tête. « Occupez-vous juste de lui. » Elle remarqua un éclair métallique sur le sol. Les clés du lieutenant. Elle essuya sur son pantalon ses mains couvertes de sang, glissa les clés dans sa poche.

Ils chargèrent le brancard dans l'ambulance. Elle repensa à la conduite intérieure bleue. Tout avait basculé. Largo était debout à côté de sa voiture de patrouille, le micro à la main. Il vit Bernie, posa le micro et s'approcha, la prit par l'épaule. Ils suivirent du regard l'ambulance dont toutes les lumières clignotaient.

« Je n'ai pas bien vu le tireur. Petit. Vêtu de sombre. Un seul coup de feu. Je n'ai pas vu le numéro d'immatriculation, mais c'était une plaque de l'Arizona.

– Le FBI arrive. Ils vont recueillir votre déposition. Vous connaissez la procédure. »

Elle la connaissait. Chaque fois qu'un crime grave se produit en Pays Indien, y compris une tentative de meurtre contre un représentant de la loi, l'enquête revient au FBI. Même à la retraite, Leaphorn conservait une fonction d'adjoint assermenté. La Police Navajo œuvre en partenariat avec les agents fédéraux, ce qui signifie généralement qu'elle tient le rôle du parent pauvre. Mais tous les représentants de l'ordre haïssent quiconque essaie de tuer un flic. Et si l'attaque se produit contre un policier bien particulier, il devient possible d'interpréter les règles, et la Police Navajo joue un rôle plus important. Bernie n'ignorait pas que Largo en serait le garant.

« Ne bougez pas d'ici, aidez Bigman à sécuriser la scène de crime jusqu'à ce que les agents fédéraux soient sur place. À ce moment-là, venez me voir.

– Oui, capitaine. C'est affreux. » Elle porta la main à sa poche et lui tendit le porte-clés de Leaphorn dont l'extrémité se composait d'un étui en cuir surpiqué. « Je l'ai ramassé là-bas. J'aurais dû les y laisser. Je vais leur indiquer où elles étaient.

– Je suis heureux qu'il ne vous soit rien arrivé », dit Largo. Il tourna son large dos pour regagner sa voiture mais lui fit à nouveau face. « Chee a téléphoné. Je lui ai raconté ce qui s'est passé. Il veut que vous le rappeliez. »

*

La ville de Window Rock, capitale de la Nation Navajo, tire son nom américain de l'arche de grès rouge avec son œil bas dans le ciel, passage gracieux entre terre et éther. Sculptée par le vent et la pluie, elle s'appelle *Tségháhoodzání* en navajo. Sous l'arche jaillit une source naturelle d'eau guérisseuse, bénédiction tangible dans ce paysage désertique. La source donne au site son autre nom navajo, *Ni' 'Alníí'gi*.

Du parking de l'Auberge Navajo, Bernie ne pouvait voir l'arche. Son regard se porta sur les pick-up blancs et les 4×4 de la police navajo : plus d'agents qu'elle n'en avait jamais vus sur une scène de crime. Mais il n'y avait jamais eu de tentative de meurtre par arme à feu perpétrée contre un des policiers les plus connus de la Nation Navajo, en plein jour, à l'extérieur d'un restaurant très fréquenté, au moment où d'autres représentants de l'ordre étaient attablés à proximité.

Ce rassemblement de policiers et le concert des sirènes alertaient les citoyens paisibles de cette ville d'environ trois mille habitants, à prédominance navajo : un événement grave s'était produit. Les clients du restaurant avaient abandonné leurs œufs au bacon pour observer l'agitation. Des voyageurs qui roulaient vers l'ouest, venant de Gallup au Nouveau-Mexique, ou vers l'est, en provenance de Ganado en Arizona, ralentissaient pour observer, les yeux écarquillés. Ils en parlaient sûrement ensuite en conduisant… Il y avait de quoi alimenter la conversation pendant une bonne quinzaine de kilomètres.

Bernie vit Largo monter dans sa voiture de patrouille pour regagner le quartier général de la police afin de coordonner les recherches sur l'agresseur de Leaphorn. D'autres agents, remarqua-t-elle, avaient isolé l'endroit où, au sol, il avait continué à perdre son sang, de même que le reste du parking. Il était tôt mais la journée promettait de s'ajouter à cette période de chaleur sèche du mois de juin. Un temps typique du début de l'été, en attendant le début de la saison des orages, d'ici encore plusieurs semaines.

En plus des habitants locaux curieux, la foule incluait des touristes *bilagaana**, visiteurs venus de Californie, du Texas et d'ailleurs, qui se garaient à l'Auberge Navajo pour se restaurer et déambuler dans la boutique de souvenirs. Le crime modifiait leurs plans.

L'agent Bigman se tenait à côté d'un homme blanc dont le T-shirt moulait des épaules puissantes. Bernie entendit « … Phoenix… un vol ce soir… » et remarqua que le visage du touriste était d'une teinte rose inhabituelle. Avant même qu'il ait fait ce pas en direction de Bigman, elle l'avait jaugé : belliqueux, odieux, des traits de caractère amplifiés parce qu'il venait de s'entendre répondre non.

« Nous n'avons rien à voir dans cette histoire. Ça ne va pas se passer comme ça. » Visage Rose criait maintenant et il l'observa quand elle s'approcha. « C'est de l'abus de pouvoir. »

Elle vit les épaules de Bigman se crisper, sentit une montée d'adrénaline dans son propre sang.

« Il va falloir vous calmer, monsieur », lui dit-elle. Sa voix était plus forte qu'elle n'en avait eu l'intention. Très bien. Elle le fixait avec détermination. « Nous vous rendrons votre véhicule dès que possible. »

Il jeta un regard sur les mains et les bras de la policière navajo. Ouvrit la bouche. La referma. Elle ne le quittait pas des yeux, comme un aigle.

« La victime est un de nos collègues. Un ami, aussi. Nous appliquons la procédure. Vous n'avez rien à gagner à vous mettre en travers de notre action. Croyez-moi.

– Combien de temps avant qu'on puisse récupérer notre voiture, ma femme et moi ?

– Le temps qu'il faudra.

– On vous le fera savoir », ajouta Bigman.

Le touriste la scrutait à nouveau. « Vous avez du sang sur vous.

– Rentrez plutôt dans le bâtiment, monsieur, mettez-vous à l'abri du soleil. »

Il ouvrit la bouche. La referma. Partit vers la salle de restaurant climatisée.

Bigman relâcha bruyamment sa respiration. « D'après Largo, c'est toi qui es arrivée la première ?

– Oui. Il était toujours vivant dans l'ambulance.

– C'est dur, d'être le premier. »

Elle se souvint que Bigman était arrivé par hasard sur les lieux quand un policier de Fort Defiance, un ami d'école, avait reçu en pleine poitrine une balle tirée par un jeune, membre d'un gang, qui était sous l'emprise de la drogue.

« J'ai une occupation stimulante pour toi, lui dit Bigman. Nous aider à inspecter le parking en quête de douilles, de mégots de cigarettes, de tout ce qu'on pourra trouver.

– Pas de problème. Il faut que je reste jusqu'à l'arrivée des Fédéraux. Je reviens aussitôt que je me serai nettoyée. »

Elle traversa le hall, à présent envahi de clients qui attendaient leur voiture et du personnel de l'Auberge Navajo qui suivait les opérations. Dans les toilettes, elle fit couler de l'eau froide sur ses mains et ses bras, la regarda ruisseler, rose, vers la bonde, avant de redevenir limpide. Elle ajouta du savon. S'aperçut qu'elle tremblait. S'examina dans la glace en se lavant le visage avec une serviette en papier humide. Remit de l'ordre dans ses cheveux. Sortit pour s'atteler à sa tâche.

D'agréable, la chaleur était devenue intense quand la Crown Victoria noire aux lignes aérodynamiques et aux vitres teintées se présenta devant la porte d'entrée de l'auberge et se gara sur la place réservée aux livraisons. À la différence de la majorité des voitures de Window Rock, sa carrosserie était propre et lustrée, exempte de poussière.

Un homme vêtu d'un costume gris, d'une chemise bleu pâle et d'une cravate bleu outremer, en descendit avec aplomb. Bernie l'identifia avant qu'il ait prononcé un mot.

« Agent Manuelito ?

– C'est moi.

– Je suis l'agent Jerry Cordova. » Il lui montra son insigne. « Trouvé quelque chose d'intéressant, sur les lieux ?

– Si vous vous intéressez aux emballages de plats à emporter. Quelques mégots de cigarettes, mais rien à l'endroit où le tireur était garé. Pas de douilles.

– Entrons, nous serons mieux pour parler. »

Il la guida vers une table isolée, dans le fond de la salle. Il devait approcher de la quarantaine. Plus jeune que l'agent habituel du FBI qui débarque sur la réserve. Les représentants du FBI à Gallup étaient soit sur la pente descendante, soit en pleine ascension. Cheveux noirs épais, peau claire, joli sourire. Quelque chose dans son attitude semblait indiquer qu'il comprenait le fonctionnement du système fédéral et savait s'en servir à son avantage.

« Vous voulez boire quelque chose ? » demanda-t-il.

Bernie sourit à la serveuse. « Un Coca, ce serait super. »

Cordova commanda un thé glacé.

Ils restèrent assis un moment en silence.

« Vous le connaissez ? demanda-t-il.

– Oui. Depuis que je travaille ici. » Elle avait quitté un temps la Grande Réserve et le métier de policier pour rejoindre la patrouille des frontières[1], mais *Dinetah**, la terre des Navajos, lui avait manqué, et elle était revenue au sein de la police tribale.

La serveuse navajo bedonnante au visage rond apporta les consommations accompagnées d'une assiette de frites qui grésillaient encore et d'une bouteille de ketchup rouge. Elle

1. Voir *Le Cochon sinistre* (Rivages/noir n° 651).

travaillait déjà au restaurant quand Bernie avait commencé à le fréquenter. Nellie Roanhorse.

« J'ai pensé que vous aviez bien besoin de manger un peu, dit Nellie. Celui-qui-a-été-blessé, il aimait bien nos frites. » Elle croyait Leaphorn mort, comprit Bernie : elle se conformait à la coutume qui consiste à ne pas prononcer le nom d'un défunt afin que son esprit malfaisant, le *chindi*, ne croie pas qu'on l'appelle.

« Cet homme était vivant quand il est parti dans l'ambulance, dit Bernie, et elle vit le visage de la serveuse se détendre.

– Quelqu'un a ramassé votre portable. Il est à votre disposition au bureau d'accueil. »

Cordova intervint : « Nous allons avoir une conversation privée pendant quelques instants. Je vous ferai signe si nous avons besoin de quelque chose. »

Nellie s'éloigna et Bernie porta le Coca à ses lèvres. « Je ne m'attendais pas à ce que le FBI arrive aussi vite.

– Un pur coup de chance. Il fallait que je procède à des auditions à St Michael. Sinon, j'aurais été à Flagstaff. » Il déchira soigneusement le coin d'un sachet de sucre blanc dont il répartit le contenu sur son thé. « Vous y êtes déjà allée, à cette vieille mission ? Elle est vraiment très intéressante.

– Vous avez vu la machine à écrire ? La première qui ait été équipée d'un clavier adapté à la langue navajo.

– Impressionnant. Un très bel endroit, pour ne rien gâcher. »

Elle le regarda vider trois paquets de sucre supplémentaires dans son thé avant de remuer. Remarqua ses ongles bien entretenus et son alliance en or.

« On m'a dit que le lieutenant était capable d'étudier des indices, de les interpréter et de découvrir ce que personne d'autre n'avait vu. Il paraît qu'en passant quelques coups de téléphone à ses contacts, il faisait bouger les choses. Qu'il pouvait reprendre une enquête demeurée au point mort depuis longtemps et la relancer.

– C'est quelqu'un d'exceptionnel. Nous avons travaillé ensemble sur une affaire non résolue de femme disparue[1]. Il a retrouvé son corps, enfermé dans un des hangars métalliques semi-cylindriques de Fort Wingate, des années après. Il a une mémoire des détails phénoménale. Le lieutenant et mon mari ont aussi collaboré sur bon nombre d'affaires, il y a plusieurs années, je le connaissais aussi pour cette raison. Il excelle dans son travail, et il l'adore.

– C'est pour ça que Largo l'a gardé dans le circuit, même après son départ en retraite ? »

Bernie hocha la tête. « C'est pour ça que nous l'appelons lieutenant, pas simplement Leaphorn.

– Je me posais la question. » Il sortit un petit magnétophone très sophistiqué. « Autant nous y mettre tout de suite. Vous êtes prête ?

– Allons-y. » Elle sentit l'inquiétude s'emparer de son estomac, le nouer.

« Respirez à fond », lui dit-il.

Elle suivit le conseil.

« Je n'ai pas l'intention de vous la jouer paranormale, laissez juste votre esprit se détendre. Vos pensées flotter à leur guise. Au fur et à mesure que je vous poserai des questions, voyez si des images surgissent. Ne forcez pas, ne précipitez rien. Prenez le temps de revoir les lieux et d'étudier ce qui s'y trouve. Vous pouvez fermer les paupières si cela vous aide. »

Elle les garda ouvertes.

Elle commença son récit au moment où elle était dans l'entrée du restaurant, où elle avait aperçu l'agresseur ouvrir la portière de la voiture.

« Parlez-moi de cette personne, lui dit-il. Avec tous les détails.

---

1. Voir *Le Vent qui gémit* (Rivages/noir n° 600).

– De petite taille. Un mètre soixante peut-être. Cinquante-cinq kilos. Sweat noir avec une capuche rabattue. Pantalon foncé, poing foncé serré sur le pistolet. Je me souviens d'un éclair de lumière sur un objet argenté, au poignet. » Elle secoua la tête. « Si seulement j'avais été plus rapide, je pourrais fournir une vraie description. Je n'aurais jamais dû cesser d'aller courir le matin.

– La vie est remplie de "si seulement". Vous m'avez l'air en forme. Plus que la moyenne des gens. » Il lui sourit. « Mais je ne veux pas vous détourner de la course à pied. Respirez à nouveau. Ne vous jugez pas, contentez-vous de me dire ce qui s'est passé. C'est tout. »

Il l'interrogea encore sur la voiture, la fit revenir sur les mêmes éléments, mais selon une orientation légèrement différente, à l'affût de précisions. Elle se souvint qu'elle avait entraperçu un autocollant rouge à l'arrière.

Il lui posa une question sur l'arme.

Un pistolet, lui répondit-elle. Noir. Mais trop brièvement pour qu'elle l'ait bien vu.

« Le lieutenant Leaphorn a-t-il mentionné des menaces de mort ? »

Elle haussa les épaules. « Pas à moi. C'est quelqu'un de très discret. Il garde ses pensées pour lui.

– Maris jaloux, voisins irascibles, ados cinglés, querelles familiales, ce genre de choses dans son quotidien ? »

Elle secoua la tête. « Il ne parlait jamais de ses voisins. Ni de ses proches. Il vit avec une amie, Louisa. »

Cordova leva les sourcils.

« Louisa Bourebonette, précisa-t-elle.

– Bourebonette ? Une Navajo française ?

– Pas navajo. C'est une Blanche, une anthropologue. » Bernie repensa à la vieille plaisanterie du cours d'Anthropologie 101 : chaque famille navajo se compose d'une mère, d'un père, de quatre enfants et d'un anthropologue.

Cordova prit une note.

« Plus grande que moi, les cheveux gris. Elle conduit une Jeep blanche. »

Cordova but un peu de thé sucré, jeta un coup d'œil à l'extérieur, sur l'arrière du restaurant. « Leaphorn est marié ? Des enfants ?

– Non, et pas d'enfants. Je devine ce que vous pensez. Emma, sa femme, est morte il y a une dizaine d'années. » Elle prit une frite qu'elle plongea dans le ketchup avant de la manger.

« À la réunion de ce matin, avait-il l'air inquiet pour une raison ou une autre ?

– Non. Je n'ai pas remarqué.

– Parfois, ce genre d'agression est totalement dû au hasard. Des individus qui détestent les flics, tous les flics, deviennent incontrôlables. Un malheureux policier a la malchance d'être au mauvais endroit au mauvais moment. Ça pourrait être le cas, et que Leaphorn ait été le premier à sortir. Mais ça ne donne pas l'impression que ce soit ça. Déjà, il n'était pas en uniforme. » Cordova goûta une frite. Sans ketchup. « Il semblerait que l'auteur de l'agression était garé là-bas, qu'il l'attendait.

– C'est comme ça que je vois les choses. Et ce pourrait être une femme. À nous de trouver de qui il s'agit.

– Les policiers se font des ennemis. Ça fait partie du métier. »

Il attendait qu'elle lui dise autre chose.

« Après sa retraite, il a eu une activité de détective privé spécialisé dans les affaires de fraudes à l'assurance. Il a pu s'aliéner un de ses clients. »

Elle finit son Coca. Envisagea de demander une boîte à Nellie, pour emporter les frites. Décida de n'en rien faire.

Cordova se leva. « J'aurai d'autres questions à vous poser, dit-il en lui tendant sa carte. Appelez-moi si d'autres détails vous reviennent, aussi insignifiants puissent-ils paraître.

– Je ferai de mon mieux, dit-elle.

– Ç'a été un plaisir de faire votre connaissance, même dans ces circonstances. Je suis désolé pour votre ami. »

Quand elle sortit sur le parking, l'équipe des enquêteurs de la police de l'État de l'Arizona, appelée par l'agent Cordova et le capitaine Largo, travaillait aux côtés des policiers navajo. Les badauds étaient toujours là, eux aussi.

« Où en est-on ? demanda-t-elle à Bigman. Il y a du nouveau ? »

Il se leva de l'endroit où il inspectait l'asphalte. « Rien. Le tireur n'a pas laissé sa carte de visite. »

Il s'étira le cou en tournant la tête de droite et de gauche. « Nous avons interrogé les employés, ainsi qu'un couple de touristes qui partaient presque au moment où Leaphorn a été touché. Jusqu'à présent, tu es le seul témoin. »

Elle acquiesça. « L'agent du FBI, Cordova, m'a donné l'impression de connaître son métier.

– Il paraît qu'il est intelligent. Il ne lui faudra pas longtemps pour prendre du galon.

– Tu as des nouvelles, pour le lieutenant ? Comment va-t-il ? » Elle le revit au moment où ils attendaient l'ambulance. Se souvint de la flaque de sang sur le bitume.

« Rien encore. » Bigman ôta son chapeau, se frotta le crâne, le reposa sur sa tête. « Ça m'énerve, cette histoire. Le Légendaire Lieutenant, lui qui a écrit le manuel sur la façon de résoudre les crimes sur la réserve. Qui a enseigné à nombre d'entre nous à raisonner comme les escrocs, à comprendre pourquoi un plus un ne font pas toujours deux. Et il faut qu'on utilise ce qu'il nous a appris pour résoudre ce crime perpétré contre lui, comprendre comment quelqu'un peut en arriver à tirer sur un homme d'honneur.

– Qui que ce soit, nous le trouverons. Je l'ai promis au lieutenant. »

Elle monta dans sa Toyota, baissa les vitres pour laisser sortir l'air brûlant, contente qu'il n'y ait pas de thermomètre dans sa voiture. Elle aurait eu encore plus chaud en lisant le chiffre. Il devait faire plus de trente degrés dehors, plus chaud encore dans sa Tercel. Elle aurait branché l'air conditionné si elle l'avait eu.

Elle sortit son portable et afficha les derniers messages reçus.

Chee répondit à la première sonnerie. « Chérie. Ça va ?

– Moi, ça va.

– Largo m'a raconté ce qui s'est passé. Tu as vu le tireur ?

– Tout juste aperçu. Il a marché droit sur le lieutenant et a tiré une fois à bout touchant. Leaphorn a été blessé à la tête. Son agresseur ne lui a laissé aucune chance. Et après, il a pris la fuite dans sa voiture. » Elle sentit l'émotion qui montait en elle. La réprima. « C'était horrible. » Ses mots se précipitaient maintenant, elle ne les retenait plus. « Si j'étais sortie pour l'accompagner, ça aurait pu tout changer.

– Ça aurait pu tout changer, reprit Chee. L'agent Manuelito serait peut-être morte à l'heure qu'il est. »

Elle perçut l'emportement dans sa voix. Elle attendit, en partie pour suivre les règles de la politesse navajo, profondément enracinées en elle, et en partie parce qu'elle savait comment il fonctionnait. Quand il reprit la parole, son intonation était redevenue douce.

« J'aurais pu te perdre aujourd'hui. J'ai eu très peur, mon amour.

– Il faut que j'y aille. Je dois voir Largo. Je n'ai plus le temps de parler. »

Elle raccrocha juste au moment où ces fichues larmes réussissaient à se frayer un chemin, jaillissaient par les minuscules fissures que sa détermination farouche ne parvenait pas à colmater.

2

Window Rock vit de la présence du gouvernement navajo: bureaux du président de la Nation, des législateurs et de leurs cabinets, des instances judiciaires et de leurs infrastructures, de la faune et de l'environnement, l'archéologie, la lutte contre les incendies et l'assistance aux personnes, les anciens combattants, le tourisme, le développement économique. La bureaucratie de l'État d'Arizona fournit des emplois dans les services de délivrance des permis de conduire et les services sociaux. Les bureaux fédéraux sont postés le long de la Route Navajo 3 et de l'Arizona 264, la grand route qui mène à St Michael et à Ganado, où se situe l'historique comptoir d'échanges de Hubble.

Le quartier général de l'agence de la Direction Navajo de la Sécurité Publique occupe un ensemble de bâtiments bas, à la limite de la région des mesas* qui encadre la ville. Le complexe est fonctionnel à la mode des années 1960, tournée uniquement vers l'efficacité. La plupart des représentants de la loi qui y travaillent font partie du Diné*, le mot navajo qui signifie approximativement «le Peuple». Qu'ils aient des liens familiaux ou pas, ils se comportent comme les membres d'une même famille, sans exclure d'occasionnelles querelles intestines, mais en période de stress, ils œuvrent ensemble, avec un unique but commun. En plus d'appliquer la procédure policière normale, servir de manière efficace signifie, pour eux, comprendre les relations existant à l'intérieur des familles* élargies de la Nation Navajo, et entre elles. Il leur faut savoir qui nourrit de la rancune, envers qui, qui a des problèmes liés à la drogue ou à l'alcool, qui peut être passablement cinglé, mal intentionné ou les deux. Il leur faut savoir qui respecte la Voie* Navajo et qui s'en est écarté. Les 230 hommes et femmes policiers assermentés travaillent à partir de 7 postes situés sur le territoire de la réserve, et répondent chaque année à une moyenne de plus de 289 000 appels pour une réserve de presque 71 000 km^2.

À l'intérieur du bâtiment de la police, Bernie remarqua un silence pesant, l'absence des plaisanteries et du tapage ordinaire, le recueillement approprié pour celui qui était tombé dans une embuscade. Les nouvelles voyagent vite en pareil lieu, et l'annonce qu'un vieux policier célèbre avait, de sang-froid, été blessé par balle, s'était propagée à la vitesse de l'éclair.

Le capitaine Largo faisait les cent pas dans son bureau, porte ouverte. Jamais Bernie ne l'avait vu agité. Elle cogna au chambranle, le vit lever les yeux et entra.

« Comment va le lieutenant ? demanda-t-elle.

– L'ambulance vient d'arriver à Gallup. Il a tenu au moins jusque-là. »

Elle baissa les yeux sur ses mains, découvrit qu'elle avait du sang séché sous les ongles.

« Vous avez fait exactement ce qu'il fallait, là-bas, lui dit Largo. Bonne description de la voiture. Asseyez-vous. »

Elle sentit le métal froid de la chaise à travers sa chemise. C'était le seul meuble de la pièce, à l'exception du fauteuil à roulettes et du bureau de Largo. Il s'assit également, la regarda au-dessus des piles de papiers posées sur le plateau métallique. « Toujours aucune trace du tireur.

– J'ai repensé à d'autres détails. Je les ai confiés au FBI. Aile arrière droite endommagée. Petit bruit aigu comme si la courroie du ventilateur était en mauvais état. Le tireur portait des gants, ou il avait les mains noires.

– Cordova m'a tout répété. Il m'a dit que vous étiez un très bon témoin. » Il s'approcha de la fenêtre. Elle jeta un coup d'œil dehors, au parking où le soleil se réfléchissait sur les pare-brise. « Nous buvons du café ensemble, dit-il, nous échangeons des plaisanteries et pan ! Ç'aurait pu être vous, moi, n'importe qui parmi ceux qui étaient dans la salle, n'importe quelle semaine au fil des je ne sais combien d'années où nous nous sommes réunis là. N'importe quel cinglé assoiffé de vengeance aurait pu nous tirer dessus. »

Elle entendit la colère dans sa voix et vit sur son front des rides de stress. Il paraissait sensiblement plus âgé qu'au petit déjeuner.

« Nous l'arrêterons, dit-elle. Et nous saurons pourquoi. J'en ai fait la promesse au lieutenant avant qu'il parte avec les urgentistes. »

Largo soupira, se rassit. « Je veux que vous preniez de la distance ces deux prochains jours. J'ai déjà vécu ce genre de chose. On n'en sort pas indemne.

– Capitaine, il faut que je travaille sur l'enquête. » Elle tentait de garder une voix calme, de ne pas laisser transparaître la surprise.

« Ce n'est pas une demande. C'est un ordre.

– Confiez-moi la responsabilité de l'enquête, capitaine. Je ne mesurerai pas mes efforts.

– Nous sommes tous dans la même situation. Tout le monde, ici, pense exactement comme vous.

– Pour ça, vous vous trompez, capitaine. » Elle ne se souvenait pas d'avoir été prise d'une telle fureur, d'avoir été aussi proche d'exploser. « Je l'ai vu tomber. Si j'étais sortie avec lui, j'aurais peut-être pu tirer une fois. Je dois le faire. Je le lui ai promis. Promis de... »

Largo présenta ses mains, paumes en avant. « Suffit. Qu'y a-t-il, dans les mots "rester à l'écart de l'enquête", que vous ne comprenez pas, agent Manuelito ? »

Elle sentit la pièce se refermer sur elle.

Le capitaine était debout, il parlait plus fort. « Non seulement vous êtes arrivée la première sur les lieux où un collègue a été grièvement blessé, mais il se peut que vous soyez la seule à en avoir été témoin. Vous connaissez les règles, dans ce genre de situation. Ou si vous ne les connaissez pas, vous devriez. » Il s'approcha assez pour pouvoir la toucher. « Si vous étiez un homme, j'agirais de même. Comme pour n'importe lequel d'entre nous, s'il se trouve sur place quand un de nos frères gît au sol. Ne commencez pas à vous raconter qu'il s'agit d'une mesure sexiste ou je ne sais quoi. C'est la procédure normale. Est-ce clair ? »

Le téléphone sonna. Il décrocha. Hocha la tête. « Ouais. Merci. »

Puis il se tourna vers elle. « Ils en ont terminé sur la scène de crime. » Il prit les clés de Leaphorn, les déposa dans la main de Bernie. « Retournez au restaurant. Prenez son camion pour aller chez lui. Annoncez à Louisa ce qui s'est passé. Sur son dossier figure toujours : *Épouse, Emma*, comme personne à contacter en cas d'urgence. Il faut que nous trouvions quelqu'un de sa famille. Faites-le pour lui. Après, je ne veux plus vous voir. »

Elle garda le silence le temps de s'assurer qu'elle pouvait parler. « Emma avait des frères. Je me souviens avoir entendu le lieutenant parler d'une sœur, quand nous nous sommes rencontrés. Je n'ai connaissance de personne d'autre, ni de quelqu'un qui soit plus proche. » Largo connaissait le reste, la façon dont la famille navajo traditionaliste d'Emma s'était naturellement attendue à ce que Leaphorn épouse la sœur de sa femme quand elle était décédée de complications à la suite d'une intervention au cerveau. Une règle que Leaphorn avait enfreinte, ce qui avait creusé un gouffre entre eux.

« Trouvez qui nous devons prévenir. Après, prenez votre congé. Chee assurera la responsabilité de notre partie de l'enquête et la liaison avec les Fédéraux. Il en référera directement à moi.

– Chee ? »

Largo fronça les sourcils. « Je vous connais, Manuelito. Je sais que vous allez vous impliquer. Vous ne pourrez pas vous en empêcher. Mais je ne veux pas en entendre parler à moins que vous teniez à ce que je vous mette à pied. Maintenant, fichez-moi le camp. »

Elle sortit et vit Chee qui attendait dans le couloir. Il était un peu pâle et ses mains se crispaient spasmodiquement.

« Te voilà », dit-il. L'instant d'après, il la serrait ardemment dans ses bras sans prononcer un mot, et elle lui rendit son étreinte, oubliant qu'elle était en uniforme, sur son lieu de travail, entourée de collègues policiers.

Finalement, elle écarta le visage de sa poitrine pour le lever vers lui.

« Largo m'a ordonné de ramener le pick-up de Leaphorn chez lui, de voir si je peux trouver le nom ou le numéro de téléphone de gens de sa famille à contacter d'urgence. Et de rentrer chez nous, de ne pas me mêler de l'enquête. Est-ce que tu peux passer me récupérer chez Leaphorn ?

– Je t'y retrouverai. Il faut d'abord que je parle à Largo.

– Il m'a dit qu'il te confiait la responsabilité de l'enquête. »

Chee opina. « Oui. C'est la deuxième raison pour laquelle je suis venu. J'espère qu'il sait ce qu'il fait. »

*

Le parking de l'Auberge Navajo était maintenant pratiquement désert, les véhicules officiels étaient partis, la bande de plastique jaune entourant la scène de crime avait été retirée, les touristes bloqués avaient repris la route. Bernie rangea sa vieille Toyota près du petit camion blanc du lieutenant, tout près de la place que le tireur avait occupée. Quelqu'un avait jeté de la terre sur le sang et balayé. Sous le soleil d'Arizona, la tache foncée qui s'imprégnait dans l'asphalte aurait pu être une flaque d'huile. Bernie ouvrit la portière du conducteur, qui n'était pas fermée à clé. Elle grimpa dans la cabine et s'acharna un moment sur la commande pour forcer le siège à s'avancer en l'ajustant à la longueur de ses jambes. Chee la taquinait en lui disant qu'au lieu d'annoncer aux gens combien elle mesurait, elle ferait mieux de leur dire combien elle ne mesurait pas.

Elle retira le pare-soleil argenté de forme arrondie, sentit la chaleur du dehors pénétrer dans la cabine. Le pick-up, un Ford du début des années 1990, semblait un prolongement de Leaphorn. Rien, nulle part, ne venait d'ailleurs : pas un seul emballage de nourriture à emporter, pas un cure-dent jeté, une tasse en carton vide. Elle vit la vénérable Thermos bleue posée sur le siège du passager et, à côté, un tas de courrier ainsi qu'un paquet d'enveloppes en papier kraft neuves, ouvert.

Le moteur démarra du premier coup. Elle repéra la jauge, la moitié du réservoir, et lut le chiffre au compteur : 290 316. Presque autant de kilomètres que sa Toyota.

Quand elle arriva chez Leaphorn, elle ralentit, se gara sur l'allée déserte. Elle sonna, attendit que Louisa vienne ouvrir, puis cogna à la porte en bois. Comme elle ne recevait aucune réponse, elle essaya la poignée. Fermée à clé.

Elle retourna au pick-up, prit la Thermos, les enveloppes et le courrier. Remit le pare-soleil et contourna la maison pour s'approcher de la porte de derrière. Comme elle s'y attendait, elle n'était pas fermée à clé. Elle frappa et appela : « Louisa ? » Attendit sans obtenir de réponse, ouvrit et pénétra dans la cuisine.

« Louisa ? Vous êtes là ? »

Au-dessus de l'évier en inox, une pendule à visage lunaire émettait un tic-tac sonore. Pour le reste, la pièce était silencieuse, aussi propre et rangée que dans son souvenir. Un verre à eau, une cuiller, une grande tasse affichant le logo des Chats Sauvages d'Arizona[1], avec le félin, étaient posés sur l'égouttoir à côté de l'évier.

Les quelques fois où elle était venue, ç'avait été avec Chee, lorsqu'il éprouvait le besoin de discuter d'une enquête embrouillée. À cette même table de cuisine, Louisa leur servait du café et des biscuits au beurre achetés en magasin. Parfois elle donnait son avis. Ces séances conduisaient le lieutenant à pointer un épisode étrange ou une improbable succession d'événements, et cela incitait Chee à fouiller dans ses souvenirs ou à remettre quelque chose en question. Son mari, intelligent et compétent, sortait de ce processus en ayant l'impression d'être un gamin sur un banc d'école.

Elle posa la Thermos et le courrier sur la table. Où était Louisa ? Pourquoi y avait-il une tasse sur l'égouttoir et non pas deux ?

La fenêtre de la cuisine donnait sur la maison voisine. Il y avait davantage de Navajos, désormais, qui vivaient comme les Blancs, certains dans des maisons construites les unes à côté des autres par les autorités, afin de bénéficier de l'eau courante et de l'électricité. Quand elle était petite fille, leurs voisins les plus proches, la sœur de sa mère et sa famille, habitaient à cinq kilomètres. La sauge, les rochers et un isolement apprécié les séparaient. Comme il était beaucoup plus âgé qu'elle, Leaphorn avait dû grandir dans un lieu où il y avait encore moins de voisins. Quand il serait remis, elle l'interrogerait à ce sujet, lui demanderait de lui raconter des histoires de son enfance.

L'épuisement s'abattit sur elle comme si elle avait couru un marathon, un poids de quinze kilos attaché à chaque jambe. Si elle avait été plus rapide, elle saurait qui était l'auteur du coup de feu qui avait grièvement blessé le lieutenant. Après

1. Équipe de football américain de l'université de Tucson.

son mariage avec Jim, elle avait cessé de courir régulièrement. Avant, elle se levait avec le soleil, quelle que soit la saison. Elle courait pour célébrer la venue du jour. Elle était devenue paresseuse, ce qui avait peut-être permis au tireur de s'enfuir.

Je me demande s'il va survivre, pensa-t-elle, mais elle chassa cette spéculation de son esprit. Son éducation la conditionnait à se détourner des idées négatives, même sous forme de questions. Son nom navajo était Fille-qui-Rit, mais elle n'avait pas envie de rire. Elle sentit le début d'une migraine. Songea à la façon dont le Peuple* Sacré avait conseillé aux Navajos de ne pas se perdre dans le chagrin ou le conflit. Mais le mal l'environnait aussi, certains jours autant que la beauté. Au quotidien, elle constatait les aspects négatifs de l'humanité dans son métier, dans des situations telles que des disputes entre membres d'un même clan* ou quand des gosses de quatre ans étaient livrés à eux-mêmes pendant que, dans la cuisine, leurs parents préparaient de la meth en lieu et place du dîner.

Pourquoi le Peuple Sacré avait-il guidé le Diné vers un monde qui recelait tant de peines ? Quand, par exemple, un homme de valeur reçoit une balle dans le cerveau. Ou quand sa mère avait dû abandonner son métier à tisser adoré à cause de ses mains percluses d'arthrite. Ou quand sa sœur Darleen risquait de s'égarer.

Un bruit la fit sursauter avant qu'elle le reconnaisse : des glaçons qui dégringolaient dans le compartiment congélateur. Allez, au boulot, s'encouragea-t-elle. Arrête de perdre ton temps. Elle repéra le téléphone jaune accroché au mur. Louisa devait avoir un portable, avec tous ses déplacements. Bernie se leva, parcourut la liste des numéros fixée sur le réfrigérateur à l'aide d'un aimant du *Navajo Times*. Plusieurs médecins, un dentiste, un atelier de réparation de voitures. Rien n'indiquait « portable de Louisa ». Le lieutenant devait avoir ce numéro mémorisé ou programmé dans son mobile. Il se plaignait que le signal ne soit jamais fiable sur la réserve et que les portables nuisent à la tranquillité, mais il s'était procuré le sien, avait-il expliqué à Bernie et à Chee, à la demande de Louisa. Il l'avait probablement sur lui quand le tireur avait fait feu. À moins de l'avoir laissé ici. Cela valait le coup de vérifier. De le trouver, d'appeler Louisa, de lui annoncer la nouvelle. Et l'emplacement le plus logique d'un appareil cellulaire, c'était au bout d'un chargeur.

Comme elle ne le voyait pas dans la cuisine, elle s'avança dans le couloir, laissa le séjour sur sa droite. Le lieutenant, ou Louisa, avait fermé les rideaux afin d'empêcher la chaleur d'entrer. La maison baignait dans une lumière douce et tamisée. Rôder de la sorte la rendait mal à l'aise, nerveuse.

Il y avait une porte ouverte sur sa gauche, celle de la salle de bains. Irréprochable, presque stérile. Les serviettes de toilette indispensables, du savon et une boîte de mouchoirs en papier ; ni brosse à dents, ni flacon de vitamines en vue. Ça évoquait un motel, à l'exception de la caisse du chat, près de la baignoire. Les prises électriques étaient libres : pas de chargeur.

La pièce de l'autre côté du couloir contenait un lit double drapé d'un dessus-de-lit masculin, lui-même surmonté d'une couverture de Teec Nos Pos colorée. Elle en parcourut le tissage de la main. Un beau travail lisse. Elle demanderait au lieutenant de lui parler de cette couverture, de lui dire qui la lui avait offerte et pourquoi. Le réveil arrondi, posé sur la commode, lui rappela celui qu'avait possédé son grand-père. Sur la table de bois toute simple, juste à côté, il y avait un livre et une paire de lunettes de lecture à monture noire, ainsi qu'une lampe à col de cygne. Pas de téléphone, ni portable ni fixe.

Elle trouva le bureau de Leaphorn à la porte suivante. Une autre grande couverture, tissée celle-là avec de la laine d'un rouge intense à base d'aniline, et présentant le motif en losange caractéristique du style de Ganado, couvrait une partie du plancher. Aux livres rangés sur les étagères, le lieutenant avait mêlé des poteries navajo marron, vernies, un petit pot hopi* polychrome en forme de soucoupe volante, destiné à stoquer des graines, un aigle en albâtre et une petite collection de fétiches zuni*. Un fauteuil rembourré occupait un angle, près d'une table et d'une lampe à pied. Sur la table, un panier de mariage navajo et deux photographies encadrées. Elle se pencha pour mieux voir la plus petite, un cliché en noir et blanc représentant une Navajo qui tenait ce même panier, un Leaphorn jeune à ses côtés. Tous deux souriants. Elle supposa qu'il s'agissait de son épouse défunte, Emma. Le lieutenant avait placé tout près la photo en couleur les représentant, Chee et elle, la semaine qui avait suivi leur mariage, sur la plage blanche de Hawaï, devant le bleu de l'immense et profond océan. Pas de photo de Louisa, la femme qui partageait sa maison, était son amie et peut-être plus depuis cinq ans. Pas d'autres photos, pas même d'éventuels proches.

Le point de convergence de la pièce était le bureau à cylindre. Elle s'y assit, se faisant l'effet d'une intruse. Il avait entassé des livres près de son écran d'ordinateur. Elle ouvrit celui qui se trouvait au sommet de la pile, *L'Art ancien de la poterie des Pueblos**, tourna jusqu'à la page qu'il avait marquée, à l'aide d'un bout de papier, où elle découvrit une série de photos représentant des poteries et des fragments de poteries ornés de motifs géométriques. Elle parcourut du regard d'autres titres : *La Poterie des Anasazis**, *La Céramique : dix siècles d'art de la préhistoire*, *Potiers pueblos de la région des Four* Corners*, *Fabuleuses céramiques de Chaco Canyon*. Provenant tous de la bibliothèque de la Nation Navajo. Un projet de recherche, se dit-elle, pour un client quelque part.

Un chien aboya, puis elle entendit une voix de femme et l'animal se tut. Elle n'aimerait pas avoir des voisins aussi près. Elle et Chee n'avaient pas une demeure luxueuse, mais elle en adorait le silence, le site au bord de la San Juan.

Elle parcourut du regard le dessus du bureau en quête du téléphone portable. Il n'y était pas. Elle sortit de son pantalon un pan de sa chemise qu'elle utilisa pour ouvrir le tiroir du haut. Un tas de stylos bien rangés dans un compartiment. Dans l'autre, des crayons, tous taillés, avec des enveloppes de tailles différentes soigneusement disposées, des trombones et des cartes de visite entourées d'un élastique.

Elle ouvrit ensuite le grand tiroir du bas, vit des dossiers suspendus rigoureusement étiquetés avec des languettes à l'ancienne, pour le rangement alphabétique, des dizaines de dossiers rangés derrière des intercalaires aux couleurs pastel. Nulle part ne figurait la mention « menaces de mort ».

Sur la route gravillonnée, elle entendit un véhicule qui s'approchait et se garait sur l'allée. Louisa qui rentre, pensa-t-elle. Au moment où elle refermait le tiroir, elle vit sur le sol une corbeille à papier contenant des feuilles déchirées qui méritaient d'être étudiées et une boîte de rangement blanche en carton. Le chargeur du portable était posé dessus. Vide. Zut.

Elle se hâta de sortir du bureau pour entrer dans le séjour dont elle écarta les rideaux avant d'aller ouvrir la porte et de voir Chee qui atteignait les marches.

« Alors, ma belle, lui dit-il. Louisa est là ?

– Non, pas encore. J'espérais qu'elle allait revenir avant que tu arrives pour pouvoir lui parler.

– Viens voir un truc. »

Elle le suivit en sentant l'intensité du soleil à travers sa chemise d'uniforme. Il s'arrêta au bord de l'allée et pointa sa chaussure vers la terre. « Qu'est-ce que tu en penses ?

– Des traces de roues. Un chariot ? Peut-être le lieutenant ou Louisa ont-ils déplacé un objet.

– Peut-être une de ces valises à roulettes. Et c'est peut-être pour ça que nous ne parvenons pas à trouver Louisa.

– Elle va rentrer. Dis donc, merci d'être venu me chercher. Il y a beaucoup de dossiers dans le tiroir du bureau de Leaphorn.

Les affaires récentes pourraient avoir un rapport avec l'agression. Et il faudrait qu'on vérifie dans son ordinateur. »

Chee rit en entrant dans la maison. « Allons-y. Je te suis. Autre chose ? »

Elle ne répondit pas, le précédant dans le couloir.

« Regarde un peu ça, dit-il en contemplant l'entremêlement des fils qui pendaient derrière le bureau. Cet ordinateur doit avoir vingt ans. Je me souviens l'avoir entendu dire qu'il était vraiment trop lent et qu'il allait en acheter un autre. » Il secoua la tête. « C'est l'une des rares choses dont je l'ai entendu se plaindre. Il ne se plaignait pas beaucoup. Sauf de moi.

– C'est parce qu'il t'apprécie, qu'il attend beaucoup de toi. Il ne savait pas comment le montrer, c'est tout. Je veux dire, il ne sait pas comment le montrer.

– Sec et dur comme du vieux cuir. »

Bernie s'aperçut qu'elle n'avait pas bien refermé le grand tiroir. « Les dossiers sont dedans. »

Chee sortit des gants en latex de sa poche de pantalon et l'ouvrit en grand. Il examina les dossiers avant d'en extraire un.

« Leaphorn et moi, nous avons collaboré sur cette affaire. Ça me fascinait de voir comment son cerveau fonctionnait. Nous avons découvert un savant à moitié fou qui se livrait à des expériences sur la peste bubonique. Une vieille femme qui surveillait son troupeau de chèvres nous a aidés à boucler l'enquête[1].

– Ç'a dû être dangereux.

– Une grand-mère riche avait engagé le lieutenant pour retrouver sa petite-fille. Elle s'était trouvé un stage et participait à une étude épidémiologique sur la réserve, près de Yells Back Butte. L'enquête de Leaphorn en recoupait une autre sur laquelle j'étais et où il semblait qu'un jeune Hopi avait tué un policier navajo.

1. Voir *Le Premier Aigle* (Rivages/noir n° 404).

– Est-ce qu'il l'a retrouvée, la petite-fille ?

– Son corps. On a découvert le type qui l'avait tuée, et on s'est aperçus qu'il avait aussi tué le policier. Le Hopi était innocent, si ce n'est qu'il braconnait des aigles. » Il ajouta : « Leaphorn m'a dit : "Bon travail." »

Elle entendit sa voix se briser. Même s'il ne le reconnaîtrait jamais, peu de choses lui faisaient autant plaisir que l'approbation du vieux lieutenant bourru. « Alors, comment va-t-il ? lui demanda-t-elle.

– On vient d'apprendre qu'il est bien arrivé à Gallup. »

Elle perçut quelque chose, dans le ton de sa voix.

« Et ? »

Silence. Puis il ajouta : « Trop grièvement blessé pour y être soigné. Ils ont fait venir un hélicoptère pour l'emmener à Albuquerque, dans le grand hôpital avec son unité de soins intensifs hyper moderne.

– Quand il en sera sorti, si on l'aidait à s'acheter un nouvel ordinateur ? Un portable qu'il pourrait emmener partout pour ses enquêtes, où il pourrait rentrer directement ses notes. Ça lui ferait gagner beaucoup de temps.

– Tu crois qu'il remiserait son petit calepin en cuir ? Impossible. » Il se tourna à nouveau vers le tiroir de rangement. « Je vais feuilleter rapidement, voir si quelque chose me saute aux yeux. Après, il faudra que je retourne au bureau. Bigman va arriver. Il pourra nous ranger tout ça dans des cartons et s'occuper de l'ordinateur.

– Tu veux bien essayer de trouver le téléphone portable du lieutenant ? Je vais vérifier dans le reste de la maison, voir si tout est normal. Si nous retrouvons son téléphone, nous pourrons appeler le portable de Louisa. »

Elle le laissa passer hâtivement les dossiers en revue, prit à nouveau conscience du silence qui régnait dans la maison, de la différence que cela faisait avec le box qu'elle occupait, au poste de police, ou avec le bruit continu de sa voiture de patrouille quand elle était sur la route. Elle pensa qu'une semi-retraite, cela devait être agréable, mais qu'on devait se sentir un peu seul.

La chambre de Louisa était au bout du couloir. Contrairement à celle de Leaphorn, elle avait l'air sens dessus dessous. Il y avait des vêtements jetés partout, des tiroirs ouverts, des chaussures posées sur la commode. Elle chercha une valise dans le placard, vit des cintres vides.

La voix de Chee la fit sursauter. « Certains de ces dossiers mériteraient sans doute qu'on s'y attelle, mais ils sont anciens. Bigman pourra vérifier les fichiers dans l'ordinateur, voir les plus récents. Tu es prête ?

– J'arrive. » Elle lui fit part de ce qu'elle avait trouvé, et de ce qu'elle n'avait pas trouvé.

« Louisa range peut-être ses valises dans le garage ou dans un autre placard, suggéra-t-il. Peut-être est-elle d'un naturel peu soigneux. Comme ta petite sœur.

– Je ne pense pas qu'elle soit négligée. Regarde comme le reste de la maison est propre et bien rangé. À mon avis, elle est partie précipitamment. Allons-y. Tu as beaucoup de choses à faire. »

En sortant, elle prit une carte de visite dans sa poche, inscrivit au dos : *Louisa, appelez dès que possible.* Elle la laissa au milieu de la table de la cuisine avec les clés du pick-up.

Quand elle s'installa sur le siège du passager, dans la voiture de patrouille, elle sentit la chaleur de la garniture et une pellicule de sueur perla sur sa lèvre supérieure. Chee s'installa au volant. Il venait de démarrer quand la voix de Largo rugit à l'antenne.

« Chee, Bernie est avec vous ?

– Oui, capitaine. Nous retournons prendre sa voiture à l'Auberge Navajo.

– Pas encore. Nous avons trouvé un véhicule qui pourrait être celui du tireur. Il faut qu'elle vienne l'identifier. »

3

« Nous avons la voiture, répéta Largo. Du moins, nous le pensons. Chez Bashas. Avant qu'on l'embarque, il faut que Bernie nous le confirme. » Un agent était là-bas, sur le parking, pour surveiller la voiture en attendant l'arrivée du camion de remorquage qui la conduirait à la fourrière où les enquêteurs de la police d'Arizona pourraient la passer au crible.

« Nous y serons dans dix minutes, répondit Chee. À propos, il est possible que Louisa ait disparu.

– Je vais diffuser l'information. »

Il y avait toujours du monde à l'épicerie de Bashas, sur la rue principale, près du champ de foire de la Nation Navajo. La marchandise reflétait les besoins des consommateurs, en majorité des membres du Diné dont un nombre important de ruraux. Les clients pouvaient s'y procurer en grandes quantités des produits de première nécessité qu'ils ne trouveraient sans doute pas dans une épicerie des environs située à l'extérieur de la réserve : nourritures animales, farine Blue Bird, granulés de sucre en sacs de douze kilos, pots de cinq kilos de saindoux. Le magasin avait des boîtes de conserve de taille gigantesque, de la viande fraîche, des fruits et des légumes. Le vaste espace boulangerie préparait de grands gâteaux rectangulaires pour toutes les occasions. Quel que soit le jour, une douzaine de femmes parcourait les allées, enfants ou petits-enfants sur les talons.

Moderne et bien approvisionné, le magasin était, aux yeux de Bernie, un des atouts majeurs de Window Rock. Elle adorait se trouver aux rayons d'alimentation lorsque le bruit du tonnerre sortait des haut-parleurs et que la brume se répandait sur le persil et les laitues. Elle pouvait s'arrêter pour acheter une miche de pain et un flacon d'aspirine à sa mère, ou un sandwich pour les longues journées où elle serait loin de tout à l'heure du déjeuner.

Ils repérèrent la voiture de la Police Navajo au fond du parking. L'agent Brandon Wheeler se tenait juste à côté, sous le soleil de juin qui tapait, et surveillait une conduite intérieure bleu foncé. Bernie et Chee mirent pied à terre et s'avancèrent au milieu d'une violente bourrasque. Des grains de sable cinglaient leurs jambes de pantalon, tourbillonnaient dans l'air chaud et sec. Des sacs en plastique poussés par le vent adhéraient au grillage qui entourait le parking et pendaient comme des drapeaux aux branches des pins pignons. Bernie n'aimait pas le vent. Il l'importunait.

Elle fit le tour pour s'approcher de l'aile arrière droite. Elle était enfoncée, exactement comme dans son souvenir, et avait reçu une couche de peinture argentée. L'autocollant rouge était là : *UNM Lobos*. L'université du Nouveau-Mexique à Albuquerque, dont elle était diplômée, à deux cent soixante-quinze kilomètres de distance et trois heures de route.

« C'est celle-là, dit-elle à Chee. J'en suis sûre. »

Wheeler précisa : « Je l'ai vue quand je suis entré sur le parking pour participer aux recherches. Il n'y avait personne à proximité. Je ne l'ai pas quittée des yeux. Personne ne l'a touchée depuis que je suis là. »

À voir l'âge de la voiture, Bernie pensa qu'elle devait dater du début des années 1980 ; l'aile exceptée, elle était en remarquablement bon état. Elle regarda par la fenêtre ouverte, vit l'usure du siège du conducteur et un bout de ruban adhésif sur la garniture, côté passager. La banquette arrière était vide, le plancher impeccable. Le propriétaire en prenait grand soin. À part un peu de sable sous la pédale de frein et d'accélérateur, le tapis de sol était propre.

Chee regarda Bernie avant de se tourner vers le magasin. « Je vais entrer poser quelques questions. Et demander au gérant de fermer. Toi, tu transmets le numéro d'immatriculation. Quand tu auras fini avec la radio, surveille la voiture pour que Wheeler puisse m'aider à interroger les gens. »

Chee avait toute autorité pour leur dire, à Wheeler et à elle, ce qu'ils devaient faire puisque Largo l'avait nommé responsable de l'enquête. Pourtant, recevoir des ordres de lui la hérissa. Elle monta dans la voiture de patrouille, furieuse mais muette. Baissa les vitres et essaya de se calmer avant de s'attaquer à ces deux tâches.

« Laisse Bernie interroger les gens, proposa Wheeler. Elle a un meilleur contact avec eux. Moi, je peux m'occuper de la radio et surveiller la voiture.

– Largo lui interdit de participer à l'enquête, répondit Chee. Elle n'est là que pour l'identification. »

Il partit en courant vers le bâtiment, faillit entrer en collision avec une Navajo bien en chair qui poussait un caddie dans leur direction.

La femme continua d'avancer et dit à Wheeler : « Vous bloquez ma voiture.

– C'est la vôtre ? »

Elle le fusilla du regard comme elle l'aurait fait avec un gosse désagréable, passa la main sur son front pour en essuyer la sueur.

« Oui. C'est pour ça que je vais y ranger mes provisions et rentrer chez moi dès que vous aurez libéré le passage.

– Cette voiture correspond à la description d'un véhicule utilisé pour une tentative de meurtre qui a eu lieu ce matin, dit Wheeler. Nous devons la saisir et procéder à une recherche d'éléments de preuves. Le camion de remorquage va arriver. »

Les yeux sombres de la femme s'arrondirent. « C'est pour une de ces émissions de télévision où on fait des blagues aux gens ?

– Non, madame.

– Pas ma voiture, dit-elle.

– Ce n'est pas votre voiture ?

– Si. Mais ma voiture n'a servi à rien d'illégal. » Elle fouilla à l'intérieur d'un sac rouge et montra la main qui tenait un jeu de clés. Le vent agitait ses cheveux coupés courts. « Voilà, vous voyez bien. » Elle passa à la langue navajo pour ajouter : « Maintenant, je dois rentrer chez moi. »

Elle poussa le caddie vers le coffre. Bernie, assise dans la voiture de patrouille, observait Wheeler barrer le chemin à la femme.

« Cette voiture ayant été utilisée pour commettre un crime, il faut que nous l'examinions. S'il vous plaît, madame, veuillez vous en éloigner.

– Il y a beaucoup de voitures comme celle-ci. Vous me prenez pour une criminelle ?

– Je ne sais pas. Je vous demande de coopérer avec nous, madame. Veuillez me présenter votre permis de conduire. »

La femme se raidit, étudia la plaque où figurait le nom du policier : « Agent Wheeler, mes esquimaux au chocolat sont en train de fondre. Je n'ai absolument rien à voir avec quoi que ce soit de répréhensible, mais je n'apprécie pas du tout votre attitude. C'est de l'abus de pouvoir. Si vous continuez à dire ce genre de bêtises, les gens vont croire que vous êtes cinglé. »

Bernie perçut la tonalité de sa voix et sentit venir les ennuis. Heureusement, la vérification concernant la plaque d'immatriculation était presque terminée : on venait de lui annoncer que le nom du propriétaire serait connu dans les soixante secondes.

« Madame, insista Wheeler, je dois vérifier votre permis de conduire. »

La femme ne répondit pas, mais son attitude de défi en disait long.

Deux voitures de police, des agents en uniforme et une femme en colère, voilà qui commençait à attirer la foule. Chee avait réussi à empêcher quiconque de pénétrer dans le magasin, si bien que les acheteurs potentiels qui avaient du temps devant eux s'approchaient pour voir de quoi il retournait. Plusieurs connaissaient la femme au caddie et la saluaient de la tête.

« Il veut m'arrêter parce que j'ai acheté des esquimaux au chocolat, déclara-t-elle. Cet homme a des menottes. Je vois son pistolet. Il va me conduire en prison parce que j'ai fait mes courses chez Bashas. »

Bernie entendit les protestations qui commençaient à s'élever presque au moment où elle obtint le nom associé au numéro d'immatriculation. Elle se hâta vers la cliente navajo, la salua dans sa langue, se présenta selon la manière traditionnelle en énonçant ses clans maternel et paternel. La femme, Gloria Benally, fit de même. Gloria Benally, c'était le nom que le fichier du service des véhicules à moteur avait donné comme étant celui de la propriétaire.

Bernie se tourna vers la douzaine de personnes qui s'étaient assemblées pour assister à la scène. « Un homme de valeur a été grièvement blessé par balle ce matin, et nous sommes à la recherche d'une personne impliquée dans cette agression. Nous ouvrirons le magasin dès que nous le pourrons. Si vous pouvez faire vos courses ultérieurement, je vous conseillerais de le faire. »

Elle entendit la sirène d'une nouvelle voiture de patrouille. Un véhicule appartenant aux services du shérif du comté d'Apache entra sur le parking, les dépassa pour s'arrêter devant l'entrée du magasin. Deux adjoints en descendirent et se précipitèrent vers l'arrière du bâtiment.

Bernie fit face à Wheeler et le vent lui fouetta le visage. « Tu peux aller seconder Chee comme il te l'a demandé. Dis-lui que la voiture est enregistrée au nom de Mme Gloria Benally, qui se trouve avec nous. Son casier est vierge.

– Écartez-vous tous les deux de ma voiture, ordonna Mme Benally en haussant la voix. Qu'est-ce qui vous prend, je vous demande un peu ?

– L'agent Wheeler et moi-même sommes désolés de vous causer des désagréments, mais nous avons besoin de votre aide pour notre enquête. Les experts vont devoir examiner votre voiture à la recherche d'indices susceptibles de nous apprendre qui a tiré sur le policier. C'est pour cela que le camion de remorquage arrive.

– Le camion de remorquage ?

– Celui-qui-a-été-blessé est un policier à la retraite, un homme courageux qui travaillait pour le Peuple. Il a été touché à la tête. L'auteur du coup de feu a pris la fuite dans une voiture bleue semblable à la vôtre. » Bernie marqua un moment de silence. « En tous points semblable. Tous. Jusqu'à la carrosserie un peu enfoncée de l'aile et l'autocollant rouge à l'arrière. Je sais que c'est vrai parce que j'étais là. Nous avons besoin de votre aide pour identifier le tireur avant qu'il y ait d'autres victimes. »

Mme Benally attendit d'être sûre que Bernie en avait terminé.

« Je suis désolée que cet homme ait été blessé, dit-elle. Mais ma voiture est innocente. J'en ai besoin pour emmener mes provisions chez moi. Et mes esquimaux au chocolat, alors ? »

Bernie tourna son regard vers Wheeler. « L'agent qui est là vous en achètera d'autres quand nous en aurons terminé ici. »

Wheeler eut l'air interloqué. « Je vais donner un coup de main à Chee », dit-il avant de s'éloigner en trottinant.

Mme Benally sourit pour la première fois.

Bernie lui parla en navajo. « Je vois bien que vous êtes intelligente et très observatrice. Nous sommes confrontés à une énigme. Acceptez-vous que je vous pose quelques questions ? »

Mme Benally n'était pas venue seule à Bashas. Une amie l'avait conduite et déposée au magasin. Elle relata l'histoire de sa rencontre avec cette amie, à l'école élémentaire de Window Rock, quand leurs fils étaient tous les deux en cours préparatoire. Bennie l'écouta en sachant qu'elle finirait par lui parler de la voiture.

« Mon fils a été triste que ce garçon parte vivre chez son oncle à Flagstaff. Mon fils, c'est lui qui vient ici avec la voiture, il la gare sur le parking et je la reprends plus tard. »

Le vent souffla à nouveau en rafales, projetant de la terre dans les yeux de Bernie et du sable entre ses dents. La journée n'en paraissait que plus chaude. Mme Benally s'était mise à parler du fils de son amie qui travaillait au Musée d'Arizona Nord et étudiait à l'Université d'Arizona Nord.

Bernie l'interrompit. « Pardonnez-moi de ne pas être davantage à l'écoute, mais j'ai besoin de me renseigner sur la voiture. »

Mme Benally hocha la tête. « D'accord. Posez-moi vos questions. »

Certains Navajos trouvent impoli de prononcer le nom de tiers, mais comme Mme Benally n'avait pas mentionné celui de son fils, Bernie fut contrainte de le lui demander.

« Il s'appelle Jackson Benally.

– Est-ce lui qui a conduit la voiture aujourd'hui ?

– Oui.

– Dans ce cas, pourquoi est-elle ici ? »

Mme Benally fronça les sourcils. « Il la gare pour que je l'aie. Il va étudier à Gallup avec un autre garçon qui en a une. Une de ces petites voitures qui ne consomment pas beaucoup d'essence. »

Mme Benally ne savait pas très bien à quelle heure Jackson retrouvait son ami, mais il était parti de chez elle vers 8 heures et, quand elle était arrivée chez Bashas, elle avait trouvé sa voiture garée à l'endroit où il la laissait toujours.

« Comment est-il, votre fils, physiquement ?

– On le dit beau.

– Grand ? »

Mme Benally leva la main une douzaine de centimètres au-dessus de sa tête. Plus d'un mètre soixante-dix, estima Bernie. Le tireur ne lui avait pas semblé aussi grand.

« Il est musclé ? Gros ? Maigre ?

– Exactement comme il faut, sourit Mme Benally. Regardez. J'ai une photo dans mon téléphone. » Elle plongea la main dans son sac rouge, sortit un portable de la poche intérieure, appuya sur un bouton et présenta l'appareil à Bernie d'un geste vif. Un jeune homme élancé, au visage sérieux, vêtu d'une chemise. Épais cheveux noirs coupés courts. Il donnait l'impression d'avoir à peu près le même âge que la sœur de Bernie.

« Quel âge a-t-il ?

– Dix-neuf ans. C'est lui qui m'a demandé s'il pouvait mettre l'autocollant à l'arrière, poursuivit-elle sans que Bernie lui ait posé la question. *Go Lobos*. C'est mon premier qui va à l'université.

– Les adolescents. Parfois leurs parents s'inquiètent pour eux.

– L'an dernier, je m'inquiétais pour lui. Vous savez. À cause des gangs. Ça n'existait pas, quand j'étais jeune.

– Il faisait partie d'un gang ? »

Mme Benally fit non de la tête.

« Pas mon Jackson. »

Mais Bernie savait bien que les enfants ont des secrets, et les parents aussi.

« Connaissez-vous le nom de l'ami avec qui Jackson fait le trajet ?

– Il l'appelle Lézard.

– Lézard ?

– Oui, Lézard.

– Lézard a-t-il un autre nom ? »

Mme Benally réfléchit. « Leonard. Leonard Nez. »

Le vent plaqua le chemisier à carreaux de Mme Benally sur son ample poitrine. Le soleil tapait, cuisait l'asphalte. Bernie se représenta les esquimaux qui fondaient, se transformaient en flaques de chocolat.

« Pourquoi ne pas aller nous asseoir dans la voiture, suggéra-t-elle. Nous aurons un peu d'ombre. »

Mme Benally tourna un regard méfiant vers le véhicule de la police.

« Ce sera plus confortable que de recevoir tous ces grains de sable. Nous pourrons aussi y porter vos provisions. »

Mme Benally dit : « D'accord, si vous ouvrez les vitres. »

Bernie fit mieux. Elle brancha la climatisation.

Elle n'avait pas pu intercepter l'agresseur, ni retourner le tir, mais vu la rapidité avec laquelle ils avaient retrouvé la voiture bleue, se dit-elle, le mystère de la tentative d'assassinat perpétrée contre le lieutenant allait être résolu et son auteur arrêté. L'idée qu'elle y avait contribué lui permettait de se sentir un peu mieux.

Quand Mme Benally se fut installée, Bernie contacta Largo par radio pour lui parler de Jackson et de Leonard Nez.

« Manuelito, lui répondit le capitaine. Vous ne travaillez pas sur l'enquête. Vous vous souvenez ?

– Chee m'a chargée de rester à côté de la voiture du tireur en attendant l'arrivée du camion de remorquage. Mme Benally et moi discutions entre nous, et j'ai bien compris que c'était important. » Bernie vit un 4×4 de la police de l'État d'Arizona se garer à côté de la voiture de patrouille de Wheeler, puis deux groupes d'adjoints du comté d'Apache arriver dans des pick-up qui tractaient des remorques à chevaux.

Elle mit Largo au courant pendant que les policiers de l'État se garaient devant le McDonald qui jouxtait le parking de Bashas. Les véhicules rangés devant le restaurant comprenaient des voitures de la réserve et un camping-car de location aux flancs affublés de panneaux publicitaires. Bernie entendit les adjoints faire descendre les chevaux. Si le suspect avait pris la fuite à pied en pleine nature, il avait intérêt à disposer d'une bonne cachette, sinon ils le trouveraient.

« Bon travail, lui dit Largo. Mais souvenez-vous…

– Je sais. Ce n'est pas mon enquête. Quand tout sera terminé ici, je prends le reste de ma journée. Je vais voir ma mère. »

*

Chez Bashas, Chee apprit qu'aucun des douze clients adultes, des six enfants, des trois employés ou des quatre magasiniers n'avait vu quelqu'un ou quelque chose d'inhabituel ce matin-là. Du moins avant que l'agent Wheeler pénètre sur le parking. La fouille ne permit de débusquer personne. Il laissa sa carte de visite au responsable, au cas où un détail pertinent reviendrait à la mémoire de quelqu'un, et autorisa le magasin à rouvrir, au grand soulagement du personnel et des clients qui cuisaient dehors au soleil.

Près de la porte d'entrée, Chee s'arrêta à la hauteur d'une grande benne à ordures.

« Empêche-la de bouger pendant que je soulève le couvercle », dit-il à Wheeler.

Il sortit des gants de sa poche, les enfila et leva le couvercle. Regarda à l'intérieur. Pas de pistolet, tout du moins pas sur le dessus. Mais il préleva un sweat à capuche noir.

« Je vais le ranger dans un sac, dit-il à Wheeler. Tu embarques tout ce qu'il y a dedans, on ne sait jamais. »

Le temps que Chee et Wheeler reviennent à la voiture bleue suspecte, le mécanicien du camion de remorquage avait fixé les crochets et commencé à la hisser sur la grande remorque. Mme Benally se tenait à côté de lui.

« Faites attention », lui dit-elle. À plusieurs reprises.

Chee demanda à Wheeler d'informer le capitaine de la situation.

« Largo dit qu'il n'a rien sur Gloria Benally, rapporta Wheeler. Ni sur Jackson Benally. Il a demandé aux hommes de la lutte antigang si cette attaque pourrait être une sorte de rite d'initiation, quelque chose comme ça.

– C'est quoi, la description de Jackson, sur son permis de conduire ? demanda Bernie.

Wheeler la lui donna. « Cheveux noirs, yeux marron foncé. 1,73 mètre. 63 kilos.

– Et l'autre jeune, Nez ?

– Rien, pour l'instant. »

Mme Benally suivit du regard sa voiture qui disparaissait sur la grand-route, puis elle revint vers eux. Bernie lui présenta Chee, expliquant qu'il était chargé de la partie navajo de l'enquête.

« Il va falloir que nous relevions vos empreintes, lui dit-il. Comme ça nous serons sûrs, quand nous aurons examiné la voiture, de pouvoir les distinguer de celles de l'agresseur. »

Mme Benally émit un bruit qui se situait entre le rire et le mépris.

« Vous allez aussi prendre ma photo, avec un numéro dessous ?

– Je suis désolé de vous imposer ça, dit Chee.

– Souvenez-vous, intervint Bernie, que nous avons besoin de vous pour résoudre ce crime. Vous êtes importante, pour nous. »

Mme Benally poussa un soupir. « Dépêchons-nous d'en finir. Je veux rentrer chez moi. »

*

Pendant qu'un technicien se chargeait du relevé d'empreintes, Chee partit voir le capitaine Largo. Bernie l'accompagna.

« Il y a quelque chose de bizarre dans le fait que la voiture se soit trouvée là, dit Largo. Le type aurait dû filer allez savoir où… pas se garer devant chez Bashas. La police de l'État du Nouveau-Mexique recherche Jackson, à l'Université de Gallup, où Mme Benally nous a dit qu'il devrait être. »

Il se tourna vers Bernie. « À Gallup même, c'est bien ça ? Pas sur le campus principal ?

– C'est bien ça. D'après ce qu'elle m'a dit, je ne crois pas que ce soit Jackson qui ait tiré. Il s'est inscrit à UNM grâce à une bourse réservée aux Indiens. Bonnes notes, bonnes appréciations. Cela ne correspond pas au profil d'un jeune qui appartient à un gang.

– Quelle mère ne s'imagine pas que son fils est un petit ange ? » Il l'étudia à nouveau. « Vous avez trouvé Louisa ? Vous lui avez posé la question, pour les proches de Leaphorn ? »

Bernie garda le silence un court instant. « Non. Toujours pas de Louisa. J'aurais besoin d'aide pour trouver son numéro de portable. J'ai laissé un message écrit dans sa cuisine, lui disant de me rappeler. »

Largo hocha la tête.

« Si Benally ne fait pas partie d'un gang, dit Chee, quel mobile aurait-il eu pour tirer sur Leaphorn ? Il me semble que l'auteur du coup de feu devait avoir un complice dans une deuxième voiture. Ou alors, il se cache dans un endroit où il pouvait trouver refuge à pied rapidement. »

Largo se leva, s'approcha de la fenêtre. Bernie constata que la poussière soulevée par le vent griffait le ciel bleu de gris pâle.

« S'il ne s'agit pas d'une attaque d'un gang et si ce ne sont pas ces deux jeunes, nous avons du travail qui nous attend, dit Largo en allant chercher un CD qui se trouvait dans sa corbeille de courrier. Le mobile ? Voici les dernières affaires dont Leaphorn s'est occupé quand il était enquêteur à temps plein chez nous, après l'informatisation de nos services. Et quelques-unes sont postérieures à sa retraite, lorsque nous avons fait appel à lui comme consultant. Certains de ces délinquants pourraient en avoir un, de mobile. »

Bernie savait ce que « certains » signifiait. La vengeance est une conception propre aux *bilagaana*, mais plusieurs, parmi ces criminels, s'étaient coupés du tissu social du Diné et avaient perdu leurs repères. Ils se consumaient de colère.

Le capitaine revint s'asseoir, fit courir ses doigts sur la boîte qui contenait le disque. « Il me faut quelqu'un pour parcourir ces dossiers, au cas où Benally ne serait pas notre tireur. »

Bernie s'apprêtait à ouvrir la bouche, mais, du regard, Largo lui intima le silence. Il se tourna vers Chee.

« Ce quelqu'un, ce sera vous.

– Bien, capitaine.

– Vous savez ce qu'il convient de chercher. En premier lieu, un lien entre Jackson, un de ses amis, un des membres de sa famille ou une personne qui est en contact avec le cercle des Benally, et Leaphorn. Une raison qu'un étudiant pourrait avoir de souhaiter sa mort. Ou un individu qui aurait été poussé à agir par la menace, la contrainte ou le chantage. Après, il faudra rechercher des détenus que Leaphorn a contribué à envoyer en prison et qui seraient libres aujourd'hui.

– Vous voulez que j'y travaille ici, à Window Rock ?

– Non. Emportez ça dans votre bureau de Shiprock. C'est plus calme, là-bas. » Largo soupira. « Établir une liste devrait vous demander une bonne journée de travail, mais tenez-moi au courant avant s'il y a des noms qui vous sautent aux yeux. Peut-être n'aurons-nous même pas besoin de nous pencher sur les anciens détenus. Peut-être est-ce Jackson, notre tireur.

– Rien d'autre ? demanda Chee. Avez-vous des nouvelles du lieutenant ?

– Rien de neuf. »

Chee prit le disque, se leva pour partir. Bernie l'imita.

« Quand je suis passé chercher Bernie chez Leaphorn, nous nous sommes rendu compte qu'il y avait un bureau. Avec d'autres fichiers. Nous allons en avoir besoin aussi.

– Dites à Bigman de les prendre.

– Je ne pense pas que ce soit Jackson le coupable, avança Bernie.

– Vraiment ? » L'intonation de Largo était cinglante et moqueuse. « Sa mère a à peu près la bonne taille et la voiture est à elle. Elle vous convient, dans le rôle ?

– Elle a un alibi. Elle faisait ses courses. » Bernie s'efforçait d'empêcher l'agacement de percer dans sa voix.

« Vous savez qu'il vous faudra témoigner quand l'affaire passera devant le tribunal, déclara Largo d'un air désapprobateur. Il faudra que vous fassiez un témoin crédible, Manuelito, sans idées préconçues. Nous ne tenons pas à ce que quelqu'un reproche à la Police Navajo d'avoir empêché une condamnation pour vice de forme. Nous ne tenons pas à ce que l'agresseur du lieutenant soit acquitté en raison de je ne sais quelle omission ou manquement. Vous avez peut-être déjà compliqué les choses en parlant à Mme Benally. Vous auriez dû vous en remettre entièrement à Chee et à Wheeler. »

Bernie se sentit rougir, la colère monter en elle. « Qu'est-ce que j'aurais dû faire, me tourner les pouces ?

– Exactement. Et ne pas ouvrir la bouche. »

Largo serra ses mains l'une contre l'autre d'un air sévère. « Pour moi, c'est l'affaire la plus importante sur laquelle nous ayons jamais eu à enquêter. Le fait que vous ne soyez pas partie prenante est normal. Absolument normal. Ça n'a rien de personnel. Ce n'est pas une punition. C'est la façon dont nous sommes tenus de procéder. Je ne le redirai pas. Compris ?

– Mais *c'est* personnel. Je l'ai vu tomber. Je lui ai promis que j'identifierai le tireur. »

Largo se leva et se pencha vers elle. « Sortez d'ici, Manuelito. Calmez-vous. Votre unique, je répète, *unique* travail consiste à trouver Louisa et les proches de Leaphorn. Point final. Je ne veux plus vous voir ici. Ni vous parler avant d'avoir requis à nouveau votre présence. »

Elle se leva et se plaça à côté de Chee.

« Je ne veux pas être obligé de vous suspendre définitivement, la prévint Largo. Mais si vous n'êtes pas capable d'obéir aux ordres, je le ferai. »

4

Bernie regagna le parking sans rien dire et se dirigea vers sa voiture. Chee la suivait.

« Tu as eu une rude journée, lui dit-il. Ça ne te ferait pas de mal de…

– Ne commence pas. Je n'ai pas besoin de toi ni de Largo pour me protéger. Il pense que je n'ai pas été à la hauteur, pour le lieutenant. Il peut dire ce qu'il veut, il me punit en m'écartant de l'enquête. »

Elle sentit les mains de Chee sur ses épaules, les chassa d'un geste.

« Tu te trompes, dit-il. Largo n'est pas comme ça, il ne l'a jamais été. Avec moi aussi, il lui arrive d'être dur. Dur, mais juste. Arrête de te culpabiliser. C'est la procédure normale lorsqu'un policier assiste à…

– Je n'ai pas réagi en policière. Si j'avais été plus rapide, j'aurais pu donner une vraie description, peut-être que j'aurais même pu tirer.

– Arrête, ma chérie. C'est fini. »

Elle vit son expression de surprise et d'inquiétude. Elle exprimait rarement sa colère. Et n'avait pas le souvenir d'avoir jamais été aussi furieuse.

« Nous sommes tous concernés par ce qui s'est passé, dit-il. Nous voulons tous trouver le coupable. Ne sois pas aussi exigeante envers toi-même. Tu es une super bonne policière. Tu as fait le maximum. »

Une vague de chagrin balaya la colère, un chagrin qu'elle n'éprouvait pas seulement pour le lieutenant, mais aussi pour l'idée qu'elle se faisait de l'agent Bernadette Manuelito qui avait fait la démontration de son incompétence.

Elle se détourna, monta dans sa voiture.

« Où vas-tu ?

– Voir Mama et Darleen. C'est ce que je fais toujours quand j'ai mon jour de congé.

– Bon. N'oublie pas de t'acheter quelque chose à manger. Je t'appellerai tout à l'heure. »

Elle démarra, baissa les vitres. Sortit du parking de la police. Alluma la radio et l'éteignit. But une gorgée à sa gourde. Tiède, évidemment. Son problème d'air conditionné de la Toyota, un problème qui lui coûterait cher, ne pourrait être réglé avant qu'elle ait payé ses factures en souffrance. D'ici là, on serait au moins en octobre. Il ferait frais à nouveau. Problème résolu.

En roulant vers Fort Defiance, elle prit conscience qu'elle ferait mieux de repasser par chez Leaphorn. De voir si Louisa y était, de lui dire ce qui s'était passé, de se libérer de cette tâche. Elle effectua le détour avec le vent chaud dans les cheveux, sans cesser de penser au lieutenant. Au fait qu'il y avait vraiment très peu de photos de famille chez lui. Pas de nièces ni de neveux, de frères ni de sœurs. Leaphorn, songea-t-elle, ne parlait jamais de ses proches à l'exception d'Emma.

Pour elle, les choses étaient différentes : elle avait été entourée par l'amour de sa grand-mère, de sa mère, des sœurs de sa mère et de ses oncles maternels. La famille de son père, également, s'était intéressée à elle. Son grand-père, de ce côté-là, avait été un de Ceux-qui-parlent-en-code[1], et il y avait parmi

1. Les Navajos qui, pendant la Seconde Guerre mondiale, dans le Pacifique, utilisèrent leur langue comme code militaire secret.

eux beaucoup de Marines, une incarnation moderne de l'esprit guerrier. Quand elle avait décidé de devenir policière, ils l'avaient compris.

Elle sentit son portable vibrer et l'alluma.

« On vient de nous avertir que Leaphorn est bien arrivé à Albuquerque. »

Dans la voix de Chee, elle perçut quelque chose qui l'incita à demander : « Et ? »

Silence. Puis il ajouta : « Le service de neurologie est débordé. Il se peut qu'il soit transféré à nouveau, je te tiendrai au courant.

– Rapporte les fichiers à la maison, je t'aiderai à les lire.

– Merci, ma chérie. Je préparerai le dîner. »

Elle ralentit en arrivant chez Leaphorn et se gara dans la rue à l'ombre d'un orme de Sibérie. Le pick-up de la police que conduisait Bigman était rangé sur l'allée. C'était le seul véhicule en dehors de celui de Leaphorn. Où était Louisa ?

Bernie entra en passant par la cuisine et appela Bigman.

« Ici, cria-t-il. Dans le bureau. » Il était assis devant la table de travail de Leaphorn, des gants de latex aux mains. Les lumières de l'ordinateur clignotaient comme un sapin de Noël. Il avait son téléphone portable collé à l'oreille.

« Non, ça n'a pas marché non plus, dit-il. Et si j'emmenais juste le disque dur ? »

Bernie regarda le gros tournesol, sur l'écran de l'ordinateur, et la petite fenêtre qui disait : *mot de passe.*

« Je vais essayer », dit Bigman dans le téléphone. Il tapa autre chose, attendit. « Rien. »

Un moment de silence. Bigman rit. Puis il éternua.

« Pas tout à fait, dit-il. C'est une de ces grosses tours à l'ancienne. Il va falloir que je le pose sur le siège, à côté de moi, en l'attachant avec la ceinture de sécurité. Dans la benne, à l'arrière, je n'aurais pas confiance. Il en profiterait certainement pour fomenter une révolution. »

Il raccrocha sans cesser de sourire. Bernie s'aperçut qu'une autre lumière, rouge, clignotait sur un boîtier plat, près du téléphone fixe. Leaphorn devait être une des dernières et rares personnes au monde à utiliser encore un bon vieux répondeur.

« Tu as vu le répondeur ?

– Ouais. Je l'ai remarqué quand je me suis assis. Avec les petites cassettes et tout. Leaphorn n'est pas franchement un adepte des nouvelles technologies, hein ? Ça et son ordinateur monstrueux, ils auraient leur place dans un musée.

– Il ne communiquait jamais son numéro de téléphone à personne parce qu'il n'avait pas envie d'y répondre. » Elle prit conscience qu'elle avait utilisé le passé. À leur connaissance, le lieutenant respirait toujours. « Je veux dire, il ne le communique jamais.

– Tu sais où il en est ? » demanda Bigman qui éternua.

« Il s'accroche. » Elle changea de sujet. « Je vais écouter les messages. Il y en a peut-être un de Louisa.

– Ou de quelqu'un qui le menace de lui tirer dessus. Ça ne se passe pas comme ça, à la télé ? »

Elle appuya sur le bouton « Écoute », entendit Bigman éternuer une fois de plus. La bande magnétique crachotait à force d'avoir été utilisée et effacée. Quand une voix se fit entendre, elle reconnut celle de Louisa, nota l'absence d'un simple bonjour.

« J'ai réfléchi à ce dont nous avons parlé. » Bernie perçut l'émotion contenue dans sa voix. Colère ? Tristesse ? « J'aurais voulu avoir une chance de te faire changer d'avis, mais je suppose que nous n'en sommes plus là. Je ne sais pas quoi te dire d'autre… » Le message s'arrêta. Pas d'au revoir.

Bernie examina l'appareil. Il n'y avait pas d'écran pour l'affichage du nom du correspondant ou du numéro d'appel.

« C'était Louisa ? demanda Bigman. Ils s'entendaient bien, elle et Leaphorn ?

– Chaque fois que je les ai vus ensemble, ça avait l'air d'aller.

– Une querelle d'amoureux ? » Il éternua.

« Je ne sais pas s'ils le sont, répondit-elle. Mais je sais qu'ils sont amis. Qu'est-ce qui t'arrive, à éternuer comme ça ? Tu as pris froid ?

– C'est le chat. Je suis allergique. Moi, si je laissais ce genre de message, ça voudrait dire que ça ne va pas. » De ses mains gantées, il préleva la cassette. La rangea dans un petit sac.

« Qu'est-ce que tu fais ici, Bernie ? Je croyais que tu devais être en congé.

– Largo m'a demandé de parler à Louisa. J'espérais qu'elle serait là.

– Je le pensais aussi quand je suis arrivé, et que j'allais devoir lui apprendre ce qui s'est passé. J'ai été soulagé qu'elle ne soit pas là.

– Est-ce que tu as vu le portable de Leaphorn, dans la maison ? Je suis sûre que le numéro de Louisa est dedans. Il faut vraiment que je l'appelle, que je lui annonce la nouvelle. »

Bigman éternua, secoua la tête. « Pas dans le pick-up ?

– Non.

– Alors c'est qu'il l'avait sûrement sur lui. » Il se pencha vers le sol. Son ventre rebondi limitait sa souplesse. Il éternua à nouveau.

« Il faut que je me mette à quatre pattes là-dessous, que je débranche l'ordinateur pour l'emporter, comme ça les spécialistes trouveront comment accéder aux données. » Il montra du bras les deux boîtes en carton. « Ce sont de vieilles enquêtes sur lesquelles il travaillait avant que l'informatique fasse son apparition. La plupart de ces délinquants ne sont probablement plus dans le coin. J'ai aussi mis ses archives de détective privé avec. On ne sait jamais. »

Il se redressa. Éternua. Sourit à Bernie. « Hé, tu veux bien m'aider ? Je ne le dirai pas à Largo. »

Elle se glissa sous le bureau. « C'est incroyable, le désordre qu'il peut y avoir. Des câbles partout. » Elle l'entendit éternuer.

« Débranche-les tous, dit-il. Je parie qu'il a trouvé quelqu'un pour lui installer tout ça et qu'il n'y a plus jeté un coup d'œil depuis. »

Elle ne savait pas bien pourquoi, mais l'étroit espace sombre, sous le meuble, et les enchevêtrements de câbles lui firent penser à la Femme-Araignée du Peuple Sacré qui avait enseigné le tissage aux Navajos et donné aux Jumeaux* Héroïques les armes dont ils avaient besoin dans leur quête pour trouver leur père, le Soleil, et délivrer la terre des monstres. Elle observa la façon dont les câbles s'entortillaient. « Je parierais que c'est une femme qui a installé ça, dit-elle. Ça devait bien être la fille de Femme-Araignée.

– Qui ? Je n'ai jamais entendu ma grand-mère m'en parler, de celle-là.

– C'est sur elle que ma mère plaisantait toujours, quand il fallait qu'elle recommence partiellement une tapisserie. Elle m'a expliqué qu'elle contribue à résoudre les complications imprévues de l'existence, qu'elle démêle les situations embrouillées. Quand je commence à lui parler d'une affaire compliquée, Mama me dit : "Oh, tu arriveras à tisser ton chemin jusqu'à la solution. Tu es comme la fille de Femme-Araignée." »

Bigman éternua. Une deuxième, troisième, quatrième fois.

« Fichu chat, s'exclama-t-il. Il faut que j'aille respirer dehors. »

Bernie se releva, redressa les épaules. « Terminé. De quel chat tu parles ? »

Des lèvres, Bigman désigna le fauteuil confortable. « Il était là quand je suis entré. » Le siège était vide. « Ils le sentent, quand on ne les aime pas. Il est venu, s'est frotté contre moi. Ça commence à me gratter. Je vais m'asseoir dans le pick-up et en terminer avec la paperasse. »

Il tourna vers elle un regard plein d'espoir. « Quelqu'un devrait le faire sortir, puisque nous ne savons pas quand Louisa va rentrer. Il pourrait faire des dégâts à l'intérieur.

– Je m'en occupe. Largo m'a chargé de retrouver la famille. »

S'occuper du chat se révéla plus facile à dire qu'à faire. Elle appela *kitty, kitty*, sans résultat et inspecta sous les meubles, dans le placard du bureau. Elle parcourut toute la maison, cherchant sous les lits, dans la salle de bains. L'animal avait disparu.

Puis, inspirée par les publicités qu'elle avait vues à la télévision, elle alla dans la cuisine. Dans le cellier, elle trouva un sac de croquettes et une boîte de nourriture pour chat. Une cage en plastique gris était posée sur le sol. Il y avait un ouvre-boîtes bleu métallisé sur le plan de travail. Elle ouvrit la boîte de Friskies, et, telle une apparition magique sur quatre pattes, un petit félin orange et blanc doté de grands yeux verts fut à ses pieds. Elle prit la gamelle, y fit tomber la pâtée à l'aide d'une cuiller. Pendant qu'il mangeait, elle alla chercher la cage. Le chat en termina, leva la tête pour en redemander. Elle tendit les mains et l'animal recula. Il revint quand elle s'approcha du comptoir où était posée la pâtée.

Bernie se saisit d'un torchon. Au moment opportun, elle le lança sur le chat et, pendant qu'il se demandait ce qui lui arrivait, l'attrapa et l'enveloppa comme un burrito qui se débattait et miaulait avec fureur.

« Chat, je n'apprécie pas plus que toi, mais tu ne peux pas rester ici seul. »

À la différence des félins utiles qui se nourrissent eux-mêmes en attrapant souris, insectes et toutes les créatures qui s'insinuent dans les maisons sans y être conviées, celui-là était de toute évidence un animal domestique. Vraisemblablement le petit chéri à poils de Louisa. Chee appréciait les chats, elle ne savait pour quelle raison. Elle décida de l'emporter chez eux. Chee pourrait s'en occuper jusqu'à ce qu'ils aient découvert ce qu'il était advenu de sa maîtresse, ou jusqu'à ce qu'ils connaissent l'état de santé du lieutenant. Elle poussa doucement chat et torchon dans la cage, en referma la porte et déposa le paquet bruyant sur le siège arrière de sa voiture. Grâce à l'ombre, il y régnait une certaine fraîcheur.

Elle rentra dans la maison et rédigea un nouveau message pour Louisa, lui expliquant pourquoi l'ordinateur de Leaphorn et le chat n'étaient plus là, et lui demandant de la rappeler d'urgence. Elle le laissa à côté de la carte de visite déjà posée sur la table de la cuisine.

Elle prit les croquettes, couvrit la boîte d'un sac plastique trouvé dans l'arrière-cuisine. Elle jeta un coup d'œil au courrier ramassé dans le pick-up de Leaphorn. Un règlement destiné à une compagnie d'assurance, une enveloppe blanche adressée aux Petites Sœurs des Pauvres à Gallup, toutes deux timbrées et prêtes à mettre à la poste. Sur la grande enveloppe marron, le lieutenant avait écrit, en petites lettres précises, *Dr John Collingsworth, CRIA*, suivi d'une adresse à Santa Fe. Elle réfléchit une seconde puis s'empara d'un couteau de table pour l'ouvrir. Si ce n'était pas important pour l'enquête, elle la refermerait avec du scotch et l'enverrait.

Elle en tira un lot de feuillets au format papier à lettre ainsi qu'une seconde enveloppe plus petite, cachetée, qu'elle ouvrit à son tour. À l'intéreur, une facture soigneusement pliée en trois, datée de la veille, rédigée par Leaphorn pour services rendus au CRIA. Elle regarda les feuillets. Des photocopies de listes provenant de catalogues de ventes aux enchères, et des descriptifs d'objets. Concernant d'anciennes poteries indiennes. Rien de très passionnant. Ce docteur devait être collectionneur d'art, et le CRIA était vraisemblablement le sigle de sa clinique ou quelque chose d'approchant. Elle allait porter le tout à la poste et se servirait de leur scotch pour refermer l'enveloppe marron.

Elle prit la nourriture du chat, ferma la porte de derrière à clé, fit au revoir de la main à Bigman qui, assis sur le siège avant du pick-up, leva les yeux de ses formulaires. Avec les protestations du chat en arrière-fond sonore, elle se dirigea vers les paysages enchanteurs de Two Grey Hills, Toadlena et la maison de sa mère.

Elle s'y rendait au moins deux fois par semaine, la plupart du temps en prenant la NM 491 vers le sud au départ de Shiprock. Le voyage débutait par une large route macadamisée, le principal trajet qu'empruntaient les camions transportant des marchandises vers Cortez, au nord, ou Gallup, au sud. Elle bifurquait ensuite sur une route de terre carrossable et rejoignait enfin la route de la Nation Navajo qui menait à la maison où vivait désormais sa mère.

Cette fois, comme elle partait de Window Rock, elle prit le très bel itinéraire moins fréquenté qui longe la frontière entre le Nouveau-Mexique et l'Arizona, franchit le col de Narbona et redescend vers le vaste paysage de la réserve. En temps normal, elle adorait cet immense panorama, le jeu des ombres dans la vallée de la Black Creek, un peu à l'ouest de la ville et des contrées désertes qui s'étendaient vers l'est : les nuances de brun, de rouge et d'or à la rencontre du dôme bleu du ciel. La fraîcheur de la pente qui montait dans les Monts Chuska faisait entrer l'odeur vanillée des pins ponderosa par les vitres baissées et, lorsque la journée était dégagée, la vue qu'on avait sur Dinetah, depuis le sommet du col, était une splendeur.

Mais cette fois, plutôt que de la beauté, elle eut surtout conscience de la difficulté qu'avait sa vieille Tercel à grimper tout là-haut. Son cerveau revenait sur les images de l'agression de Leaphorn, sur sa conversation avec Mme Benally, sur la dernière confrontation tumultueuse avec sa sœur Darleen.

Bernie n'avait pas eu sommeil en quittant Window Rock, mais elle éprouvait maintenant des difficultés à garder les yeux ouverts. Elle se gara vers le point culminant du col, à l'endroit où la chaussée s'élargissait. Le vent avait soulevé tellement de poussière et de brume qu'elle distinguait à peine Tsoodzil, qu'on appelle le Mont Taylor en anglais, au-dessus des nuages. C'était la maison de Dieu Noir, Garçon Turquoise et Fille Turquoise, un des lieux sacrés de sa terre natale.

Le soleil brillait à travers le pare-brise, doux comme le miel. Elle régla son siège le plus à l'horizontale possible, en profita pour emplir ses poumons de l'air frais des hauteurs. Elle ferma les yeux, juste pour une minute, se dit-elle. Un peu plus loin, la route serpentait pour sortir des montagnes et rejoignait la 491 à Sheep Springs. Elle la prendrait vers le nord pendant une vingtaine de minutes et arriverait à la maison de sa mère. Elle y était presque.

Elle s'abandonna au sommeil avant même d'avoir détaché sa ceinture.

*

La vibration du portable rangé dans la poche de poitrine de sa chemise d'uniforme la réveilla. Elle consulta l'identité de l'appelant. Darleen.

« Tu devrais être là depuis des heures. Je t'ai envoyé des textos et tu ne m'as même pas répondu. Qu'est-ce qui se passe ? Où tu es ?

– Ma sœur. Bonjour. J'ai pris du retard. Trop long à expliquer. Je serai là dans à peu près une demi-heure.

– Tu me fais le même coup à chaque fois. C'est chiant. » Darleen raccrocha.

Bernie mit pied à terre. Elle avait l'estomac noué comme ça lui arrivait de plus en plus souvent quand elle parlait à sa sœur. Elle marcha jusqu'au point de vue en essayant de se désembuer le cerveau, vit des corbeaux décrire des cercles, entendit le ronronnement grave d'un camion, au loin. Puis elle se souvint du chat de Louisa.

Elle regarda sur le siège arrière. La cage, porte ouverte, était vide à l'exception du torchon. Elle regarda sous le siège. Rien. Les fenêtres, à l'avant, étaient grandes ouvertes : pour un chat, il était facile de sortir. Elle inspecta les alentours, vérifia sous la voiture. Pas de félin tranquillement installé à l'ombre. Et beaucoup d'endroits où il pouvait se cacher. Trop pour les inspecter tous. Du regard, elle balaya la route, vers l'est et vers l'ouest. Pas de chat écrasé sur la chaussée, en tout cas.

Bonne chance, chat de Louisa, pensa-t-elle. Méfie-toi des chouettes et des coyotes. Je suis désolée de ne pas avoir pris mieux soin de toi. Elle se dit qu'elle n'avait pas été à la hauteur, pour l'animal, exactement comme elle ne l'avait pas été pour Leaphorn.

Elle démarra et reprit la route en se demandant si la journée pouvait devenir encore plus catastrophique.

Dès qu'elle ouvrit la porte de la maison, elle sentit une odeur de graisse brûlée. Mama était assise sur le canapé, emmitouflée dans sa couverture préférée en dépit de la chaleur. Le son tonitruant d'une émission animalière provenait de la télé.

« C'est moi, Mama », dit-elle en navajo.

Sa mère leva les yeux et sourit. « Viens t'asseoir, fille chérie. Tu as l'air fatiguée.

– J'arrive tout de suite. Sœur est là ?

– Pas pour l'instant. Elle a dit qu'elle allait bientôt revenir. »

Mama ne l'appelait jamais Bernie, elle utilisait le prénom plus officiel de Bernadette. Pourtant, elle ne prononçait que rarement le nom anglais de quelqu'un, préférant la façon traditionnelle d'identifier les gens selon la relation de parenté qu'on avait avec elle, ou se servant du nom qui s'était imposé en fonction de leur personnalité, d'un événement survenu dans la vie, voire d'un trait de caractère. Le nom navajo de Chee, par exemple, se traduisait en anglais par Celui-qui-pense-longuement.

Bernie se précipita à la cuisine. Elle éteignit le brûleur, prit un torchon et emporta la poêle dehors pour la poser par terre. Elle actionna le ventilateur, ouvrit la fenêtre. Où était sa sœur ? Son travail consistait à s'assurer que Mama ne risquait rien. Si c'était Mama qui avait laissé la poêle sur le feu alors qu'elle faisait cuire son propre repas, ça posait un problème. Mais si Darleen était partie en laissant la cuisinière allumée, c'était une tout autre affaire.

La cuisine donnait l'impression d'avoir été traversée par une mini-tornade. Il restait six œufs dans la boîte, ouverte comme un livre de prières en carton. Une bouteille de Pepsi à moitié vide et des emballages de nourriture en polystyrène ajoutaient au désordre. Quelque chose de poisseux s'était renversé et avait coulé jusque par terre. Des assiettes, tasses et couverts sales traînaient ici et là.

Quand Mama était venue s'installer ici, à l'époque où Bernie était à l'école secondaire et Darleen bébé, elle ne tolérait pas que le moindre objet ne soit pas rangé à sa place. Elle organisait sa maison avec la précision que l'on consacre à une couverture en cours de fabrication, et tout était aussi propre que dans le vieux hogan* de leur grand-mère. Mais à cause de l'arthrite, de problèmes cardiaques et d'autres déficiences dues à l'âge (à un moment, elles avaient même redouté la maladie d'Alzheimer), elle ne pouvait plus s'acquitter seule de ce travail et, par conséquent, Darleen avait promis de l'aider. Ça avait marché pendant un temps. Mais récemment, pensait Bernie, le chaos avait commencé à remplacer l'ordre. Chaque semaine, elle trouvait davantage de choses à nettoyer et à ranger, davantage de traces de négligence que sa sœur semblait laisser à sa charge.

Elles avaient décidé d'un commun accord que Darleen pouvait laisser Mama un peu seule, de temps en temps, quand elle se sentait bien. Bernie avait expliqué qu'une chute pouvait entraîner une fracture du col du fémur, un séjour à l'hôpital, une pneumonie. Elle avait trop entendu parler de mères et de grands-mères qui avaient suivi ce chemin.

Elle retourna au salon, navigua entre des tas de vêtements et le déambulateur de Mama sur lequel était accrochée la casquette de base-ball violette de Darleen. Mama leva les yeux vers sa fille aînée et appliqua de petites tapes sur le siège à côté d'elle. Bernie s'assit, se saisit de la télécommande posée sur la table basse poussiéreuse et baissa le son.

Mama s'exprima en navajo. « Maintenant que tu es ici, tu y restes.

– Je suis heureuse de te voir, Mama. Quoi de neuf ? » Elle prit dans la sienne la main noueuse de sa mère, remarqua que ses doigts osseux étaient frais en dépit de la chaleur ambiante.

Mama parla d'une conversation avec sa sœur, qui habitait près de Crownpoint, et dont elle gardait les détails en mémoire. Tout en racontant son histoire, elle caressait du bout des doigts la couverture sur ses genoux, un superbe tissage qu'elle avait réalisé des années plus tôt. Elle avait été une tisserande hors pair. Son esprit se délectait de la géométrie du métier à tisser et de l'interaction des couleurs qui se traduisait en fils horizontaux et verticaux. Elle avait créé des symphonies de motifs gris, blancs, noirs et marron en utilisant la laine tondue et filée produite par les moutons qu'ils élevaient au vieux hogan.

Bernie adorait la couverture qu'elle avait tissée pour réchauffer leur lit, dans leur petite maison mobile. C'était un cadeau de mariage, la dernière couverture qu'elle ait achevée. À cause de ses mains douloureuses et raidies par l'arthrite, il lui avait fallu plus d'un an, mais elle avait persévéré sans jamais se plaindre. Chee taquinait Bernie en lui disant qu'elle avait la ténacité de sa mère, quand elle travaillait sur une enquête. « Tu es exactement comme elle. Tu progresses, fil après fil, rangée après rangée, et tu persévères jusqu'à ce que tu aies compris ce dont il s'agit. La Fille de Femme-Araignée, qui tisse l'écheveau ayant mené au crime. »

Lorsqu'elle eut fini l'histoire de la tante de Bernie, Mama demanda : « Dis-moi ce que tu fais en ce moment, ma fille.

– Oh, j'ai beaucoup de travail. » Elle mentionna un appel dont elle s'était occupée, un enfant de trois ans égaré qu'on avait fini par retrouver endormi à l'arrière de la remorque où un de ses oncles transportait du petit bois, et elle raconta le soulagement de la famille en le récupérant sain et sauf.

« Très bien, lui dit Mama. Mais tu as quelque chose sur le cœur. »

Bernie lui serra la main. Elle n'était pas prête à en parler.

Mama lui rendit son geste avant de lui donner des nouvelles de sa très gentille nièce qu'elle considérait en réalité comme sa troisième fille. Elle attendait un bébé pour le courant de l'été. Mama n'avait jamais abordé de front l'idée d'une naissance à venir, mais Bernie sentait bien que cette question non formulée était présente.

Quand Mama lui dit qu'elle devait aller aux toilettes, Bernie la prit par le bras et l'aida à se hisser hors du canapé. Elle était aussi légère que de vieux ossements restés longtemps au soleil, traînait les pieds dans ses chaussettes et s'accrochait à sa fille pour conserver son équilibre. Bernie avait demandé à Darleen de s'assurer que leur mère mettait bien ses chaussures pour réduire les risques de chute. Où était donc Darleen ?

Elle aida Mama à baisser sa culotte, la laissa. Dans le couloir, la porte de la chambre de Darleen était ouverte. Elle vit des cannettes de bière vides dans un angle de la pièce.

Ça donnait l'impression que des voleurs avaient fouillé partout à l'exception du bureau sur lequel des papiers étaient soigneusement empilés, des dessins qui rappelèrent à Bernie le style des bandes dessinées. Elle étudia celui qui se trouvait sur le dessus, un joli croquis représentant un jeune homme et une jeune femme. Curieux, que sa sœur soit aussi négligée alors que son travail pictural était extrêmement méticuleux.

Elle entendit le crissement des pneus d'une voiture sur les graviers de l'allée et retourna dans le salon au moment où Darleen entrait.

Pâle, le visage un peu bouffi, elle posa un regard de reproche sur Bernie. « Je vois que t'as fini par arriver.

– Sœur. Je pensais que tu serais là avec Mama. »

Quand Darleen s'approcha, Bernie sentit l'odeur de l'alcool.

« C'est moi, qui pensais que tu serais là, contra Darleen. Tu m'as dit que t'arriverais juste après le petit déjeuner. J'avais des choses à faire. Je comptais sur toi.

– Nous avons failli avoir un incendie à la cuisine, accusa Bernie sans la quitter des yeux. Je crois que Mama faisait cuire quelque chose et qu'elle a oublié de fermer le gaz.

– Tu m'avais dit que tu viendrais plus tôt.

– Il s'est produit quelque chose au travail, j'ai dû... »

Elle aperçut un jeune homme aux épaules voûtées qui se tenait sur le seuil d'où il les observait, le regarda puis se tourna vers Darleen.

« C'est mon ami. » Bernie attendait des précisions. Comme rien ne venait, elle fit face au garçon qui devait avoir dans les vingt-cinq ans. « Je suis Bernie, la sœur de Darleen. Entrez, je vous en prie.

– Charley Zah. » Il demeura sur le seuil, les yeux rivés sur son uniforme de policière.

« J'arrive du travail », dit-elle. Elle entendit la chasse d'eau.

« Darleen m'a dit que vous êtes dans la police. C'est cool.

– Mama est aux toilettes. Il faut que j'aille voir si elle a besoin de moi.

– Je suis juste revenue chercher ma casquette. Et, euh, m'assurer que t'étais bien arrivée. » Elle prit la casquette sur le déambulateur.

« Reste un peu, lui dit Bernie. Il faut qu'on parle.

– C'est ma journée de liberté, tu te souviens ? » Darleen lança un coup d'œil en direction de Garçon Voûté. « On a des choses de prévues.

– Sœur, il faut absolument qu'on parle, dit Bernie en insistant sur *absolument.*

– Tu m'as déjà fait perdre une partie de ma journée. Si tu veux me parler, envoie-moi un texto. »

Le bruit de la chasse d'eau leur parvint à nouveau. « Passe un super moment avec Mama. À plus tard. » Darleen franchit la porte d'un pas décidé. Garçon Voûté la suivit.

Bernie avait envie de la rattraper en courant, de la secouer pour qu'elle retrouve le sens des réalités. Mais elle alla aider leur mère.

« Je repense souvent à autrefois. » Mama racontait des histoires merveilleuses, enrichies par les rythmes complexes des mots navajo. Bernie se sentait honorée de l'avoir pour elle seule. C'était un don rare : elle éprouvait de la reconnaissance. « Je repense souvent à une couverture bien particulière. Je ne crois pas t'en avoir jamais parlé. » Elle en décrivit le tissage, le fond blanc, les personnages à la présence éclatante. « Elle a été tissée il y a longtemps. Je n'ai jamais rien vu d'aussi beau. Je regrette que tu n'aies pu la voir, ma fille. »

Dehors, le vent secouait les vitres, essayait de chasser les ultimes traces d'humidité du paysage qui luttait contre la sécheresse. Si les conditions météorologiques se conformaient au schéma habituel, la pluie viendrait peut-être en juillet. D'ici là, ce serait poussière et chaleur.

« J'étais une petite fille à l'époque, reprit Mama. Cet homme est arrivé au comptoir d'échanges de Newcomb et ma famille y était. On dit qu'il a tissé d'autres couvertures qui racontaient d'autres histoires du Peuple Sacré. Mais celles-là, je ne les ai pas vues.

– Un homme ? demanda Bernie. Il y a longtemps ? Je croyais que seules les femmes tissaient à l'époque.

– Cet homme était un *hataalii**. Il travaillait sur un énorme métier à tisser. Et les teintures, pour ses fils, elles provenaient toutes de plantes. »

Mama se tut. Elle ferma les yeux. Petit à petit, sa tête partit contre le dossier du canapé. Bernie se leva lentement et se rendit à la cuisine pour se mettre au travail. Quand le téléphone mural sonna, elle décrocha.

« Ça va, ma belle ? J'ai laissé un message sur ton portable, il y a une heure. Je pense que tu es bien arrivée. » Elle perçut l'inquiétude dans la voix de Chee. Son téléphone, elle l'avait laissé dans la voiture avec son sac à dos et la cage du chat. Quelle drôle de policière elle faisait.

« Des nouvelles du lieutenant ?

– L'hôpital d'Albuquerque n'a pas pu le prendre. Plein, apparemment. L'hélicoptère est reparti pour Santa Fe.

– Oh, quel affreux périple. Et le tireur ?

– Rien encore. Tout le monde recherche Jackson Benally. On peut dire que Mme Benally n'a pas apprécié qu'on relève ses empreintes. Elle m'en a dit plus, sur l'ange qui lui sert de fils, quand je l'ai reconduite chez elle. »

Elle entendit Chee respirer et relâcher son souffle dans le micro. « Comment tu vas, ma chérie ? Ne détourne pas la conversation, cette fois.

– Eh bien, Darleen est partie avec un petit ami, je crois. Garçon Voûté. La maison est un vrai désastre. Ça me rend furieuse qu'elle soit aussi irresponsable.

– Laisse filer pour aujourd'hui. Essaie de te détendre et de profiter de ta maman. »

Elle entendit du bruit, puis Chee dit : « Faut que j'y aille. Je te rappelle plus tard. »

Pendant que Mama faisait son somme, elle se concentra sur le nettoyage, reporta sa frustration sur le dessus graisseux de la cuisinière. Elle repensa une fois de plus à la tentative de meurtre tout en récurant, traqua les détails, se demanda ce qui lui avait échappé. Quand elle entendit à nouveau le bruit de la télé, elle laissa le reste du chantier cuisine à Darleen.

Mama posa un index osseux sur le pantalon kaki de Bernie. « Qu'est-ce qui t'es arrivé ? Tu t'es blessée ? »

Bernie baissa les yeux sur ses jambes. Elle vit les taches de sang.

« Quelqu'un avec qui je travaille a été touché par balle ce matin. Il a été emmené à l'hôpital de Santa Fe.

– C'est son sang ? »

Bernie hocha la tête. Le souffle froid de la tristesse déferla sur elle.

« Il y a autre chose qui est arrivé, Mama. J'avais son chat dans la voiture et il s'est échappé. J'ai laissé la vitre baissée et quand j'ai regardé, il... »

Elle sentit venir les larmes.

Mama la regarda. « Alors tu te mets tout d'un coup à aimer ces tueurs d'oiseaux ?

– Eh bien, non, pas particulièrement.

– Ce chat qui s'est enfui, c'était ton ami ? »

Elle ne put se retenir de rire. « Pas vraiment. Il m'a griffée quand j'ai essayé de l'attraper. Il faisait un bruit d'enfer sur le siège arrière. Oh là là ! Quel boucan !

– Et tu pleures à cause d'un chat alors que tu n'aimes pas les chats ? Que celui-là t'a fait mal et que ce n'était même pas le tien ? » Elle lui tapota la main. « Je crois que ce n'est pas ce chat qui te fait pleurer.

– Ç'a été une rude journée.

– Peut-être que tu avais besoin de verser des larmes. »

Bernie sentit la main fraîche de Mama, sur son dos, qui la frottait entre les omoplates comme elle le faisait quand elle était petite. Cette pression, douce et contrôlée, semblait annihiler sa résistance en permettant au chagrin et à la lassitude de s'exprimer.

« Il y a un pantalon propre dans ma chambre, dit Mama au bout d'un moment. En l'enfilant, roule-le un peu à la taille pour qu'il ne soit pas trop long. » Elle avait été plus grande que Bernie, mais leurs yeux arrivaient maintenant à la même hauteur.

Bernie retira son uniforme pour enfiler le pantalon de Mama et un de ses chemisiers. Elle se rinça le visage, se peigna. Elle se sentait mieux.

Elles sortirent marcher un peu. Mama poussait devant elle le cadre métallique du déambulateur. Ensuite, Bernie tria les vêtements que Darleen allait devoir porter à la laverie. Elle aida Mama à prendre une douche et à se laver les cheveux. Puis elle prépara des œufs brouillés, du pain grillé et de la compote de pommes. Ça sentait bon et elle prit conscience qu'elle n'avait rien mangé depuis le petit déjeuner. Mais le fait de penser au petit déjeuner fit ressurgir le coup de feu dans sa mémoire, et elle cessa d'avoir faim.

« C'est Elsie qui m'a donné les œufs, dit Mama. La compote, je ne sais pas.

– Petite Sœur l'a probablement achetée au magasin.

– Elle est gentille. Elle m'aide. »

Bernie fut sur le point de dire quelque chose, mais se souvint du conseil de Chee et garda le silence.

L'heure de reprendre la route, pensa-t-elle. Elle avait promis à Chee de l'aider, ce soir, à parcourir les fichiers des anciennes enquêtes du lieutenant. Où était sa sœur ? Elle lui envoya un texto.

Après le repas, elle appela Darleen dont le portable se mit aussitôt sur boîte vocale. Elle laissa un message. Passa la serpillière dans la cuisine. L'aspirateur sur le tapis du salon et dans la chambre de Mama. Attendit que Darleen rappelle, réponde par un texto ou, mieux encore, rentre à la maison.

Mama protesta, comme elle le faisait toujours, quand elle lui annonça qu'elle devait partir.

« Reste. Tu dormiras dans mon lit. Moi, je dormirai sur le canapé.

– Non, Mama. Il faut que j'aille rejoindre mon mari.

– Cheeseburger ? Tu es toujours avec lui ? Tu n'en es pas encore lassée ? »

Bernie sourit. Mama aimait bien Chee, ses manières respectueuses et traditionalistes, sa courtoisie envers elle ainsi que son sens de l'humour.

« Non, je n'en suis pas encore lassée. Je suis folle de lui. »

Finalement, elle téléphona à Stella Darkwater, la voisine, pour lui demander de tenir compagnie à Mama. Elles étaient devenues amies du jour où Mama avait emménagé. Stella souffrait d'un léger handicap mental, mais elle était enjouée, suffisamment saine d'esprit pour décrocher le téléphone et appeler à l'aide si les circonstances l'exigeaient. Et surtout, Mama l'aimait bien.

« La maison a fière allure, aujourd'hui, déclara Mme Darkwater. Quand Darleen veut que je la dépanne, j'emmène votre maman chez moi.

– Darleen est jeune, dit Mama. C'est dur, pour elle.

– Elle n'est pas si jeune que ça, répondit Mme Darkwater, qui posa son sac sur la table. Il paraît que quelqu'un a été blessé par balle, là où vous travaillez. C'est vraiment triste. Soyez prudente, ma fille. Celui qui a fait ça se promène en liberté quelque part.

– Je suis prudente. Où en avez-vous entendu parler ?

– À la radio. Ils ont dit qu'il allait en être question ce soir à la télé. »

Mme Darkwater prit le bras de Mama et l'aida à se lever de sa chaise. « Venez, ma chère. C'est presque l'heure de *La Roue de la fortune.* »

Bernie laissa ce qu'elle avait écrit à Darleen au milieu de la table de la cuisine. Elle savait que Mme Darkwater le lirait, mais quelle importance ? Elle embrassa Mama et prit la route du retour.

Elle emprunta la BIA 310 en faisant attention aux animaux et en admirant la lumière estivale déclinante qui teintait les collines rocheuses de rouge aux dernières lueurs dorées du soleil. Elle se remémora son message pour s'assurer qu'elle avait tout dit. Darleen allait la contacter et elles résoudraient le problème ensemble. Si sa sœur ne voulait pas se montrer à la hauteur des engagements qu'elle avait pris, ceux de garder la maison propre et de veiller sur Mama, elle devrait trouver un autre endroit où aller gâcher sa vie en paressant. Mais Mama ne lui dirait jamais une chose pareille.

La voiture cahotait sur la route de terre, dépassait de temps en temps une vache hereford maigre. Les Blancs donnent à cette région du Pays Navajo le nom de Two Grey Hills. Elle se demanda, et c'était loin d'être la première fois, quelles étaient ces collines qu'ils comptaient et quelle était leur définition du gris. Un coyote traversa soudain devant la voiture et elle écrasa le frein. L'animal continua à trottiner sans s'émouvoir, agitant la queue avec un soupçon d'arrogance. Un mauvais présage, et c'était déjà le pire jour de sa vie. On va bien voir, pensa-t-elle, puis elle se força à se concentrer sur la chaussée déformée.

Elle retrouva le goudron de la NM 491 au magasin d'alimentation générale et se mêla au flot de la circulation qui roulait vers Shiprock, au nord. Elle se demanda si le chat disparu avait assez de ressources pour ne pas servir de dîner à un coyote. Se souvint de l'écuelle d'eau qui attendait à l'ombre, chez le lieutenant. Revit Leaphorn, pâle comme la mort, allongé sur le brancard qu'on poussait vers l'ambulance. Tenta de se souvenir du visage de l'agresseur, mais se rappela uniquement la capuche noire. Réfléchit à Cordova et à ses questions. Il était intelligent, professionnel. Beau, aussi. À peu près le même âge qu'elle, ou à peine plus vieux. Elle se demanda s'il était marié à une policière. Comment était sa femme ?

Au moment où elle appuya sur l'accélérateur, Tsé Bit'a'í se dressa dans le crépuscule. Elle se régala à la vue du Rocher-avec-des-Ailes, que les cartes appellent Ship Rock, se détachant au-dessus du désert. Sa masse la rassura. La colère qu'elle ressentait contre Darleen lui sembla dépourvue d'importance, un sujet d'irritation dérisoire dans un monde rempli de choses beaucoup plus graves. Ship Rock appartenait à la longue histoire du Diné, jusqu'aux racines profondes qui l'attachaient à ce paysage superbe et sacré et à des générations de gens endurants.

Elle s'étonna de l'imagination des *bilagaana*, ces étrangers pour qui ce rocher ressemblait à un grand bateau. Voyaient-ils dans le paysage qui l'environnait un océan de sable ?

Elle gara la Toyota à côté du pick-up de Chee, près du métier à tisser qu'il avait fabriqué deux ans plus tôt. Il le lui avait fabriqué lui-même, à proximité de leur caravane, selon la tradition, comme cadeau de mariage. Un métier à tisser qu'elle n'avait pas encore utilisé.

Elle huma l'odeur délicieuse qui provenait de la petite maison mobile et se mêlait à l'air chaud du soir, s'avança vers Chee, debout sur la terrasse toute neuve qu'il avait construite au printemps, le regarda verser du charbon de bois sur le gril.

« Bonsoir. Tu as eu d'autres nouvelles du lieutenant ?

– Bonsoir, ma belle. Je suis heureux que tu sois là. Commençons par le plus important. » Et il l'embrassa.

5

Après le dîner, il la prit dans ses bras. Elle apprécia la chaleur qui se dégageait de son corps ; l'air de la nuit fraîchit vite à mille huit cents mètres d'altitude. Elle leva les yeux. Les étoiles étincelaient. Petite, elle s'était toujours demandé où partaient les couleurs quand le crépuscule s'obscurcissait : du rouge et du jaune au gris et au noir. Sombraient-elles dans la terre pour en émerger à nouveau avec la première lueur du jour ?

« Bigman m'a dit qu'il t'a transmis la responsabilité du chat de Leaphorn, dit Chee. Je ne le vois pas avec un chat. Il ne me donne pas l'impression d'être un homme à chats. »

Elle n'avait vraiment pas envie d'en parler mais elle lui raconta toute l'histoire.

« Tu n'as aucune raison de t'en vouloir, lui dit-il. La police de Gallup n'a pas réussi à trouver Benally sur le campus de UNM. Son ami non plus, et ils disposaient de plus d'informations que tu n'en avais toi. Ils en ont conclu qu'aucun des deux n'est allé à l'université aujourd'hui.

– Tu as découvert quelque chose sur Leonard Nez ? L'idée que Jackson Benally soit coupable ne me satisfait pas, mais Nez, c'est possible.

– Nez n'a jamais eu aucun ennui, pour autant que nous puissions le savoir en consultant nos archives. » Il haussa les épaules. « Demain, j'essaierai de trouver où il est. Nous avons l'embarras du choix, pour les gens qui ont des motifs de s'attaquer au lieutenant. Mais pour le moment, trois suspects seulement.

– Trois ?

– Les deux garçons et Louisa, en raison de sa mystérieuse disparition.

– Louisa ne lui aurait pas tiré dessus.

– Considère les choses objectivement. Ils se sont disputés. Elle a disparu.

– On croirait entendre un agent du FBI. Jamais elle n'aurait fait ça. Nous la connaissons. Elle nous a offert un cadeau de mariage.

– Bon, si aucun des trois ne te convient, nous avons toute la galerie des criminels sur le disque que Largo a gravé. Tu as des choses à faire, ce soir ?

– J'en ai fait assez comme ça. Allez, on s'y met. » Elle entra et il la suivit. « J'ai besoin de stimuler mes méninges. Aujourd'hui, j'ai passé mon temps à nettoyer chez Mama et à me disputer avec Darleen.

– Sans compter que tu as failli être tuée et que tu t'es coltiné cette vieille râleuse de Mme Benally. » Il prit un air contrit. « J'ai oublié de te dire. Darleen a appelé. Elle voulait te dire qu'elle a renvoyé Mme Darkwater chez elle et que ta maman regardait la télévision.

– C'était quand ?

– Juste avant que tu arrives. Elle donnait plus ou moins l'impression d'avoir pleuré, mais elle m'a assuré que tout allait bien. Elle n'a pas voulu m'en dire plus. Tu crois que ça va ?

– Je ne sais pas. Elle sentait la bière aujourd'hui. Elle s'est trouvé un nouveau petit ami, un garçon maigrichon beaucoup plus âgé qu'elle. Je l'appelle Garçon Voûté parce qu'il ne se tient pas droit.

– Elle est peut-être amoureuse de lui. L'amour incite les gens à faire des choses bizarres. Regarde-moi, par exemple, de célibataire qui se nourrissait de viande de porc précuite en boîte, je suis devenu un grand chef cuisinier, un Julia Child[1] navajo. »

Bernie rit. « Tu n'as pas encore son niveau, mais ton burger au barbecue est très bon. »

Il la prit dans ses bras. « Il y a des filles qui sont prêtes à raconter n'importe quoi pour qu'on leur prépare à manger. »

Elle adorait la façon dont sa peau sentait l'été. Elle leva le visage et il se pencha vers elle…

Le téléphone sonna. Il décrocha automatiquement.

« Bonsoir. C'est Louisa.

– Une petite seconde, dit-il. Je mets le haut-parleur pour que Bernie puisse vous entendre aussi. »

À l'autre bout du fil, la voix semblait fatiguée et angoissée. « Je viens de regarder les informations. Comment va-t-il ? Où est-il ? C'est impensable. Pauvre, pauvre Joe. » Louisa était, à leur connaissance, la seule personne qui appelait le lieutenant par son prénom. « C'est grave, hein ? Dites-moi ce qui s'est passé. Joe était toujours si prudent.

– Bernie était sur les lieux. Elle vous a cherchée toute la journée. »

Bernie se cantonna à énoncer les faits. Elle pouvait presque se représenter Louisa qui l'écoutait, se retenait de l'interrompre en lui posant des questions. Elle s'aperçut, au fil de son récit, qu'elle prenait du recul par rapport à la scène dont elle avait été témoin, comme si elle en avait été une simple spectatrice, comme si elle l'avait vue à la télévision.

« Après toutes ces années, dit Louisa, qu'une chose pareille se produise alors qu'il est à la retraite. C'est horrible. Est-ce qu'il est conscient ? Est-ce qu'il souffre ?

– Je ne sais pas, répondit Bernie. Où êtes-vous ? »

---

1. Animatrice d'émissions à la télévision, spécialiste de la cuisine française (1912-2004).

Ils l'entendirent soupirer dans le téléphone. « À Albuquerque, je pars pour Houston, je vais à... à une conférence. » Pour quiconque habite dans le nord-ouest du Nouveau-Mexique, la meilleure solution, pour prendre l'avion, consiste à se rendre à Albuquerque par la route et, si on peut se le permettre, à passer la nuit à l'hôtel.

« Le FBI veut vous parler à propos du lieutenant, dit Bernie. Où êtes-vous descendue ?

– Près de l'aéroport. Dans un Holiday Inn Express.

– Je suis désolée que vous l'ayez appris par la télévision. Je suis allée chez vous pour vous en parler. Pour les besoins de l'enquête, l'agent Bigman a emporté l'ordinateur et les fichiers qui se trouvaient dans le bureau du lieutenant, et le message que vous lui avez laissé sur le répondeur. Je l'ai écouté. »

Le téléphone resta silencieux quelques secondes, puis Louisa dit : « J'étais en colère contre Joe, mais je ne lui ai pas tiré dessus.

– Je croyais que d'habitude il vous conduisait à Albuquerque pour que vous ne soyez pas obligée d'y laisser votre voiture.

– C'est exact, c'est ce qu'il fait d'habitude. Mais, comme vous le savez, nous nous sommes disputés. » Elle parlait plus vite, maintenant. « Il lui arrive d'être si rigide, si sûr d'avoir raison. Et il avait un grand projet qui le préoccupait. Je n'ai pas imaginé que j'allais lui manquer une seconde. Et maintenant, cette horreur.

– A-t-il mentionné des menaces de mort ? demanda Chee. Quelque chose d'inhabituel qui le tourmentait ?

– Il n'est pas du genre à parler de ses problèmes. Vous le savez bien. Mais la semaine dernière, il a prononcé une phrase où il était question d'un fantôme surgi du passé. Je ne l'avais jamais entendu parler de fantômes. Vous savez comme moi ce qu'il pense de toutes ces superstitions. » Leaphorn était sceptique dès qu'on abordait le sujet de la sorcellerie navajo et du surnaturel sous toutes ses formes ; il mettait souvent ses collègues en garde contre les déboires que la superstition cause au peuple navajo.

« Un fantôme surgi du passé ? demanda Bernie. A-t-il été plus précis ?

– Pas dans mon souvenir, et je ne lui ai pas posé de question. J'étais accaparée par ma, euh, conférence.

– Quand êtes-vous partie pour Albuquerque ? demanda Chee.

– Tôt. Avant que Joe aille à son petit déjeuner entre policiers.

– De quel genre de conférence s'agit-il ? s'enquit Bernie.

– Oh, ça n'a aucune importance. » Louisa avait répondu hâtivement. « Un sujet ennuyeux. Bernie, ç'a dû être horrible, pour vous, de voir Joe comme ça.

– On m'a mise en congé d'office pendant plusieurs jours, mais Largo affirme que c'est la procédure normale. Il m'a demandé de trouver les parents proches du lieutenant, on ne sait jamais. Est-ce que vous pouvez me donner des noms, des informations pour les joindre ?

– Joe n'a plus ni frères ni sœurs. Ses parents et toute cette génération de la famille sont morts, ou il a perdu contact avec eux. Il a l'adresse de plusieurs cousins, je suppose que ce sont des cousins, dans son petit calepin. Il leur envoie des chèques, de temps en temps.

– Le calepin marron qu'il range dans sa poche ? demanda Chee.

– Toujours. Est-ce que vous allez le voir ?

– Demain, si les visites sont autorisées », répondit Bernie.

Chee haussa les sourcils, l'air interrogateur. Bernie détestait les hôpitaux.

« À quelle conférence allez-vous, à Houston, au cas où nous aurions besoin de vous joindre ?

– Appelez-moi simplement sur mon portable. Vous avez le numéro, maintenant. Transmettez toute mon affection à Joe et soyez très prudents, tous les deux. Il faut que j'y aille. »

Elle raccrocha.

« Qu'est-ce que tu en penses ? demanda Chee.

– Elle nous ment sur quelque chose. Mais pas sur l'affection qu'elle porte au lieutenant.

– Tu as remarqué qu'elle a nié lui avoir tiré dessus avant même que nous ayons eu le temps de lui poser la question ?

– Ils ont dû avoir une sacrée dispute. Elle est à Albuquerque, à une heure de Santa Fe et de l'hôpital. Pourquoi continue-t-elle son voyage pour se rendre à une conférence ennuyeuse au lieu d'aller à son chevet ? Ça fait des années qu'ils habitent sous le même toit.

– Il l'a accompagnée à certaines de ces conférences. Il lisait à l'hôtel pendant qu'elle y assistait. Je me souviens l'avoir entendu dire que les universitaires vivent dans leur monde et que les Navajos devraient avoir un observateur, dans la salle, pour écrire un livre au sujet de leurs étranges pratiques culturelles. »

Elle mit du café à chauffer pendant que Chee appelait Cordova. Il brancha ensuite l'ordinateur portable, l'alluma et inséra le disque. Shiprock, à la différence de certaines zones de la réserve, disposait d'une connexion internet assez fiable, en partie grâce à la présence des services gouvernementaux et à la pression qu'ils exercent sur le pouvoir en place afin qu'il reconnaisse que le vingt et unième siècle est là, même dans le Nouveau-Mexique rural.

Elle rapprocha une chaise pour voir l'écran. « Louisa nous cache quelque chose. Pourquoi n'a-t-elle pas voulu nous dire de quelle sorte de conférence il s'agit ? Ni où elle va loger, à Houston ? Si c'est bien à Houston qu'elle va.

– Je te parie que le FBI va se jeter sur cette piste, dit Chee. Enquêter sur un éventuel meurtre commis par un tueur à gages. »

Bernie rit : « Tu as regardé trop de ces DVD qui étaient en promotion. Qui aurait-elle payé pour ça, Jackson Benally ou Leonard Nez ?

– Tu sais, il est difficile de trouver un tueur professionnel à Window Rock. On est peut-être obligé de se rabattre sur ce qu'on trouve, de se contenter d'un étudiant.

– Même au FBI, ils ne sont pas bêtes à ce point, objecta-t-elle.

– Je te parie un repas.

– Steak ?

– Tope là. »

Il se leva, versa le café, remua les deux cuillerées de sucre requises dans celui de Bernie, laissa le sien tel qu'il était sorti de la cafetière.

Elle but une gorgée. « Qu'est-ce que tu penses des mystérieux cousins du lieutenant ?

– C'est toi, maintenant, qui réfléchis comme un agent du FBI. Si Leaphorn leur donne de l'argent, ils ont intérêt à ce qu'il vive le plus longtemps possible.

– Je voulais dire, je dois contacter des proches pour leur apprendre ce qui s'est passé, comme me l'a demandé Largo. Je prendrai son calepin quand j'irai à l'hôpital demain. »

Elle le vit froncer les sourcils. Ouvrir la bouche pour parler, probablement pour la décourager d'effectuer le trajet de quatre heures, retour non compris, puis il renonça et étudia l'écran de l'ordinateur. Elle lui avait appris que une fois sa décision prise, il ne servait à rien d'essayer de la faire changer d'avis. Tout comme elle ne serait jamais parvenue à le convaincre que le lieutenant lui aurait fait confiance, même s'il n'était pas toujours le meilleur de tous les policiers locaux, pour diriger la partie navajo de l'enquête actuelle.

« Tu t'apprêtais à me dire quelque chose ?

– Dis bonjour pour moi au lieutenant. »

Leaphorn, apprirent-ils vite, avait été très occupé jusqu'à la fin officielle de sa carrière de policier, de même que comme consultant. Les affaires dont il s'était occupé allaient des vols de moutons et de bovins aux violences conjugales, aux cambriolages, au trafic d'alcool et de drogue. La majorité de ses arrestations s'étaient soldées par des condamnations. Bernie établit une seconde liste, plus courte, recensant les accusés qui avaient été acquittés, au cas où ils auraient voulu se venger.

Ils épluchèrent ces affaires pendant une heure, ne trouvant rien de suffisamment important pour motiver un meurtre. Bernie se leva, leur reversa du café, éteignit la cafetière. En se rasseyant, elle remarqua quelque chose.

« En voici une dans laquelle le suspect semble avoir disparu. » Elle tapa sur le clavier. « On dirait une fraude à l'assurance à propos d'une couverture datant de la Longue Marche*.

– Je crois que nous avons travaillé un peu pour lui, sur celle-là[1].

– Je me souviens du jour où il nous en a parlé. Il était venu nous apporter un panier de cadeaux de leur part, à Louisa et à lui, juste après notre retour de lune de miel. Il a mentionné un nommé Delos que les gens soupçonnaient d'être un Changeur-de-Forme*, qui avait volé beaucoup d'argent et exploitait ce Laotien qui travaillait pour lui.

– Une sacrée histoire, commenta Chee. Nous n'avons jamais réussi à obtenir une réponse précise de Leaphorn sur ce qu'il était advenu de ce Delos.

– Je ne vois rien non plus dans le dossier.

– Je vais ajouter ça à la liste des choses à vérifier demain, quand je commencerai à me pencher sur ses travaux de détective privé. Mais nous nous heurterons à un problème : comment établir un lien entre Delos et la voiture de Mme Benally ? »

Ils travaillèrent un moment en silence.

« Voilà qui est intéressant, annonça Bernie. Rien à voir avec la famille Benally, mais toi, tu étais sur l'affaire. Un type qui s'appelait Randall Elliot a tué le propriétaire d'un ranch en Utah

1. Voir *Le Chagrin entre les fils* (Rivages/noir n° 713).

et a failli tuer une femme avec laquelle il travaillait. Après, il a disparu. S'il est toujours quelque part à rôder...

– Cette enquête-là, je ne l'oublierai jamais, dit Chee en s'étirant. Leaphorn avait descendu la San Juan en kayak, il avait marché dans un canyon accidenté et retrouvé la femme disparue presque morte après qu'Elliot avait tenté de la tuer. C'était un archéologue qui était revenu en hélicoptère pour l'achever. Je suis arrivé à temps pour aider le lieutenant à la sortir de là en la portant... Elle serait morte le lendemain ou le surlendemain s'il ne l'avait pas trouvée. Elliot avait disparu avant que j'arrive, et Leaphorn ne m'a jamais dit ce qui s'était passé avant mon arrivée.

– Et après ?

– Au printemps suivant, quelqu'un a découvert des ossements humains dans cette zone. L'ADN correspondait à celui d'Elliot[1].

– Dommage. Il aurait fait un suspect idéal. »

Ils reprirent leur recherche. L'idée que Jackson Benally ou Leonard Nez aient pu, lors d'une épreuve initiatique pour intégrer un gang de jeunes, tirer sur un policier, ne paraissait plus aussi invraisemblable que soixante minutes plus tôt.

Au bout d'une nouvelle heure, Chee s'approcha de l'endroit où elle était assise. Il posa les mains sur ses épaules et lui fit un massage énergique. Bernie sentit que ses muscles noués se détendaient.

« Tu sais, lui dit-il, tu aurais pu être tuée, aujourd'hui. Au lieu de célébrer la chance que nous avons, nous sommes encore à travailler et il est minuit.

– Je serai d'humeur à célébrer quand nous aurons identifié l'agresseur du lieutenant. Tu es prêt à aller au lit ? »

Chee sourit. « C'est une question ou une proposition ? »

1. Voir *Le Voleur de temps* (Rivages/noir n° 110).

*

Au milieu du silence qui s'ensuivit, elle sentit le subtil changement dans la respiration de Chee quand il s'endormit plus profondément. Totalement éveillée, elle allongea les jambes dans les draps frais. Un coyote se mit à chanter quelque part le long de la San Juan. Elle pensa à la maison déserte de Leaphorn, au lieutenant, seul sur un lit d'hôpital… s'il était encore en vie. Elle se repassa la journée dans sa tête : le petit déjeuner, le coup de téléphone, la détonation, le sang qui coulait sur l'asphalte cuit par le soleil, l'ambulance. Elle essaya de se concentrer sur la voiture dans laquelle l'agresseur avait pris la fuite : y avait-il une deuxième personne à l'intérieur ? Était-ce vraiment la voiture de Mme Benally ?

Au bout d'une heure, elle sortit silencieusement du lit et retourna à la cuisine pour travailler sur les fichiers. Quand l'aube pointa, elle les avait tous parcourus, avait dressé la liste des suspects potentiels et de leurs rapports avec Leaphorn. À l'exception de Delos, aucun des criminels mêlés à ces affaires anciennes ne semblait nourrir des intentions vraiment mauvaises ni être motivé au point d'abattre un homme de sang-froid. En réalité, ils devraient tous lui être reconnaissants de leur avoir permis de repartir de zéro.

Quand le ciel vira du noir au gris avec de pâles nuances pêche, elle enfila ses Nike et ouvrit la porte sans faire de bruit. Elle courut pour célébrer l'apparition de l'aube.

À son retour, elle huma l'odeur du bacon qui cuisait. Elle vit Chee, le téléphone dans une main, la spatule dans l'autre. À la raideur de son attitude, elle comprit que les nouvelles n'étaient pas agréables.

6

Chee raccrocha.

« Il faut que je parte tôt. Nous avons reçu le rapport sur la voiture de l'auteur du coup de feu.

– Alors, c'est Mme Benally qui a tiré ? »

Il rit. « Oh, ses empreintes y sont, et il y en a plein d'autres. Certaines sont vraisemblablement celles de Jackson. Pour le reste, qui sait ? Et donc Largo et Cordova, le gars du FBI, veulent que je travaille sur les noms et les empreintes. Nous allons comparer avec la liste de suspects que nous avons établie hier soir. Voir s'il y a un lien avec le lieutenant.

– J'en ai ajouté plusieurs ce matin. Je suis surprise que le FBI ne prenne pas la direction des choses. Ce Cordova m'a paru très intelligent.

– Ils nous laissent ce qui a trait aux Navajos. Largo m'a dit que le FBI tient absolument à parler à Louisa. Ils n'ont pas réussi à la contacter hier soir. »

Il cassa les œufs au-dessus de la poêle chaude. « Pour quatre ou cinq de ces jeux d'empreintes, ils ont des correspondances avec des fichiers archivés, mais aucun des noms ne correspond à ceux que j'ai vus dans les enquêtes du lieutenant. Pour les autres, les fédéraux continuent de chercher.

– Eh bien, c'était un vrai taxi, cette voiture.

– J'ai repensé à un truc. Delos, tu sais ? Je me suis souvenu : il y a deux ans, les policiers Jicarilla ont découvert un corps, dans une tombe sur laquelle ne figurait aucune inscription. Et de fait, c'était le sien. »

*

Chee partit tout de suite après le petit déjeuner. Elle fit la vaisselle avant d'appeler le bureau de Window Rock pour savoir s'ils avaient des nouvelles sur l'état de santé de Leaphorn. Elle envisagea de mettre un jean, mais par respect pour le lieutenant, elle enfila un uniforme propre.

Au moment où elle démarrait, elle vit les enveloppes en attente, dont celle, marron et pas affranchie, qui était adressée au gars de Santa Fe.

Elle se rendit d'abord à la poste pour les y déposer. En voyant le parking vide, elle comprit que le guichet n'ouvrait qu'à 8 heures ; elle avait une demi-heure d'avance. Elle glissa les petites enveloppes dans la boîte et poursuivit sa route vers Sante Fe, au sud-est. Elle trouverait bien une poste en chemin.

Elle dépassa une laverie. Des épiceries Quick Stop. Un gros camion chargé de balles de foin, des chevaux qui paissaient. L'embranchement vers Flowing Water, le casino de la tribu. Le nuage de vapeur d'eau qui s'élevait au-dessus de la centrale des Four Corners. Elle mit la radio, la station KYAT qui diffusait en langue navajo sur 94.5 FM. La musique country ne la dérangeait pas, à petite dose en tout cas, mais elle prêta l'oreille aux informations quand elles évoquèrent la tentative de meurtre contre le lieutenant. Elle vit, sur une barrière, le panneau vert artisanal indiquant : « Réparation de Pneus - Ouvert ». Puis le poteau qui annonçait : « Vous quittez la Réserve Navajo ». Le dépôt-vente Circle W. Un centre de lavage de voitures. Un grand drapeau américain qui frémissait au vent devant un mobile home.

Elle ralentit quand, arrivant d'une route de terre, un camion qui tractait une caravane s'engagea sur la chaussée, et elle constata qu'une voiture la doublait en roulant une quinzaine de kilomètres au-dessus de la vitesse autorisée. Au moment où elle arriva à Fruitland, la bourgade située à l'ouest de Farmington, la radio diffusait une publicité pour des bijoux disponibles en ligne. Il y avait davantage de circulation, maintenant. La région était habitée par un mélange de fermiers et d'ouvriers du pétrole, de Navajos, de mormons et de retraités en quête du nirvana dans le Sud-Ouest légendaire. Elle dépassa une casse occupée par des générations de voitures et de pick-up, parfois même d'engins de chantiers. Plus loin, elle dépassa des parkings remplis de minivans et de camions neufs, aux pare-brise étincelants sous le soleil estival, qui incitaient les conducteurs à s'endetter pour profiter d'un meilleur confort.

Enfin se présenta le paysage qu'elle adorait, la San Juan qui coulait au sud de la route entre des rangées de trembles de Fremont.

C'était de Shiprock à Bloomfield que la circulation était la plus dense parce que des convois de camions d'essence ou de gaz faisaient paraître minuscules les voitures comme la sienne. Plus loin, le nombre de véhicules se réduisait opportunément au moment où le paysage devenait grandiose. Son cœur bondit quand elle vit Huerfano Mesa, un des lieux sacrés dans les histoires des origines*, là où Femme-qui-Change avait donné naissance aux Jumeaux Héroïques grâce à qui les Navajos avaient pu vivre dans un monde sans dangers. Leaphorn devrait être ici, sur Dinetah, et non dans un hôpital de Santa Fe, une ville de riches Blancs.

Bernie y était allée trois fois. La première, avec l'équipe de basket de son école de Shiprock pour disputer un match dans le gymnase de l'École indienne de Santa Fe. La deuxième, pour accompagner sa mère qui tenait un étal au Marché Indien. Et, très récemment, pour un stage au quartier général de la Police de l'État du Nouveau-Mexique. La ville n'éveillait aucun écho en elle, mais pour le lieutenant, elle irait n'importe où.

*

Jim Chee n'avait jamais beaucoup aimé la paperasse.

Assis à son bureau, où il avait achevé la moitié de la tâche ennuyeuse consistant à vérifier que les noms attribués aux empreintes n'apparaissaient pas dans les enquêtes du lieutenant, il était de mauvaise humeur.

Il avait envie d'être dehors, à chercher le fils Benally, au lieu de laisser la police de Gallup s'en occuper. Il voulait lui demander pourquoi il y avait autant d'empreintes digitales dans sa voiture, et où il se trouvait au moment du coup de feu. Mais cela faisait deux heures qu'il comparait le nom des Navajos associés à ces empreintes avec celui des criminels figurant dans les archives, puis avec celui des gens que Leaphorn avait arrêtés. Qu'il essayait de trouver d'autres suspects au cas où, comme le pensait Bernie, Jackson Benally n'aurait eu aucun mobile pour tirer sur Leaphorn. Il essayait, mais ne trouvait rien.

Pour échapper à cette corvée aux résultats aléatoires, il sortit, regarda le parking de la sous-agence de Shiprock et le Vaisseau de Pierre lui-même, ce pouce de lave noire dressé devant le ciel bleu. Le vent avait déjà commencé à souffler, une brise douce pour l'instant, mais un signe avant-coureur qu'il y aurait davantage de poussière en suspension à mesure que la journée se réchaufferait.

Il retourna à sa table de travail, consulta son courrier électronique, regarda une courte vidéo envoyée par son ami Cow-boy Dashee qui montrait un chien sur une planche de surf. Finalement à court d'excuses pour retarder l'inévitable, il sentit la vibration de son portable dans sa poche. Bernie. Il sortit le téléphone en souriant, se souvint qu'elle allait à Santa

Fe en traversant des paysages désertiques que ne déparait nulle antenne téléphonique. Il jeta un coup d'œil au numéro. Darleen.

« Allô, dit-il. Comment tu vas ?

– Affreusement mal. J'arrive pas à joindre Bernie. Est-ce qu'elle a emmené Mama quelque part ?

– Bernie est sur la route de Santa Fe. La réception est mauvaise, là-bas. À ma connaissance, elle est seule dans la voiture. Elle n'aurait pas emmené votre mère parce qu'elle va voir le policier grièvement blessé.

– Mama est partie, dit Darleen. Elle nous a quittées.

– Comment ça ? Elle est morte ?

– Oh mon Dieu, j'avais pas pensé à ça. Elle pourrait être morte. Celui qui l'a kidnappée l'a peut-être tuée. Est-ce que je devrais appeler la police ? Mais c'est toi, la police ! »

C'était un flot de paroles ininterrompues.

« Calme-toi, lui conseilla Chee. Raconte-moi ce qui s'est passé. Depuis le début. Mais d'abord, respire à fond une ou deux fois. »

Darleen se hâta de reprendre. « Mama a disparu. Complètement. Elle est, genre, nulle part. J'ai cherché partout dans la maison, dehors, dans les placards, dans la salle de bains. Partout, absolument partout, merde. Je l'ai appelée vachement fort, je me suis égosillée dans le vide, bon sang. Après, j'ai pris ma voiture et j'ai fait le tour des environs en gueulant comme une cinglée par la vitre ouverte. Rien. Elle est nulle part. »

Chee réfléchit. « Est-ce qu'elle était là quand tu es rentrée hier soir ? »

Silence. « Je suppose qu'elle dormait dans sa chambre. Ben, je suis rentrée assez tard et après j'ai dessiné. » Nouveau silence. « Comme je me sentais pas très bien ce matin, je viens de me lever.

– Est-ce que tu l'as vue hier soir ?

– Pas vraiment. La porte de sa chambre était fermée. Quand j'ai regardé ce matin, son lit était vide, déjà fait. Elle a disparu, bon sang. Disparu. Envolée. Qui irait kidnapper une vieille femme ?

– Je ne crois pas qu'elle ait été kidnappée.

– Elle est peut-être seulement allée se promener et aura fait une chute quelque part. Qu'est-ce que tu en penses ? Il y a des bandes de chiens agressifs, par ici. »

Chee avait dû intervenir parce que des animaux retournés à l'état sauvage avaient attaqué des vaches et des chevaux, tué des agneaux et des moutons. Il s'était aussi occupé d'incidents où des chiens méchants avaient mordu des gens. « Est-ce que son déambulateur est là ?

– Oui.

– Darleen, je vais te suggérer des endroits où il faudrait que tu ailles voir. Prends ton téléphone avec toi. Rappelle-moi quand tu y seras allée. »

Il raccrocha, se replongea dans les empreintes digitales. Que Darleen le détourne de sa tâche, ça lui avait porté chance : il découvrit un éventuel suspect.

Dix minutes plus tard, son téléphone vibra.

« Mama va bien. Je suis allée chez Mme Darkwater, comme tu m'avais conseillé. Elle y a passé la nuit. Elles prenaient leur petit déjeuner quand j'ai crié son nom, tout à l'heure, et la radio marchait si fort qu'elles ont pas entendu le téléphone sonner dans l'autre pièce, ni mes cris.

– Je suis très content que ça se soit arrangé.

– Moi aussi.

– Demande à Mme Darkwater de te laisser un message, la prochaine fois que Mama ira dormir chez elle.

– Hum. En fait, elles en ont laissé un. Il était sur la table mais je l'ai pas vu. Il y en avait un de Bernie aussi. J'ai eu de la chance que tu répondes au téléphone. Je suis drôlement contente que Bernie ait pas été là.

– Moi aussi. »

Il s'attendait à ce qu'elle le remercie, mais elle n'en fit rien.

*

L'hôpital Christus St Vincent de Santa Fe possède de nombreuses entrées, des accès différents à ses multiples services. Bernie se dirigea vers les larges portes en verre coulissantes qui devaient correspondre à l'entrée principale. Elles donnaient sur un hall imposant où un panneau signalait l'accueil. La réceptionniste leva les yeux. « Je peux vous aider ? » Son regard se fixa sur l'uniforme de la Police Navajo. Bernie vit qu'elle avait des poches noires sous les yeux.

« Je cherche le lieutenant… Je veux dire M. Joe Leaphorn. Il a été admis ici hier. »

La réceptionniste tapa le nom.

« Il est en USI.

– C'est de l'espagnol ? »

La réceptionniste plissa les yeux. « Unité de soins intensifs. » Elle lui communiqua le numéro de la chambre.

« Par où il faut aller ?

– C'est à cet étage, au bout du couloir. Vous n'avez qu'à suivre les panneaux. »

Bernie dépassa un espace où des gens attendaient, vit une jeune femme blonde en jean moulant qui faisait les cent pas, un couple âgé assis sur un canapé.

L'unité de soins intensifs était à une certaine distance de l'entrée et il lui fallut bifurquer à plusieurs reprises dans des couloirs. La disposition des lieux n'avait pas été conçue pour les anxieux. À chaque intersection, elle vérifiait les panneaux pour s'assurer qu'elle ne s'écartait pas du bon chemin.

Sur la porte du service des soins intensifs, un écriteau spécifiait les heures de visite. Elle n'était pas dans les bons créneaux, mais entra quand même.

« Que puis-je pour vous ?

– Je suis l'agent Bernadette Manuelito. Il faut que je voie le lieutenant Leaphorn. »

L'infirmière secoua la tête.

« Désolée, c'est impossible. Le docteur…

– Il s'agit d'une affaire criminelle. » Elle se redressa, se prépara à argumenter. « L'agression dont le lieutenant a été victime fait l'objet d'une enquête.

– Je l'ignorais, répondit l'infirmière. J'ai pris mon service ce matin. »

Bernie attendit.

L'infirmière leva les yeux de son écran d'ordinateur. « Avant que vous m'interrompiez, je me préparais à vous répondre que personne ne peut voir M. Leaphorn pour l'instant. Le Dr Moxsley, le neurologue, est avec lui, il le soumet à des tests.

– Combien de temps cela prendra-t-il ?

– Difficile à dire. Nous avons un espace d'attente, pour l'USI, au bout du couloir. Vous pouvez vous y installer.

– Il faut aussi que je m'entretienne avec le neurologue. »

L'infirmière hésita. « Il a un emploi du temps de folie, ce matin.

– Il faut qu'il trouve un moment à me consacrer, affirma Bernie.

– Est-ce pour les besoins de l'enquête ? »

Elle observa un court moment de silence. « Pas exactement. Le lieutenant est mon… » Elle utilisa le mot navajo qui signifie Celui-qui-agit-en-tant-que-chef ou Celui-qui-est-respecté-comme-enseignant. « Mme Leaphorn et lui n'ont jamais eu d'enfants, et donc maintenant, je… » Elle laissa sa phrase en suspens en espérant que son interlocutrice conclurait qu'elle était comme une fille pour lui.

L'infirmière lui accorda un regard plus amical. « Ça doit être terrible d'enquêter sur l'agression d'un proche. Je vais demander au Dr Moxsley de passer vous voir dans la salle d'attente. » Elle tendit à Bernie plusieurs papiers qu'elle sortit d'une chemise posée sur son bureau. « Pendant que vous patientez, peut-être pourrez-vous nous aider en remplissant ces formulaires. »

C'était un espace minuscule et encombré de meubles. Une femme plus jeune que Darleen, aux cheveux foncés et au teint maladif, portait un nouveau-né dans ses bras en faisant interminablement les cent pas devant les fenêtres. Elle leva les yeux quand Bernie entra, puis détourna le regard. Une femme au visage charnu, parsemé de rides, était assise près d'un homme à la moustache fournie. Ils parlaient bas, en espagnol. Tous portaient l'inquiétude et l'épuisement comme une seconde peau.

Ce qu'il y avait de mieux, dans cette salle, c'était le patio. Bernie emporta sa tasse de café, gratuit mais éventé, à un endroit où elle pouvait voir le ciel. Un homme trapu en veste noire était installé à l'une des tables, une bible posée sur les genoux. Elle prit place à l'autre.

Elle croyait à la science, mais elle croyait aussi que la vie humaine représente bien plus que ce que l'on peut traquer à l'aide de machines et d'ordinateurs, traduire en équations et réduire à des chiffres, comme le taux de cholestérol ou la tension artérielle.

La dernière fois qu'elle était entrée dans un hôpital, ç'avait été à Gallup, avec l'oncle de Jim, Hosteen* Nakai, dont le cœur était généreux et l'esprit clair et vif comme une source de montagne[1]. Elle se souvenait de la gentillesse qu'il lui avait témoignée, même avant qu'elle ait décidé d'épouser Jim. Hosteen Nakai lui avait dit : « Un jour, mon neveu sera un homme de grande valeur, quelqu'un de mieux qu'il ne s'imagine pouvoir le devenir. Ce sera bien, pour lui, d'avoir le soutien d'une femme forte. Une femme qui n'a pas peur de la force qu'elle possède, ni de celle qu'il possède, lui. »

Au cours des deux années écoulées depuis leur mariage, Chee avait acquis une force tranquille fondée sur l'empathie. Elle avait constaté ce sens de la fraternité exacerbé envers ses

---

1. Voir *Le Premier aigle* et *Blaireau se cache* (Rivages/noir n° 404 et n° 442).

collègues policiers, et son dévouement pour les gens au service desquels ils œuvraient tous. Certains policiers devenaient cyniques à force d'être exposés à la malfaisance, mais Chee y puisait une détermination supplémentaire à restaurer l'ordre des choses. À protéger les bons citoyens de la Nation Navajo contre ceux qui s'étaient écartés de la Voie* de la Beauté. Il prenait au sérieux sa responsabilité de redonner l'harmonie* à la terre et à ses habitants. Bernie regrettait que Hosteen Nakai n'ait pas vécu assez longtemps pour voir les progrès de son neveu.

Elle se souvenait de Nakai, le grand *hataalii* aimé de tous, triste et chétif sur son lit d'hôpital, le corps envahi par le cancer. Semblable à un animal de laboratoire et non au sage aimé et estimé qui connaissait tant de chants*, tant de peintures* de sable, et qui avait aidé son peuple. Avec Chee, elle l'avait sorti de l'hôpital contre l'avis des médecins, et ils lui avaient permis de mourir comme il le désirait, chez lui sur la pergola, sous les étoiles.

Les hôpitaux la rendaient nerveuse. Elle se leva et se mit à marcher. Leaphorn était plus vigoureux que Nakai. Les progrès de la science, y compris les nouvelles connaissances sur le cerveau humain, sa complexité et sa résilience, pouvaient lui sauver la vie. Mais quels dégâts la balle avait-elle causés ?

Elle observa l'ombre d'un nuage qui s'approchait du bâtiment, et l'empilement de nuées orageuses qui commençait à se dessiner. De la pluie dans l'après-midi ? Elle revint à la table pour se pencher sur les formulaires que l'infirmière lui avait donnés. Elle ne connaissait aucune des réponses demandées. Le lieutenant prenait-il des médicaments ? Avait-il subi des interventions chirurgicales ? Quelqu'un, dans sa famille, avait-il souffert d'une maladie cardiaque ? De problèmes du système immunitaire ? Avait-il des réactions allergiques ? Elle reposa les papiers, ouvrit son sac à dos et en sortit un roman policier. Au bout de quelques pages, un homme en blouse blanche, aux cheveux châtain grisonnants réunis en catogan, se dirigea vers sa table, un ordinateur portable à la main.

« Bernadette Manuelito ? Je suis Grant Moxsley. C'est moi qui m'occupe de M. Leaphorn. »

Elle lui tendit une main qu'il serra avec retenue en disant : « *Yá'át'ééh**. » Son accent suggérait qu'il avait de sérieuses connaissances en langue navajo. Il s'assit sur la chaise voisine.

« J'ai cru comprendre que vous aviez des questions à me poser, et je voulais vous parler avant que vous le voyiez. Sa blessure est extrêmement grave. J'ai communiqué au FBI les informations de base, le type de la balle, ce genre de choses, car cela s'inscrit dans le cadre de leur enquête. » Il marqua un temps de silence. « Les hôpitaux sont régis par quantités de règles, et l'une de ces règles est que je ne dois parler qu'au parent le plus proche. Je sais, en raison de mes années au service de la santé publique à Tuba City, que le concept de relations familiales est différent pour nous de ce qu'il est pour le Diné. »

Bernie attendit. Comme Moxsley n'ajoutait rien, elle déclara : « Je suis allée chez lui, après l'agression. Il avait une photo de sa défunte femme. Et notre photo de mariage, que mon mari et moi lui avons donnée. Le lieutenant n'a pas eu d'enfants et il n'a ni frère ni sœur qui soit encore en vie. » Elle tourna son regard vers l'aile de l'hôpital où il reposait. « J'ai été la première près de lui quand il a été blessé. Je veux lui parler de ce qu'il a vu, découvrir s'il sait qui a tiré. Je dirais donc que je fais partie de sa famille et que je suis aussi venue pour mon travail.

– Voulez-vous que je vous expose ce que peuvent être, à mon sens, les conséquences de sa blessure ?

– Je vous en prie. »

Il ouvrit son portable et afficha des images en expliquant comment la balle avait pénétré près de la tempe et poursuivi son chemin à travers le cerveau. La bonne nouvelle était qu'elle n'avait pas endommagé la moelle épinière.

« Il y a beaucoup de choses que nous ignorons concernant le cerveau humain, mais nous avons une bonne idée de l'endroit où se trouve le centre de commande des différentes fonctions. » Il posa sur elle un regard de profonde empathie. « La balle a pénétré plusieurs centres cérébraux qui sont cruciaux pour le langage, la compréhension, la mémoire, la vision et ce que nous nommons généralement la personnalité. » Il les lui indiqua, suivit le trajet du projectile avec son index.

« Est-ce qu'il peut parler ? Est-ce qu'il sera aveugle ?

– Je ne sais pas. Pour l'instant, votre oncle est plongé dans un coma artificiel. À la suite de la blessure, son cerveau a gonflé, et nous avons retiré une partie de la boîte crânienne pour réduire la pression. Il donne l'impression de dormir, mais nous pensons que certains patients dans cet état entendent ce qui se passe autour d'eux. Certains réagissent au toucher, d'autres au son d'une voix familière. Il se pourrait qu'il réagisse à votre présence. Mais nous n'en savons rien.

– Qu'est-ce qui va se passer ensuite ?

– Difficile de le prédire. » Le Dr Moxsley referma l'ordinateur. « Nous prenons les choses comme elles se présentent, heure après heure pendant les prochains jours. Je suis désolé de ne pouvoir être plus optimiste. Si nous savons beaucoup de choses sur le cerveau, nous en ignorons plus encore.

– Le lieutenant est plus intelligent que mon mari et moi réunis. Je ne l'ai jamais vu s'avouer vaincu. »

Moxsley sourit. « Voilà qui joue assurément en sa faveur. »

Il sortit un récepteur de poche, le consulta, appuya sur un bouton. « Les quarante-huit heures à venir sont les plus cruciales. Je vais le suivre de très près, et les infirmières le surveilleront en permanence. »

Le surveiller, pensa Bernie. Ce mot lui fit penser aux bracelets électroniques que les condamnés portent quand ils sont en détention à domicile. D'une certaine façon, la situation de

Leaphorn était identique. Il ne pouvait faire un geste, respirer, sans qu'une machine l'enregistre.

« Nous épions les symptômes de crise cardiaque, les signes d'infection, d'autres complications. Quand l'hypertrophie se sera résorbée, nous refermerons la boîte crânienne. En attendant, la masse cervicale a la place d'augmenter de volume sans engendrer de dommages. C'est pour ça que vous allez voir tous ces bandages. »

Bernie hocha la tête.

« S'il survit jusqu'à ce que le gonflement s'atténue, nous pourrons mieux décider de ce qu'il conviendra de faire en termes de traitement. » Moxsley sortit de sa blouse blanche une carte qu'il lui tendit. « Je vais m'assurer que vous figurez bien, vous et votre mari, au nom de ses parents les plus proches, et que le personnel sache que vous pouvez venir le voir quand vous voulez. Vous avez d'autres questions ?

– Pensez-vous qu'il sache où il se trouve, ou ce qui lui est arrivé ?

– Impossible à dire. »

Bernie pensa à autre chose. Poser la question n'engageait à rien.

« Connaissez-vous un Dr John Collingsworth ? Je crois qu'il a une clinique appelée CRIA. »

Moxsley sourit. « Collingsworth n'est pas docteur en médecine. Il a une thèse de doctorat. Il dirige le Centre de Recherche sur les Indiens d'Amérique. Un endroit fabuleux. Ils ont un musée privé fantastique avec une extraordinaire collection d'art et d'artisanat indiens, le genre d'objets que les gens viennent étudier de tout le Sud-Ouest. Ma femme y est conférencière à titre bénévole. Grâce à elle, nous pouvons entrer gratuitement. »

Bernie avait entendu parler de ce centre de recherche dans un cours d'anthropologie à l'Université du Nouveau-Mexique, et elle se souvenait de l'histoire de ses origines. Dans les années 1930, un couple fortuné était venu du Delaware pour s'installer à

Santa Fe. Ils étaient tombés amoureux de la ville et des Indiens Pueblos qui habitaient à proximité, dans des villages situés en amont et en aval du Rio Grande. Le mari et la femme s'étaient efforcés de promouvoir les droits des Indiens à une époque où Pueblos, Navajos, Apaches* et autres nations indiennes n'avaient même pas le droit de voter pour l'élection présidentielle. Ils avaient également collectionné de splendides objets d'art indiens et joué de leur influence pour préserver un savoir-faire exceptionnel en ces temps difficiles. Quand ils avaient trouvé la mort dans un accident de la circulation, leur maison, le terrain qui l'entourait et leur collection étaient revenus au CRIA. Bernie avait toujours rêvé de visiter cet endroit.

« Autre chose ? »

Elle fit non de la tête. « Je vous remercie.

– Êtes-vous prête à voir votre oncle maintenant ?

– Absolument. »

Moxsley lui tint la porte. Bernie eut froid et se sentit saisie d'angoisse quand elle passa devant le bureau de réception de l'USI et pénétra dans la zone de soins. Dans certaines chambres minuscules, un rideau dissimulait le patient et quiconque se trouvait en sa compagnie. Dans d'autres, elle aperçut une forme couchée, des tubes qui reliaient les bras et, sous la literie, d'autres points du corps aux appareils. Dans une chambre, deux personnes étaient assises sur des chaises à côté du lit. Des membres du personnel soignant allaient et venaient silencieusement.

Ils firent halte devant la quatrième porte. « Il est ici. Bonne chance pour réussir à arrêter le monstre qui a fait ça. »

Bernie entra seule. Leaphorn était étendu sur le dos, couvert d'un drap blanc qui lui montait jusqu'au menton. Un tuyau partait d'un pied de perfusion en métal pour aboutir à son bras gauche, un autre provenait de sous le drap pour se déverser dans une poche accrochée plus bas, un troisième sortait de sa bouche. Ses yeux étaient clos, sa tête emmaillotée dans les pansements. Sa poitrine se soulevait et s'abaissait rapidement, et des lumières clignotaient sur les appareils de contrôle.

Il avait l'air d'un homme dont l'esprit est en train de décider s'il doit rester ou s'il est temps de s'en aller, songea-t-elle. Tellement différent de celui dont elle avait partagé le petit déjeuner il y avait à peine un peu plus de vingt-quatre heures.

Elle s'approcha silencieusement et posa la main sur le bras qui n'était pas perfusé. La peau était chaude. Quand le moment lui parut venu, elle s'adressa à lui en navajo. Elle parlait lentement, doucement, mais assez fort pour être entendue en dépit des appareils, lui disait ce qu'elle éprouvait le besoin de lui dire sur la désolation qu'elle ressentait parce qu'elle l'avait déçu, et elle lui rappela la promesse qu'elle avait faite. Quand elle en eut terminé, elle remarqua que ses yeux bougeaient sous les paupières. Puis cela s'arrêta.

Elle fit halte au bureau des infirmières pour réclamer son calepin.

« Je suppose qu'on l'a rangé avec ce qu'il avait sur lui quand il est arrivé. Voyez avec le service de sécurité.

– Et c'est où ?

– Prenez le couloir en sens inverse, dépassez les urgences. Ce sera sur votre gauche. Suivez les panneaux. »

Elle trouva un garde qui avait l'air endormi, les pieds sur son bureau.

« Excusez-moi, lui dit-elle, je viens récupérer les objets personnels d'un patient. »

Il leva les yeux.

« Vous êtes de la famille ?

– Je suis l'agent Bernadette Manuelito, Service Navajo de la Sécurité Publique. Il a été blessé par balle. Nous enquêtons conjointement avec le FBI. »

Le garde sortit de sa léthargie et, pour la première fois, s'aperçut qu'elle portait l'uniforme.

« Pas de problème. » Il retira ses pieds du bureau, dont il chassa la poussière de la main. Puis il ouvrit un tiroir d'où il sortit un formulaire, qu'il lui tendit, avec un stylo.

« Vous êtes loin de chez vous, dites donc. Qu'est-ce que vous pensez de Santa Fe ?

– Tout ce que j'ai vu, cette fois, c'est l'hôpital. Je préférerais être ailleurs. Vous savez ce que c'est. »

Il revint avec un sac en plastique résistant et transparent qu'il lui remit en échange du formulaire rempli.

Dans le sac, elle trouva les vêtements et les chaussures que le lieutenant portait au moment où il avait été blessé. Les objets plus petits, trouvés dans ses poches, étaient rangés dans un sac séparé. Elle préleva le calepin qu'elle glissa dans son sac à dos.

La chaleur régnait dehors, mais pas autant qu'à Window Rock. Le soleil faisait du bien après les pièces glaciales de l'hôpital. Elle regagna sa voiture en admirant la vue sur les Monts Sangre de Cristo, à l'est, et la chaîne bleue des Monts Jemez, à l'ouest. Quiconque avait construit l'hôpital avait fait un cadeau aux visiteurs en plaçant le parking à cet endroit. Elle ouvrit le hayon, rangea les objets personnels de Leaphorn à l'intérieur. En bouclant sa ceinture, son regard tomba sur l'enveloppe destinée au CRIA.

Prochain arrêt, déjeuner. Après, trouver une poste et retour au bercail.

Elle suivit les indications que le garde lui avait données pour arriver au centre commercial de College Plaza, négligea les restos rapides et deux ou trois autres, appartenant à des chaînes, pour privilégier le petit café qu'il lui avait recommandé où elle pourrait déjeuner pour pas cher. Le nom, Jambo, était amusant, et, à l'intérieur, ça sentait le pain frais et une grande variété d'épices. Elle s'assit à une table, près de la vitrine, ouvrit le menu. Elle y trouva des plats qu'elle connaissait : ragoût d'agneau, burgers à la viande d'agneau, ragoût de chèvre et diverses salades. Ils avaient aussi des plats dont elle avait entendu parler mais qu'elle n'avait jamais goûtés. Puis venaient les choix plus exotiques : « bananes plantain épicées à la cannelle », « sandwich aux lamelles de tofu grillé et sa verdure bio ». Et « pâte phyllo farcie », une énigme en soi.

Elle n'avait jamais eu la fourchette aventureuse. Les arômes provenant de la cuisine l'incitaient à goûter un plat nouveau pour elle. Si elle gagnait son pari avec Chee, à propos du FBI qui allait enquêter sur Louisa pour dévoiler un complot dans le style tueur à gages, elle lui demanderait de la conduire ici et essaierait sans doute le sandwich au tofu.

Quand le garçon s'enquit de ce qu'elle désirait manger, elle s'en tint à ce qu'elle connaissait déjà : ragoût de chèvre et Coca. Puis elle sortit de son sac à dos le calepin marron usagé.

7

Elle tourna le carnet entre ses doigts, caressa le cuir doux de la couverture. Les pages étaient retenues par des anneaux métalliques qui s'écartaient en actionnant un levier dans le bas, ce qui permettait d'en intégrer de nouvelles. À en juger par les marques d'usure, Leaphorn devait s'en servir depuis des décennies.

Si elle le lisait, elle empiéterait à nouveau sur sa vie privée, et ce serait une intrusion pire que de pénétrer dans sa cuisine ou de fouiller dans son bureau. Regarder dans cet agenda, c'était comparable à fouiller dans le tiroir où il rangeait ses sous-vêtements. Mais elle s'était engagée auprès de Largo à trouver les proches du lieutenant, et le carnet pouvait lui permettre d'y parvenir.

Elle l'ouvrit. Les premiers feuillets correspondaient au calendrier de l'année, d'abord imprimé sur deux pages en vis-à-vis, puis mois après mois. Le reste se composait de feuillets blancs non lignés, dont certains couverts de son écriture précise et régulière. Elle parcourut rapidement les pages en espérant apercevoir un titre annonçant « Contacts », voire « Amis et connaissances », mais ne trouva rien de tel. La majeure partie de ce qu'elle voyait était incompréhensible. Leaphorn avait rempli plusieurs pages de gribouillages : des zigzags, des demi-cercles soulignés de lignes ondulées, un schéma qui ressemblait à des marches d'escalier, des triangles entremêlés.

Près de la fin, elle tomba sur plusieurs listes. Une courte succession de chiffres, verticale :

20-5 125/85 88,3

27-5 140/90 89,2

5-6 120/80 88,1

Elle avait déjà vu quelque chose qui ressemblait à ça, mais quoi ? Sur la page suivante, il avait noté une colonne de lettres accompagnées de ce qui pouvait être des numéros de téléphone. Elle l'étudia, trouva « JC » suivi de deux groupes de chiffres : leur numéro de téléphone chez eux et celui du portable de Chee.

Quand le serveur lui apporta son Coca, elle leva les yeux. « Désirez-vous aussi de l'eau ? » Il avait un pot à la main.

« Bien sûr. C'est une question qu'on ne vous pose jamais, à Shiprock.

– À Santa Fe, dans les restaurants, nous avons une politique de l'eau. Elle coûte cher, ici, alors nous essayons de ne pas la gâcher.

– Une excellente idée. »

Il lui remplit son verre. « Votre plat sera bientôt prêt. »

Elle revint au calepin. D'autres notations cryptiques. Des numéros qui pouvaient correspondre à ceux de dossiers, chacun avec un nom, « Hightower », « Yellowhorse », « Shelley ». Elle les recopia dans son propre carnet. Elle en parlerait à Chee pour voir quelles idées cela lui inspirerait.

Sur les pages suivantes, d'autres dates et d'autres chiffres, mais aucun titre. Pourquoi aurait-il explicité ? Il savait ce que tout cela signifiait. Elle repéra une nouvelle série de notations accompagnées d'éventuelles dates. La plus récente, qui remontait à quinze jours environ, était suivie de WR/SF 288702-9065. Elle repéra trois inscriptions en WR/SF suivies de chiffres différents, inférieurs, mais commençant néanmoins par 28. WR signifiait Window Rock, se dit-elle. Le lieutenant avait noté le kilométrage du pick-up lors de ses déplacements à Santa Fe et retour.

Le serveur lui apporta son repas, un grand bol blanc rempli de bouillon de viande et de légumes. L'odeur la fit saliver. Mais, au lieu du jus de viande que sa mère servait avec le ragoût de chèvre, cette recette africaine présentait un assaisonnement de riz à la noix de coco avec de la sauce au curry. Elle y enfonça sa fourchette avec méfiance avant de goûter. Une viande moelleuse, qui avait cuit longtemps. Carottes tendres, oignons, petits morceaux de pommes de terre. Elle posa le calepin et, pendant quelques minutes, se concentra exclusivement sur la nourriture. Peut-être ce savoureux repas allait-il favoriser sa réflexion.

Quand le serveur revint, elle lui demanda de l'eau plutôt que de gonfler l'addition en commandant un autre Coca. Puis elle se pencha à nouveau sur le calepin pour étudier les lettres et les chiffres.

La plupart des pages séparant le relevé du kilométrage de la fin du calepin étaient vierges. Sur l'avant-dernière, elle remarqua une infime différence dans la qualité et la coloration du papier. Leaphorn avait soigneusement inséré deux feuillets qui provenaient d'un agenda antérieur. Sur l'un, elle vit six groupes d'initiales et de chiffres débutant par AL RR42 B50A 87401. Sur l'autre, d'autres initiales potentielles suivies d'autres lettres et de chiffres, et des symboles tels %, #, *, disséminés ici ou là. « AZ JLLB %1934. » Énigmatique. Tout à coup elle comprit. Des mots de passe. Les initiales qui les précédaient, AZ par exemple dans le cas du premier groupe, indiquaient probablement des sites. AZ pour Amazon ?

Elle porta une nouvelle bouchée de ragoût à sa bouche. Continua de réfléchir aux codes du lieutenant, puis laissa son cerveau se reposer pendant qu'elle achevait son repas.

Elle avait promis à Louisa de la contacter quand elle aurait vu Leaphorn, mais l'appel fut directement orienté vers une boîte vocale, comme si le portable était éteint. Elle laissa un bref message.

Elle rouvrit alors le calepin à la première page, dont le papier était plus ancien. Le groupement de cinq chiffres pouvait représenter un code postal. Dans ce cas, le chiffre en 87 correspondrait au Nouveau-Mexique. RR pouvait signifier « Route Rurale », et B50A être un numéro de boîte. Restait « AL ». Leaphorn était-il en relation avec quelqu'un qui s'appelait Al ? Albert ? Alfonso ? S'agissait-il d'initiales ? Mais ce qu'elle prenait pour un « L » ne pouvait-il pas être sa manière à lui d'écrire le chiffre 1 ? Un entrepreneur de Farmington nommé A1 ? À moins que le « L » ne se réfère à un autre membre de la famille Leaphorn ? Arnie Leaphorn ? Agnes ?

Elle composa le numéro de l'agence de Shiprock et demanda à parler à Chee. Sandra, la coordinatrice, lui répondit qu'il était sorti.

« Est-ce que tu peux me rendre un service ? lui demanda Bernie. Largo m'a demandé de trouver les proches de Leaphorn et je rencontre quelques difficultés. Es-tu en mesure de mener des recherches téléphoniques inversées ?

– Pas de problème. Ton ordinateur est encore en panne ?

– Non. » Bernie but une gorgée d'eau en regrettant le Coca. « Je suis à Santa Fe et je ne l'ai pas emporté. » Elle dicta ce qu'elle pensait être l'adresse de « AL », et ce qu'elle réussissait à déchiffrer dans les cinq autres ensembles de lettres et de chiffres.

« Tu veux rester en ligne ou je te rappelle ?

– Rappelle-moi. »

En attendant, Bernie revint à un groupement de chiffres antérieur et, quand Sandra rappela, elle avait compris que 20-5 125/85 88,3 devait signifier que le 20 mai, la tension artérielle du lieutenant devait se situer dans la norme, en dépit de son poids qui avoisinait les 90 kilos. Ça ne permettait pas de faire avancer l'enquête, ni de retrouver des membres de la famille

Leaphorn, mais au moins, son processus mental se calquait sur celui du lieutenant.

Son portable vibra et elle répondit. « Aucun résultat pour la majorité des trucs que tu m'as donnés. Mais le "AL" correspond à une résidence de Farmington qui appartient à un certain Austin Lee. » Sandra lui communiqua le numéro de téléphone.

Bernie le composa, fut déçue que Lee ne décroche pas. Elle laissa un message expliquant qu'elle était une amie du lieutenant Joe Leaphorn et qu'il fallait qu'elle s'entretienne le plus vite possible avec Austin Lee ou quelqu'un de sa famille. Elle laissa son numéro personnel chez elle, ainsi que celui de la sous-agence de Shiprock. « Nous n'avons rien à reprocher à M. Lee », ajouta-t-elle. Quand il la rappellerait, à condition qu'il le fasse, elle se renseignerait sur les liens qui les unissaient. Un progrès ? Elle l'espérait.

Le serveur lui apporta l'addition. Elle lui demanda où se trouvait la poste la plus proche.

« Ça doit être celle de Pacheco Street, mais elle est fermée à cause d'une grosse fuite dans le plafond. Enfin, pas vraiment à cause de la fuite. L'eau a entraîné un court-circuit.

– Vous avez donc déjà eu de la pluie ?

– La semaine dernière. Pas beaucoup, mais le toit de la poste a commencé à fuir l'an dernier.

– Quelle est la plus proche qui soit ouverte ?

– Celle du centre. » Il lui fournit des indications compliquées, parsemées de précisions du genre « là où il y avait le magasin de fournitures de bureau qui a fermé », « je ne suis pas sûr du nom de cette rue » et « je ne me souviens plus si elle est en sens unique ».

Il termina sur : « Je vous souhaite bonne chance pour arriver à vous garer là-bas. En cette période de l'année, le centre est un vrai cirque à cause des touristes. Cette poste-là, moi, je l'évite à tout prix. »

Bernie envisagea de remporter l'enveloppe à Shiprock pour la poster de là-bas, mais elle n'y serait pas avant 17 heures. Elle envisagea alors un meilleur plan.

« Est-ce que vous savez où se trouve le CRIA ? »

Il fit non de la tête. « Je vais demander. »

Il revint quelques minutes plus tard avec sa monnaie et le renseignement. « C'est assez proche du grand musée d'artisanat local. » Il lui indiqua comment s'y rendre, de manière simple cette fois. Elle se dit qu'elle n'aurait aucune difficulté à déposer l'enveloppe au CRIA et qu'elle pourrait apprendre ce sur quoi Leaphorn travaillait. Ça n'avait vraisemblablement rien à voir avec Jackson Benally, Leonard Nez ou la tentative de meurtre. Mais puisqu'elle était officiellement en congé, pourquoi ne pas visiter un peu Santa Fe ?

Elle reprit le calepin, qu'elle ouvrit au mois de juin. Elle vit des inscriptions au crayon dans des cases correspondant à différents jours : « contrat final » un jour, « prépa pha » un autre (vraisemblablement, une préparation qu'il devait passer prendre à la pharmacie). Elle repéra plusieurs cases où il avait noté ce qui semblait être des rendez-vous. « 11:30 Largo », « 14 équil. roues », « 9 CRIA » et « 12:30 EFB ». Dans plusieurs cases, elle lut « PM BWR ». BWR lui sembla familier, et elle se souvint des livres qu'elle avait vus sur son bureau. Bibliothèque de Window Rock. PM devait correspondre à après-midi. CRIA et Largo ne lui posaient pas de problèmes. Mais que signifiait EFB ?

Leaphorn avait tracé un « X » net et précis sur tous les jours de juin jusqu'à la veille, le jour où il avait été blessé.

Elle trouva un emplacement libre pour se garer sur le parking de graviers du CRIA, à l'ombre, près d'un mur de patio. Elle était prévenue que l'absence de goudron, à Santa Fe, constituait une marque de ralliement à un courant de pensée, que certains des anciens quartiers les plus riches s'enorgueillissaient de leurs routes de terre. Mais elle ne s'était pas attendue à trouver ce genre de parking.

Un ensemble de beaux et vieux bâtiments en adobe*, reliés par des passages dallés, reposaient à l'ombre de grands arbres. Bernie admira la façon dont les murets garantissaient aux fleurs leur propre espace tout en soulignant la beauté de chacune et la vue sur les montagnes au-delà. Elle s'y connaissait assez pour savoir que d'aussi splendides jardins ne doivent rien au hasard. Le mélange de plantes locales, vivaces ou à floraison annuelle, témoignait d'une longue tradition de soins réguliers.

En entendant le bruit de ses pas sur les dalles, un jardinier leva les yeux de son ratissage. Elle vit qu'il contemplait l'écusson de la Police Navajo sur sa chemise. « *Yá'át'ééh* », dit-il.

Elle lui rendit son bonjour, surprise de tomber sur un Navajo, même si leur tribu était la plus nombreuse du pays. Il s'identifia par son nom, Mark Yazzie, et par son affiliation clanique. Bernie fit de même. Il n'y avait pas de lien de parenté entre eux.

« Vous êtes venue jusqu'ici pour m'arrêter ? fit-il en pointant l'index sur l'enveloppe qu'elle tenait à la main. On dirait que vous avez mon casier judiciaire, là-dedans.

– Vous avez donc des choses à vous reprocher ? »

Il rit. « Qui n'en a pas ? Mais je les garde pour moi.

– Je dois déposer cette enveloppe au Dr John Collingsworth. Est-ce que vous pouvez me dire où le trouver ?

– Continuez tout droit. Vous arriverez à son bureau, là-bas. C'est le plus grand puisque c'est lui le chef. »

Les sols de terre cuite brillaient comme si quelqu'un avait passé des heures à les polir à la main. Peut-être était-ce d'ailleurs le cas, songea-t-elle. Un bureau immense dominait à la fois la salle d'accueil et la femme qui y était assise. Au plafond, un ventilateur ronronnait entre deux poutres massives et sculptées. Une poterie blanche de près d'un mètre de haut, ornée de fleurs et d'oiseaux, occupait l'espace proche du meuble.

La femme cessa de taper sur le clavier de son ordinateur. « Bonjour. Que puis-je faire pour vous ?

– Je souhaite déposer ceci pour John Collingsworth. »
Bernie lui tendit l'enveloppe qu'elle posa devant elle. « Quelle jolie poterie. Un splendide travail d'artisan. »

La femme sourit. « Je l'adore. Ça me rend heureuse de venir travailler. Vous êtes déjà venue sur notre campus ?

– Non. Jamais. »

La femme ouvrit un de ses tiroirs et lui remit une brochure. « Nous accueillons des étudiants qui viennent du monde entier travailler sur nos archives et les objets de notre collection. Nous avons des *katsinas** hopi, que l'on a longtemps appelées *kachinas*, des paniers, de merveilleuses poteries d'autrefois et, également, de très beaux exemplaires de poteries contemporaines. De splendides couvertures navajo, qui sont des exemples de tissage contemporain, et des tapisseries anciennes remarquables. »

Sur l'étagère voisine de la fenêtre, Bernie remarqua une poterie ornée d'un motif en forme d'araignée. Elle s'en approcha d'un pas.

« Elle est hopi, lui dit la secrétaire.

– Je n'avais jamais vu cette représentation d'araignée, dit Bernie. L'autre côté représente quoi ?

– Je ne saurais vous dire. La jeune femme qui occupait le poste avant moi a été licenciée parce qu'elle avait cassé une pièce. On aurait dit qu'elle avait assassiné quelqu'un, à entendre les hurlements que la directrice adjointe a poussés. Je ne touche jamais aux objets de la collection. »

Derrière son dos, Bernie entendit un bruit de talons sur le sol et elle vit la réceptionniste se redresser sur sa chaise. Une femme aux cheveux clairs, petite et élancée, vêtue d'un ensemble gris tourterelle et d'un corsage en soie bleu clair assorti à ses yeux s'approcha du bureau où elle posa un tas d'enveloppes et une petite boîte. Elle portait des boucles d'oreilles zuni représentant des oiseaux-mouches, et un bracelet en argent qui semblait avoir été moulé dans le sable par un artisan navajo, et non des moindres. Elle incarnait, pour Bernie, l'idée que l'on se fait, à Santa Fe, de la manière dont une femme se doit de s'habiller pour connaître le succès professionnel.

« Le courrier », annonça la nouvelle venue en jetant un regard vers l'enveloppe posée sur le bureau et en l'ajoutant à la pile. Puis elle sourit à Bernie.

« Y a-t-il un problème, madame la policière ? Je suis le Dr Maxie Davis, directrice adjointe. Et factrice. »

Bernie se présenta. « Je suis passée pour déposer un pli destiné à John Collingsworth. Pas de problème à ma connaissance.

– Voilà qui me rassure. Avec l'immense collection qui nous arrive, nous sommes déjà noyés sous les complications.

– L'agent Manuelito m'a demandé ce qu'il y a de l'autre côté de la poterie avec l'araignée. Je n'ai pas voulu la toucher, mais… »

Davis lui coupa la parole. « Très bien. Ne touchez jamais les poteries. Moi-même, je ne les touche qu'avec des gants. » Elle s'en approcha. « Il y a une image en miroir. Deux araignées dont les pattes se touchent en un réseau parfait de lignes noires. Un chef-d'œuvre.

– Très intéressant, commenta Bernie.

– Police de la Nation Navajo ? Vous êtes bien loin de votre zone de compétence. Vous étiez déjà venue au CRIA ?

– C'est la première fois.

– Vous devriez prendre le temps de visiter notre musée. Notre célèbre collection de poteries pueblo comporte quelques pièces anciennes extrêmement rares.

– Si je reviens à Santa Fe, j'irai la voir. »

La grosse porte qui donnait sur le bureau principal s'ouvrit. Un homme grand, la taille enrobée, en sortit. Ses cheveux gris se raréfiaient, laissant apparaître la peau rosée du crâne. Il avait des lunettes à monture en or, un costume bleu marine et, en guise de cravate, une cordelette décorée d'un aigle en argent et turquoise.

« Docteur Collingsworth, dit la secrétaire, je vous présente l'agent Manuelito qui est venue spécialement vous apporter un pli. Le Dr Davis et moi l'encouragions à visiter le musée avant de reprendre la route. »

Elle lui tendit l'enveloppe que Bernie avait apportée. Collingsworth jeta un coup d'œil sur la graphie précise de l'adresse, soupesa l'enveloppe. « Est-ce que M. Leaphorn vous a demandé de la déposer ?

– Non. » Bernie réfléchit un court instant. « Le lieutenant est à l'hôpital. J'ai trouvé ce courrier dans son camion, et puisque je venais le voir, j'ai décidé de vous l'apporter.

– À l'hôpital ? J'espère que ce n'est pas grave. »

Bernie se demanda ce qu'il convenait de lui révéler. « Quelqu'un lui a tiré dessus.

– Tiré ? » Collingsworth avait les yeux écarquillés. « C'est monstrueux.

– J'ai vu un sujet hier, à la télé, dit Davis, à propos d'un policier navajo à la retraite qui est tombé dans une embuscade sur un parking. C'était lui ?

– Oui.

– Vous avez identifié des suspects ? demanda la directrice adjointe.

– Une enquête est ouverte. Je ne suis pas autorisée à parler de ce qui est arrivé au lieutenant Leaphorn.

– Leaphorn. Un nom inhabituel. Mais ce n'est pas à moi de dire ça : quand les gens voient mon prénom, ils en concluent que je suis un homme. » Elle regarda Bernie. « Il en va probablement de même pour vous. Les gens sont facilement surpris, vous ne trouvez pas ? »

Collingsworth ne quittait pas l'enveloppe du regard. « Leaphorn n'avait rien d'autre pour moi ? » Il pointait un index manucuré sur l'angle, en bas à droite de l'enveloppe, où le lieutenant avait inscrit 2 sur 2, avec des petits cercles serrés qui entouraient les chiffres.

« C'est tout ce que j'ai trouvé. Je l'ai ouverte, de même que celle que vous trouverez à l'intérieur, parce qu'une enquête est en cours sur cette agression. »

Collingsworth s'attaqua à l'enveloppe d'où il retira précautionneusement l'autre, plus petite, et les photocopies. Il fit de même pour la deuxième enveloppe, en sortit l'unique feuille de papier. La lut rapidement.

« Agent Manuelito, êtes-vous sûre que vous n'avez rien d'autre à me remettre venant de M. Leaphorn ?

– C'est tout ce que j'ai.

– Pouvez-vous me donner son numéro à l'hôpital ? Il faut que je lui parle tout de suite.

– Non, monsieur. Il est dans le coma et placé sous respirateur artificiel. »

Collingsworth chiffonna la feuille de papier qu'il lança en direction de la corbeille. Bernie la vit rebondir sur le bord et tomber à terre. « Quand j'ai fait appel à ses services, et il avait des recommandations très élogieuses, je lui ai expliqué exactement ce qu'impliquait ce travail. Un petit travail simple. Nous avons plaisanté sur l'ennui qu'il risquait d'éprouver en le faisant. Je ne m'attendais absolument pas à ça. Je ne m'attendais absolument pas à ce qu'il se comporte rien moins qu'honorablement.

– J'ignore totalement ce dont il s'agit, déclara Bernie en pesant chacun de ses mots, mais je peux vous assurer que, durant toutes les années où j'ai connu le lieutenant, il s'est toujours comporté en homme d'honneur. Toujours. Absolument toujours. Que devait-il y avoir, dans ce pli, qui ne vous est pas parvenu ? »

Davis donnait l'impression de s'apprêter à dire quelque chose quand le téléphone sonna. La secrétaire décrocha et lui fit signe que c'était pour elle. « Heureuse d'avoir fait votre connaissance, Bernie », dit la directrice adjointe avant de s'éloigner.

« Docteur Collingsworth, dit Bernie, entrons dans votre bureau. Il faut que je vous parle en privé.

– Pourquoi ?

– Il faut que je sache quel travail le lieutenant faisait pour vous, comment il a trahi votre confiance. Nous pouvons rester ici, si vous préférez. » Elle avait l'habitude de parler à des gens qui avaient violé la loi. Des ivrognes. Des maris violents. Des touristes embarrassés qu'elle obligeait à se garer sur le bord de la route parce qu'ils n'avaient pas respecté la limitation de vitesse sur la réserve. Elle avait foi en ses capacités à désamorcer des situations explosives, mais elle n'aimait ni cet homme blanc ni sa colère.

Collingsworth hésita. « Bien sûr. » Il lui fit signe de le précéder. « Vous le connaissez mieux que moi. Il est possible que je me trompe sur son compte et que vous puissiez corriger mon impression. » Le ton de sa voix indiquait qu'il en doutait.

Il inséra sa masse derrière le vaste bureau, un meuble de collection qui paraissait sculpté à la main. Bernie s'assit dans un fauteuil en cuir confortable. Elle sortit un carnet et un stylo de son sac à dos.

« De quel genre de travail le lieutenant était-il chargé par le CRIA ?

– La fondation Grove McManus a pris contact avec notre institut. Je ne pense pas que cela vous dise grand-chose, mais il s'agit de l'une des plus importantes fondations privées au monde. »

Bernie se retint de réagir à cette manifestation d'arrogance. Collingsworth poursuivit.

« Cette fondation, dont le siège se trouve au Japon, souhaite nous faire don de la totalité des poteries, provenant du Sud-Ouest, qu'elle a en sa possession. De magnifiques exemples modernes, originaires de chacun des pueblos du Rio Grande, dont certains ne sont plus habités, ainsi que des réserves hopi et zuni. Ce don inclut également des pièces anciennes fabriquées à Chacon Canyon et dans ses environs. Non seulement ces poteries sont, intrinsèquement, d'une extrême importance, mais le don s'accompagne d'une dotation substantielle pour nous aider dans nos travaux de recherche et de catalogage. Cela nous permettra de mettre ces objets et les informations les concernant à la disposition des étudiants et des chercheurs qualifiés du monde entier. Le CRIA deviendra le dépositaire international de poteries exceptionnelles et inestimables, dont certaines datent de bien avant les premiers contacts avec les Européens, y compris des œuvres qui, à ce jour, n'ont jamais été accessibles ni présentées au public. Et pour couronner… »

La formation professionnelle de Bernie prit le dessus sur la politesse navajo qui lui avait été inculquée. Elle l'interrompit. « Parlez-moi du lieutenant. »

Collingsworth croisa les mains devant lui. « Dans le cas d'une donation exceptionnelle comme celle-ci, n'importe quelle institution procédera à une enquête. C'est à ce niveau que M. Leaphorn est intervenu. La fondation McManus a bâti son fonds en s'appuyant sur de nombreux collectionneurs privés, tout au long de plusieurs décennies. Une estimation précise de sa valeur nous est nécessaire afin de l'assurer, mais aussi pour des raisons fiscales. Une des tâches de M. Leaphorn consistait à vérifier que les chiffres avancés par la fondation sont bien conformes à ceux du marché actuel. »

Bernie savait que le lieutenant travaillait pour les assurances ; une estimation précise doublée d'une vérification sérieuse n'avait pas dû lui poser de problème. « Je comprends.

– Les principes de gouvernance du CRIA exigent qu'un expert en art et artisanat des peuples premiers procède à l'estimation chaque fois que de nouveaux apports sont proposés à notre collection. Un membre du conseil d'administration, qui avait antérieurement travaillé avec M. Leaphorn, nous l'a recommandé comme consultant en matière d'assurances. Quand je l'ai rencontré, j'ai été impressionné par l'étendue de ses connaissances et l'intérêt qu'il portait aux enjeux culturels. J'ai eu le sentiment que nous avions trouvé un seul consultant capable de s'acquitter des deux tâches. J'ai été heureux que M. Leaphorn accepte de remplir cette mission. »

Il ôta ses lunettes, en scruta les verres, les remit sur son nez. « Je m'excuse de m'être emporté tout à l'heure. Je vous remercie de m'avoir apporté cette enveloppe. Je ne voulais pas tirer sur le messager porteur de mauvaises nouvelles, si je puis me permettre.

– Que manque-t-il ?

– Le rapport que je lui ai demandé de rédiger et un condensé de ses conclusions. La limite fixée était hier. Mais c'est mon problème, pas le vôtre. » Il se leva. « Je m'excuse à nouveau de m'être comporté comme un abruti irascible. » Il fit un pas vers la porte.

Bernie fit comme si elle n'avait rien remarqué. Elle demeura sur son siège, réfléchissant à sa question suivante. Par la fenêtre ouverte, derrière Collingsworth, elle entendit la mélodie de l'eau qui éclaboussait. Il devait y avoir une fontaine dans le jardin, mais elle ne la voyait pas. Pendant qu'elle formulait sa question, son regard passa sur les inestimables poteries d'Acoma* posées sur les étagères.

« Vous m'avez un peu perdue en chemin, dit-elle. Le lieutenant connaît énormément de choses sur les assurances et les escroqueries aux assurances, mais il n'a jamais prétendu être un expert en matière culturelle. Expliquez-moi donc ça. »

Collingsworth parvint à afficher un faible sourire. « Quand nous en avons parlé, M. Leaphorn et moi, le volet culturel ne représentait qu'une formalité et n'était requis que pour les objets provenant de Chaco. Il s'agit de poteries anciennes, pas d'objets utilisés lors des cérémonies, pas de *katsinas* ou de bâtons* de prières. Dans les années 1990, un ethnologue les avait estimées quand il avait pris contact avec la famille McManus afin qu'elle collabore avec lui sur un livre. Cet expert n'avait trouvé aucun objet si sensible qu'il ne puisse être photographié et servir d'illustration. J'ai inclu son rapport détaillé dans les éléments d'information que j'ai fournis à M. Leaphorn. Nous avons convenu que s'il découvrait un objet dont il pensait qu'il pourrait offenser ou choquer certaines sensibilités, l'institut engagerait un expert pour vérifier soigneusement ce qu'il en était.» Il se pencha vers Bernie. «Juste afin que cela soit clair entre nous, rien de ce que j'ai demandé à M. Leaphorn ne présentait de danger. J'appellerais cela de la paperasserie administrative, il s'agissait juste de vérifier que les points étaient bien sur les "I" et les barres sur les "T". Je ne vois pas en quoi il pourrait y avoir eu là matière à tirer sur quelqu'un.

– Quand lui avez-vous parlé pour la dernière fois ?

– Il a appelé la semaine dernière pour me poser plusieurs questions et il a promis de m'envoyer son rapport l'après-midi même. L'enveloppe n'est jamais arrivée. Quand je vous ai vue, j'ai cru que vous l'aviez apportée.

– Vous avez naturellement pensé qu'un membre de la Police Navajo viendrait vous déposer du courrier ?»

Elle le vit déglutir. Qu'il retourne un peu ça dans sa tête une petite minute. Puis elle ajouta : «Connaissant le lieutenant, je suis certaine qu'il vous a envoyé son rapport comme il s'y était engagé. C'est une des personnes les plus consciencieuses que j'aie jamais rencontrée. Il ne fait jamais rien à moitié. À mon avis, il a dû avoir besoin d'un délai pour estimer le montant de ses frais, additionner le kilométrage, vous envoyer sa facture et les documents que vous lui aviez prêtés séparément. Il a numéroté cet envoi 2 sur 2. J'ai trouvé un paquet d'enveloppes neuves dans son pick-up. Peut-être est-ce simplement pour cette raison que celle-là n'était pas prête à être mise à la boîte. Et nous savons tous que la poste a ses problèmes. Peut-être la première enveloppe n'est-elle pas encore arrivée.

– Je lui ai demandé de me l'envoyer par FedEx, c'est plus sûr, mais il m'a répondu qu'il ne voulait pas que nous soyons obligés de payer la différence.»

Bernie se leva et sortit une carte de visite de son sac à dos. « Appelez-moi si vous repensez à quelque chose qui puisse concerner notre enquête. »

Collingsworth la posa sur son bureau. « Agent Manuelito, si vous découvrez ce rapport au cours de votre enquête, je vous serais reconnaissant si vous, ou un de vos collègues, pouviez m'appeler. »

Elle prit note de son changement d'attitude. « Bien sûr.

– Si vous avez encore quelques minutes, je vais demander à Marjorie de vous montrer plusieurs poteries comparables à celles que nous espérons obtenir. M. Leaphorn a été ravi de les voir.

– Marjorie ?

– Marjorie Rockwell, ma secrétaire. »

Bernie constata que la jeune femme accueillait avec joie cette occasion d'abandonner son bureau. Elles suivirent tranquillement une allée de gravier ombragée. Des indications simples, sous forme de flèches, pointaient dans la direction du musée. À la porte d'entrée, Marjorie inséra son badge dans la fente. Quand la lumière passa du rouge au vert, elle fit signe à Bernie d'entrer.

Juste après la porte, une gigantesque poterie noire aux courbes sensuelles était éclairée par un projecteur. L'argile étincelait. La forme rappela à Bernie les hoodoos[1] des Mauvaises Terres de Bisti. L'homme qui imitait la nature et y apportait ses modifications.

« Impressionnant, n'est-ce pas ? dit Marjorie. M. Leaphorn est resté cinq minutes à l'observer. Il a dit qu'il ne pouvait pas croire qu'une seule personne ait créé pareille perfection. C'est un potier du pueblo de Nambe qui en est l'auteur.

---

1. Concrétions rocheuses verticales souvent surmontées d'un « chapeau », qui s'apparentent, par la forme sinon la couleur, aux demoiselles coiffées (ou « cheminées de fées ») des Hautes-Alpes et du Queyras.

– C'est stupéfiant, abonda Bernie. Je comprends pourquoi le lieutenant l'a aimée. Je comprends pourquoi le Dr Davis montre une telle ferveur pour cette collection. »

Marjorie eut un petit rire. « De la ferveur ? C'est du fanatisme pur et simple. Les poteries représentent toute sa vie. Elle arrive tôt le matin, part tard le soir. Ç'a toujours été une obsession pour elle, mais maintenant, avec les nouvelles acquisitions, ça tourne à la frénésie absolue. »

Elles passèrent devant l'accueil pour entrer dans une grande pièce dont le centre était occupé par des tables, et où de longues rangées d'étagères partaient dans trois directions. Une femme, une Indienne pueblo, présuma Bernie, était assise à l'une des tables et reproduisait les images d'une poterie qui avait la forme d'un melon. Bernie remarqua qu'elle portait des gants. À l'autre extrémité, un homme d'origine européenne, qui portait aussi des gants, examinait un minuscule panier à l'aide d'une loupe. Il prenait des notes sur un bloc de papier jaune ligné.

Marjorie montra un passage qui s'insinuait entre les vitrines d'exposition pour atteindre les réserves, sur l'arrière du bâtiment.

« Est-ce là-bas qu'ira la nouvelle collection ? demanda Bernie.

– Oh, non. » Marjorie s'orienta vers l'une des rangées d'étagères. « Les céramiques McManus seront exposées ici, dès l'entrée. Nous présenterons une sélection en opérant une rotation jusqu'à ce que nous ayons construit la nouvelle aile afin de les exposer en totalité. C'est cela qui nous rend tous fous. Nous aurons des systèmes de contrôle de température et d'hygrométrie ultra-perfectionnés, des mesures de sécurité très performantes et des espaces bien éclairés pour l'étude. »

Pendant qu'elles marchaient, Marjorie lui signalait différents trésors de la collection. Des peaux peintes. Des plastrons de guerre ornés de perles. Des pagnes de danse des Indiens pueblo. Bernie s'arrêta devant ce qui ressemblait à du tissu chenille gris entrelacé de ficelle ancienne.

« Une couverture en plumes de dindons ?

– Exactement, lui dit Marjorie.

– J'en ai entendu parler mais je n'en avais jamais vu. C'est fascinant. Une superbe manière de se tenir au chaud.

– Puisque vous aimez le tissage, laissez-moi vous montrer certaines de nos couvertures. »

Au-delà des étagères, elles suivirent un couloir qui donnait sur une succession de petites salles. Marjorie ouvrit l'une des portes. L'éclairage s'alluma automatiquement. Étalée sur une table, Bernie découvrit une couverture Two Grey Hills, dont la décoration était l'une des plus élégantes qu'elle ait jamais contemplée. D'autres couvertures roulées comme des cigares étaient entreposées sur les étagères.

« Ça alors, s'exclama-t-elle, elle est magnifique. » Elle éprouvait le besoin de la toucher, de sentir sous ses doigts l'énergie de la tisserande. « Vous savez qui l'a faite ?

– Malheureusement pas. Vous savez tisser ?

– Ma mère et ma grand-mère étaient tisserandes. Mes tantes aussi. Quand je vois une couverture comme celle-là, j'en ai le souffle coupé.

– Dans ce cas, laissez-moi vous montrer autre chose. » Marjorie entra un code qui ouvrit une porte. Elles empruntèrent un couloir jusqu'à une autre petite salle. La lumière jaillit. Présentée devant le mur se trouvait la couverture la plus somptueuse que Bernie ait vue de sa vie.

« Hosteen Klah, annonça Marjorie. 1880. »

Bernie identifia des éléments du récit de l'émergence* du Peuple Sacré dans le Monde Étincelant, la Terre que le Diné moderne partage avec le restant de l'humanité. Elle vit les quatre* montagnes sacrées, le soleil, la lune et les principales étoiles. L'artiste avait représenté les Jumeaux Héroïques, Fils-Né-de-l'Eau et Tueur-de-Monstres. Bernie retint sa respiration. C'était le Saint Graal du mode de vie des Navajos, remontant à une époque où beaucoup, dont Hosteen Klah, pensaient que le Diné risquait de s'éteindre. Klah, un *hataalii* respecté, ou ce que les *bilagaana* appellent un medicine-man, cherchait à préserver la Voie Navajo en recréant ses peintures de sables complexes dans des tapisseries. Ces couvertures avaient déclenché d'intenses controverses.

« Je n'ai jamais rien vu d'aussi beau, déclara Bernie.

– Un de nos trésors », dit Marjorie. Elle composa le code pour ouvrir la porte. « Vous pouvez revenir quand vous voudrez. Et rester aussi longtemps que vous voudrez. »

*

En suivant les rues sinueuses du centre de Santa Fe et en finissant par prendre au sud dans la direction de l'autoroute pour rentrer chez elle, Bernie s'aperçut que le génie de Hosteen Klah avait détourné ses pensées de la tristesse et de la frustration pour les emporter dans le royaume beaucoup plus beau de l'esprit et des rêves. Pour la première fois depuis la tentative de meurtre, elle se sentait légère, détendue. C'était bon de se retrouver dans ce lieu paisible.

Elle demeura sur la file de droite et roula lentement dans la descente de La Bajada, dépassa la sortie menant au pueblo de Cochiti et aux rochers surmontés de cônes pointus de Tent Rocks, que l'on appelle aujourd'hui le Monument National Kasha-Katuwe. Elle ne voyait aucune des voitures noires et blanches de la Police de l'État du Nouveau-Mexique, pas plus que d'autres véhicules des représentants de la loi œuvrant pour les instances des nombreux comtés et pueblos indiens que traverse la I-25 en se dirigeant vers le sud : pressée d'arriver, elle poussa la Tercel à cent trente.

À la sortie de Bernalillo, elle prit vers l'ouest en direction du Rio Grande, traversa la périphérie de ce qui avait été une toute petite ville avant de s'étoffer avec l'installation d'une succession d'établissements de restauration rapide et de motels appartenant à des chaînes. Elle grimpa vers San Isidro, Cuba et le pueblo de Jemez. À cause du changement d'altitude, le moteur peina un peu au moment où elle pénétrait dans la région des grands arbres et des espaces dégagés de la réserve des Apaches Jicarilla.

Elle repensa à John Collingsworth. Était-il ce personnage arrogant, qui croyait tout savoir, pour qui elle l'avait pris au début ? Ou quelqu'un de consciencieux, d'intelligent et d'honnête, le genre de client avec lequel le lieutenant aimait travailler parce que tous deux voulaient que le résultat soit de qualité ? Le lieutenant qui avait sûrement terminé son rapport avant la date limite et l'avait sûrement posté comme il s'y était engagé.

Elle prit son portable pour appeler Bigman à l'agence de Window Rock afin de lui demander un service. « Tu veux bien faire un crochet par la maison du lieutenant, en rentrant chez toi, et jeter un coup d'œil dans son pick-up ? J'y ai peut-être oublié une enveloppe qu'il avait l'intention d'envoyer.

– Quel genre d'enveloppe ?

– Adressée à John Collingsworth, au CRIA, à Santa Fe.

– Ce sera avec plaisir, dit-il. Tu veux que je la poste ?

– Non. Tu la gardes et tu me la remets. »

Elle appela Chee pour lui dire qu'ils étaient désormais tous les deux des parents proches de Leaphorn autorisés à lui rendre visite, et pour lui parler un peu de l'hôpital. Elle mentionna le CRIA, l'enveloppe manquante puis, en donnant plus de détails, la couverture de Hosteen Klah. Le seul fait d'y repenser lui donnait des frissons.

« Et pour toi, comment s'est passée la journée ? lui demanda-t-elle. Où en est-on pour la voiture de Mme Benally et les empreintes ? Est-ce que Jackson et Nez ont réapparu ?

– Non. La grand-mère chez qui Nez habite dit qu'il lui arrive de disparaître pendant des journées entières. Elle est gentille, mais pas tout à fait là, si tu vois ce que je veux dire. Les Fédéraux n'ont pas trouvé Louisa. Elle n'était pas au motel dont elle nous a parlé. Ni sur aucun des vols à destination de Houston. Et elle ne répond pas à son téléphone. Ils n'ont pas non plus trouvé sa Jeep dans le garage de l'aéroport, ni dans aucun des parkings ou des endroits où s'arrêtent les navettes. »

Elle l'entendit soupirer dans l'appareil.

« Où es-tu ? » lui demanda-t-il.

Elle lui répondit qu'elle était à peu près à mi-chemin de la bifurcation qui menait à Chaco Canyon.

« J'espère que tu es d'humeur à manger une glace.

– Une glace ?

– En rentrant du travail, j'ai trouvé une petite sorbetière au marché aux puces. Encore dans sa boîte d'origine. On dirait qu'elle n'a jamais servi. Trois dollars !

– Il y avait les recettes avec ?

– Quelles recettes ? Ma chérie, je n'ai pas besoin de recettes. Je suis le Sherlock Holmes de l'art culinaire. »

Bernie rit. « Parce que Sherlock faisait la cuisine ?

– C'est lui qui préparait à manger pour le Dr Watson. Tu n'as pas appris ça, à l'université ?

– Je devais être absente ce jour-là. Je ne savais pas que les Anglais étaient réputés pour leurs talents culinaires. C'est de la cuisine, faire des glaces ? »

Chee lui répondit vraisemblablement quelque chose, mais elle n'entendit que trois bips rapides suivis du silence. Bienvenue dans le Sud-Ouest désertique et grandiose.

Elle contempla le coucher de soleil sur Angel Peak, se mêla à la circulation de Farmington sans connaître de mésaventure, et finit par apercevoir le Vaisseau de Pierre, son repère géographique favori, qui se dressait au-dessus de l'horizon.

8

Quand elle se rangea dans l'allée, elle était fatiguée et affamée. Elle sourit à l'idée de voir Chee expérimenter sa nouvelle machine à fabriquer des glaces. Mais au moment où elle dépassait le métier à tisser pour atteindre la porte d'entrée, elle entendit un bruit déstabilisant, le cri plaintif d'une créature soumise à la torture.

Chee l'accueillit en l'embrassant.

« Tu sais quoi, chérie ? » Il ne lui laissa pas le temps de demander : *Quoi ?* « Bigman est passé chercher l'enveloppe chez Leaphorn, et le chat était de retour ! Il attendait à la porte. Bigman a chargé sa femme de nous le déposer. Il a l'air en bon état, pour un chat. Il n'a pas souffert de son escapade.

– Pourquoi il pousse ces cris horribles ?

– Il a peut-être mangé quelque chose de mauvais pour lui, dans la nature. » Il avait l'air perplexe. « Mal au ventre.

– Tu as eu une chatte. Tu t'y connais mieux que moi.

– Tu t'en souviens ?

– Tu m'as dit que tu l'avais renvoyée à une de tes conquêtes, dans l'Est, parce que tu ne pensais pas qu'elle survivrait ici.

– Celui-ci est un chat navajo. C'est aussi pour ça qu'il fait autant de bruit. Il veut sortir chasser son dîner. Mais si on le lâche dehors, il essaiera probablement de retourner à Window Rock. »

Elle rit. « Eh bien, laisse-le au moins sortir de la salle de bains. »

Chee ouvrit la porte.

Assis sur le tapis de sol, l'animal le regardait. Il émit un ultime miaulement de souffrance et entreprit de se lécher la patte avant droite.

Chee sourit. « Il faut croire que nous avons un chat, jusqu'à ce que nous ayons réglé le problème.

– En tout cas, tu as réussi à le faire taire.

– Merci, dit-il. L'idée venait de toi. »

Il retourna préparer à manger pendant qu'elle ôtait son uniforme pour enfiler un T-shirt et un short avant de sortir sur la terrasse afin de profiter de la symphonie vespérale des criquets et du clapotis rassurant de la San Juan toute proche. Elle repensa au lieutenant, au bruit des appareils qui le maintenaient en vie.

Après le repas, Chee déclara : « Je suis surpris que tu n'aies pas posé de questions sur l'enveloppe.

– J'attendais que tu apportes la glace en me disant que le boulot passerait après le plaisir.

– Je n'avais pas assez de crème pour en faire. C'est à cause du chat. Désolé.

– Il devait mourir de faim. J'ai toujours sa nourriture dans la voiture. »

L'animal les regardait, installé sur le canapé. « Il se tient tranquille depuis que tu es arrivée. Je crois qu'il t'aime bien. Ou alors il sait où tu as caché sa nourriture.

– C'est une chatte, corrigea Bernie. Et je pense qu'elle est seulement contente de ne plus être enfermée dans la salle de bains. » Elle lui sourit. « Alors, est-ce que Bigman a trouvé quelque chose ? »

Chee caressa la tête de l'animal. « Chou blanc. Il a vérifié dans le camion, puis dans la maison. À tous les endroits logiques et, ensuite, ceux qui ne l'étaient pas. Mais en repensant à la conversation que tu as eue à Santa Fe, une idée m'est venue. »

L'ordinateur de Leaphorn était à l'agence de Window Rock, au cas où ils en auraient besoin pour l'enquête. Chee avait demandé au spécialiste de chercher dans le disque dur s'il y avait des fichiers dont le titre pourrait être « rapport final art indien », « rapport final », « McManus », « CRIA » ou quelque chose d'équivalent, associé à une date du mois en cours. S'il en trouvait, il devait les lui envoyer par courrier électronique.

« Et dire que les gens sont persuadés que je ne t'ai épousé que pour ton physique, dit Bernie.

– Mon unique lueur de génie de la journée. »

Elle alla s'asseoir sur le canapé. « Et les vérifications sur Jackson ont donné quoi ? »

Il vint s'installer à côté d'elle. « Rien. Pas de casier judiciaire, même pas une contravention. Exactement comme sa mère. Mme Benally a eu une récompense du gouvernement à l'époque où Joe Shirley Junior était président.

– Qu'est-ce qui s'est passé d'autre, aujourd'hui ?

– Mme Benally s'est déclarée partie prenante dans notre enquête. Elle est sur la trace d'un ninja. Et j'ai trouvé Jackson.

– Tu l'as trouvé ? C'est énorme. Et tu ne me le dis que maintenant ? Tu ferais mieux de commencer depuis le début. »

*

Ce matin-là, en arrivant à la sous-agence de Shiprock, il avait trouvé un message lui ordonnant de se rendre immédiatement au quartier général, à Window Rock, et de contacter Largo par radio aussitôt qu'il aurait pris la route.

« Mme Benally a débarqué ici, lui apprit le capitaine, plus grincheux que d'habitude. Elle est furieuse de ne pouvoir récupérer sa voiture. Elle a affirmé qu'elle avait quelque chose d'important à nous confier, mais elle veut sa voiture d'abord. Elle a exigé de parler à Bernie, mais elle a fini par accepter que ce soit vous. Mais vous seulement. Elle est aussi têtue que, que… bon, vous savez. Têtue. »

Chee donna son accord.

« Voyez si vous pouvez la calmer, lui expliquer à nouveau le problème de la voiture. Je pense qu'elle sait où se trouve Jackson. Peut-être vous le dira-t-elle, ou vous dira-t-elle où il pourrait être, où il va quand il ne rentre pas chez lui. Vous pourrez parler de tout ça en la reconduisant chez elle.

– Moi ? Il faut que je fasse le trajet jusqu'à Window Rock pour reconduire cette vieille râleuse ?

– Oui, vous. C'est vous qui avez la responsabilité de la partie navajo de l'enquête, vous vous souvenez ? Si Bernie n'était pas en congé, elle pourrait s'en occuper et elle obtiendrait probablement assez d'informations, de la bouche de Mme Benally, pour écrire toute l'histoire de sa famille.

– C'est bon, capitaine. J'arrive. »

En passant devant les buttes volcaniques qui pointaient telles des ruines dans le paysage terreux, de part et d'autre des quatre voies de l'US 491, il apprécia d'avoir la climatisation dans sa voiture de patrouille. Il se souvint de l'époque où cette route s'appelait l'US 666, surnommée le Chemin du Diable, et de la décision controversée de lui attribuer un autre numéro afin d'en finir avec cette appellation de route maudite, ainsi qu'avec les vols de panneaux 666. Ça avait été une des routes les plus meurtrières du Nouveau-Mexique. En l'élargissant par endroits, en améliorant les bas-côtés et en installant des bandes anti-somnolence pour réveiller les conducteurs qui s'assoupissaient, on l'avait rendue plus sûre. Chee négligea les bifurcations menant aux différents points de vue et s'en tint à la quatre-voies, tournant vers l'ouest à Ya-Ta-Hey, sur la NM 264, et pénétrant sur le parking du siège de la police navajo un peu moins de deux heures plus tard.

L'humeur de Mme Benally ne s'était pas adoucie. Il lui expliqua une nouvelle fois le processus de recherche des éléments de preuve, la manière dont les techniciens devaient scruter la scène de crime en quête de cheveux, de fragments de peau, d'autres indices qui les aideraient à identifier le tireur. Il appela le laboratoire scientifique pour savoir quand la voiture pourrait être rendue, obtint une réponse vague dans le style bureaucratique. Il félicita Mme Benally pour sa générosité et l'aide importante qu'elle leur apportait. Il lui proposa ensuite de la raccompagner chez elle.

« Et mes esquimaux au chocolat ?

– On ne m'a pas parlé d'esquimaux au chocolat.

– L'autre policier. Pas la femme. Il a promis de m'en racheter après avoir laissé les miens fondre.

– Hum. Il n'est pas là aujourd'hui. Qu'est-ce que vous diriez d'un café ? »

Il alla au foyer du poste lui chercher une tasse de ce breuvage foncé, mais éventé, avec plein de sucre.

« C'est bon, décréta-t-elle, allons-y. Cette fois, je m'assieds à l'avant. »

Chee dépassa Bashas puis l'immense périmètre où s'installe la fête de la Nation Navajo, avant d'emprunter une route de terre qui menait chez elle. Mme Benally lui fournissait les indications, plus nombreuses que nécessaire.

« Est-ce que vous savez qui a tiré sur le policier ? demanda-t-elle.

– Nous y travaillons. Nous comptons sur les éléments de preuves relevés dans votre voiture.

– Un Blanc, probablement, déclara Mme Benally.

– Comment un Blanc aurait-il eu accès à votre voiture ?

– Pareil qu'un Indien.

– Pourquoi pensez-vous qu'un *bilagaana* a volé votre voiture ?

– Il ne l'a pas volée. » Elle lui jeta un regard dégoûté. « Il l'a empruntée.

– Nous ignorons si la personne qui la conduisait était un homme ou une femme, Navajo ou non. Bernie, la policière que vous avez rencontrée, a seulement réussi à voir que cette personne était de petite taille et portait des vêtements sombres.

– Comme un de ces ninjas, dans les films. Bon, d'accord, un petit ninja aux yeux bleus. Ou japonais. Pas mon Jackson.

– Où Jackson va-t-il, quand il ne rentre pas chez vous ?

– Il rentre.

– Et hier ? »

Mme Benally regarda droit devant elle. « Jackson a bon cœur, finit-elle par dire. Il n'y a pas lieu de s'inquiéter. »

Ils se garèrent devant la maison en remarquant que la porte était ouverte. Quand ils furent sur le perron, Chee vit un jeune homme élancé, en débardeur blanc et en jean. À ses côtés, un sac dont la fermeture à glissière était ouverte. De gros livres d'aspect austère étaient posés sur la table. Échos et lumières d'un jeu vidéo provenaient de l'écran de la télévision.

« M'man ! s'écria le jeune homme. Bon sang ! Qu'est-ce qui s'est passé ? Où est la voiture ?

– L'agent Chee m'a reconduite parce que la police a confisqué notre voiture.

– Ce n'est pas vrai ! Qu'est-ce que tu as fait ? »

Avec ses bottes de cow-boy, il mesurait près d'un mètre quatre-vingt-dix, estima Chee.

« Quels que soient les ennuis dans lesquels m'man a pu se fourrer, elle ne ferait pas de mal à une mouche, dit Jackson. Il lui arrive de perdre un peu la tête, de s'emporter, mais jamais je n'ai envisagé une seconde qu'elle puisse être arrêtée.

– Je ne l'ai pas été, parce que je ne suis pas le méchant ninja. » Le garçon avait l'air perdu.

« Vous êtes Jackson Benally ? lui demanda Chee.

– C'est moi, oui.

– Il faut que vous m'accompagniez à l'agence.
– Hein ? Pas question. C'est une blague.
– Fils, dit Mme Benally, c'est à cause de cet homme qui a un drôle de nom, celui qui est âgé et qui a été blessé hier. Un Japonais inconnu a emprunté notre voiture pour le tuer. Ils ont relevé mes empreintes digitales et maintenant il leur faut les tiennes. Comme à la télé. Je vais t'accompagner pour m'assurer qu'ils te traitent correctement.
– Dingue, fit Jackson. Ce n'est pas une blague ? Un ninja s'est servi de notre voiture pour essayer de tuer quelqu'un ? C'est une blague. »
Chee le regarda. « Une enquête a été ouverte. Je ne suis pas autorisé à en dire plus. Quel âge avez-vous ?
– Presque vingt. »
Chee se tourna vers Mme Benally. « Vous allez devoir rester ici pendant que je conduis Jackson au poste. Au regard de la loi, il est adulte. En plus de relever ses empreintes digitales, nous avons des questions à lui poser.
– À moi ? Pourquoi à moi ? Je n'ai rien à voir avec ça. J'étais en cours, hier. » Il leva les mains, paumes ouvertes. Chee remarqua à son poignet un éclair doré. Un bracelet de montre.
« Vous êtes la dernière personne, à notre connaissance, à avoir conduit la voiture. Allons-y. »
Jackson blêmit. Chee nota qu'il évitait de regarder sa mère.
Mme Benally posa la main sur le bras de son fils. « Ce policier, tu vas tout lui dire sur hier, pour qu'on récupère la voiture. Je vais voir si je peux trouver le ninja. » Elle s'adressa à Chee. « Je vous appellerai quand je saurai quelque chose. Ramenez-moi vite Jackson. Et dites à l'autre policier qu'il me faut mes esquimaux au chocolat. »
Chee fit monter le garçon à l'arrière et contacta Largo par radio. Pour faire bonne mesure, il rappela à Jackson les droits que lui garantissait la loi. Si l'enquête capotait, ce ne serait pas de sa faute.

Quand ils arrivèrent, Largo expliqua que l'interrogatoire allait être enregistré et que Jackson avait droit à un avocat s'il le souhaitait.

« Je n'en ai pas besoin. Je n'ai rien à dire sur ce ninja. »

Largo se tourna vers Chee. Leva un sourcil.

« C'est une longue histoire », dit Chee.

La salle d'interrogatoire était meublée d'une table et de deux chaises en métal. Jackson était assis face au miroir sans tain derrière lequel Largo allait l'observer. Chee, le dos au miroir, entreprit de lui poser des questions, lui demandant son nom, son âge et son adresse comme l'exigeait la procédure. Le garçon était nerveux, mais pas plus que n'importe quel jeune interrogé par la police.

« Jackson, où étiez-vous hier matin ?

– J'étais en cours, à l'Université du Nouveau-Mexique, sur le campus de Gallup. Je... je ne connais pas l'adresse exacte. »

Chee lui sourit. « Si vous me dites la vérité maintenant, cela nous aidera à résoudre cette tentative d'homicide. Aidez-nous pour que nous ramenions sa voiture à votre mère.

– C'est vous qui l'avez.

– Très bien, commençons par le début. » Il consulta ses notes, laissa le silence envahir la pièce. « Bon, où étiez-vous hier à 10 heures du matin ? Où étiez-vous réellement ?

– En cours. J'ai mon emploi du temps chez moi sur mon ordinateur, si vous voulez le consulter.

– Les policiers de Gallup sont allés vérifier auprès du service de la scolarité et l'ont obtenu. Ils ont interrogé l'enseignant chargé de ce cours. Il a répondu que vous étiez absent. »

Jackson haussa les épaules.

« Peut-être qu'il ne se souvient pas bien.

– Les policiers de Gallup vous ont cherché sur tout le campus, reprit Chee après un soupir. Vous pourriez vous retrouver sous le coup d'une accusation très grave. Si vous ne me dites pas la vérité, vous allez finir en cellule. Je ne vous le redirai pas. »

Jackson étudiait ses ongles. Chee remarqua que l'extrémité de sa chaussure de sport droite s'agitait verticalement : ses orteils qui bougeaient, un piètre menteur qui avait peur.

« Est-ce que vous connaissez le lieutenant Leaphorn ? »

Jackson leva les yeux. Le mouvement du pied cessa. « Non, monsieur le policier. Je n'ai jamais entendu parler de lui. Je vous le jure. »

Chee pensa qu'il disait la vérité.

« Est-ce que vous avez tiré sur un homme, sur le parking de l'Auberge Navajo ? »

Jackson se redressa sur son siège, sembla s'animer. « Ça ne risque pas, mon vieux. Je n'ai même pas de flingue.

– Pouvez-vous me dire pourquoi votre voiture a été identifiée par un membre des forces de l'ordre comme étant celle que conduisait l'individu qui a ouvert le feu sur le lieutenant Leaphorn ?

– Non, je ne vois vraiment pas. » Il secoua la tête. « C'est la voiture de m'man. Elle me laisse juste la conduire. La dernière fois que je l'ai vue, c'est quand je l'ai laissée pour m'man sur le parking de Bashas, comme je le fais toujours quand mon ami me conduit à la fac. Vous êtes sûr que c'était la nôtre ?

– C'est moi qui pose les questions. À quelle heure l'avez-vous laissée devant chez Bashas ?

– À 8 heures du matin. Dans ces eaux-là, un peu plus ou un peu moins.

– Comment s'appelle votre ami ?

– Leonard Nez.

– Comment puis-je le joindre ? »

Jackson contempla à nouveau ses ongles. « Je ne sais pas très bien.

– Réfléchissez à nouveau à la question. Essayez de voir si vous parvenez à vous souvenir de son numéro de téléphone, de l'endroit où il habite.

– Il habite chez sa grand-mère. C'est dans le coin. Je n'y suis jamais allé. On se retrouve juste chez Bashas.

– Par conséquent, et si vous n'avez tiré sur personne, que pensez-vous de ça : vous retrouvez Nez, c'est vous qui conduisez la voiture de votre mère. Il tire sur le policier. Vous retournez tous les deux chez Bashas. Vous y laissez la voiture pour votre mère et vous partez dans son véhicule à lui.

– Lézard ne tirerait jamais sur personne. Il n'aime même pas venir à la chasse avec nous.

– Lézard ?

– Je veux dire Leonard. On l'appelle tous Lézard.

– Décrivez-le-moi. »

Jackson réfléchit. « Rien de particulier. Cheveux noirs. Yeux noirs. Fort. Plutôt petit. Vif. Il ressemble un peu aux lézards à collier. Mais pas beaucoup, en fait.

– Je continue de me demander où vous vous trouviez quand quelqu'un a tiré sur le policier, insista Chee. Je sais que vous mentez quand vous dites que vous étiez en cours. Nous avons vérifié, pour Nez. Il n'y était pas non plus. Vous mentez sur ce point, par conséquent vous mentez probablement sur tout le reste, sur le pistolet, sur la tentative de meurtre. Vous êtes dans de sales draps, de très sales draps. »

Chee n'ajouta rien. Le silence s'installa sur la pièce.

Au bout d'un certain temps, Jackson dit : « Lézard et moi, en fait, on n'était pas en cours. On a pris son camion pour aller à Zuni parce qu'on travaillait sur, euh, un projet spécial. Pour le cours de géologie.

– Êtes-vous sûr de ne pas vous tromper ? Vous m'avez d'abord dit que vous étiez en classe. Maintenant, vous me racontez autre chose.

– J'avais oublié. » Jackson se mit à se ronger les ongles.

Chee se leva, s'étira, lui jeta un coup d'œil, se rassit. « Il y a des gens qui pensent que ce coup de feu pourrait faire partie d'un rite d'initiation dans un gang. Ça vous dit quelque chose ? »

Jackson leva les yeux. « Il y a des gangs près de là où on habite. On voit des graffitis sur les gros rochers, à l'endroit où notre rue rejoint la grand-route. Je n'ai rien à voir avec ces types. Je vous le jure.

– Alors où étiez-vous réellement quand le policier a été blessé ?

– Je vous l'ai dit. On faisait cette recherche géologique près de Zuni.

– Un projet pour l'université ? » Chee attendit que Jackson fournisse davantage de précisions. Les menteurs se font prendre en donnant trop de détails.

Le garçon garda le silence un instant. « Ouais. Plus ou moins. C'est pour avoir des points en plus. Le Pr Coburn, c'est notre enseignant, il apprécie quand on prend des photos de formations rocheuses, qu'on lui apporte des spécimens de roche, ce genre de choses. On a droit à un bonus, pour les notes.

– Vous êtes sûr ?

– Écoutez, mon vieux, je suis sûr qu'on était là-bas, à Zuni.

– À l'exception de Leonard Nez, est-ce que quelqu'un vous y a vu ? »

Jackson fit non de la tête. Se replongea dans la contemplation de ses ongles.

« C'est un cours qui vous plaît ?

– Oh, c'est drôlement sympa. Comme c'est la session d'été, il organise des excursions. Il nous emmène voir les trucs en vrai pour qu'on apprenne des choses qui ne sont pas dans les livres.

– Dommage que vous soyez obligé de lâcher la fac pour la prison. » Chee étudia ses notes, prit son temps. Il voulait que Jackson comprenne à quel point tout cela était sérieux.

« Nous n'avons pas encore parlé de la marijuana à votre mère.

– Quelle marijuana ?

– Les enquêteurs qui travaillent sur les scènes de crime, vous savez, les techniciens qui relèvent les empreintes digitales, qui cherchent des fibres, des cheveux, d'autres indices qui peuvent nous conduire au tireur. Ils ont trouvé la preuve que quelqu'un avait fumé dans la voiture. Je voulais vous parler de l'autre crime d'abord pour voir si vous pouviez nous aider, avant de lui demander à elle. Si vous êtes certain que Nez n'aurait jamais tenté de tuer le lieutenant Leaphorn, alors qui d'autre ? Et pourquoi Nez a-t-il disparu ? Nous savons que le tireur était dans votre voiture. Vous dites que ce n'est pas vous. Votre maman a un véritable alibi, pas un tissu de mensonges. »

Jackson se mordait la lèvre.

« Pendant que vous réfléchissez, dites-vous bien que nous pouvons parler à Nez pour vérifier vos déclarations. »

Jackson sortit son téléphone portable. « Je viens de me rappeler que j'ai son numéro, dedans.

– Appelez-le. Dites-lui que je veux lui parler. Mettez le haut-parleur. »

Jackson le fit. Ils entendirent la sonnerie, puis une voix préenregistrée demanda au correspondant de laisser son nom et son numéro.

« Est-ce que je dois laisser un message ?

– Non, dit Chee. Il verra que vous avez appelé. Donnez-moi seulement son numéro. »

*

Largo retrouva Chee dans le couloir. « De la marijuana ?

– Une intuition, répondit Chee. Ça a marché.

– Nous avons fait passer un message au professeur de géologie. Et nous pourrons identifier l'endroit où se trouve le portable de Nez. »

Chee n'eut pas le temps d'arriver aux distributeurs de boissons et de nourriture, déjà la standardiste l'appelait.

Au téléphone, le Pr Coburn décrivit Jackson comme un étudiant sympathique. Mais il n'y avait aucun projet de géologie impliquant de rater les cours pour aller dans les Monts Zuni. Il encourageait effectivement les étudiants à faire des travaux supplémentaires pour améliorer leurs notes, mais Jackson Benally n'en avait jamais fait. Il n'en avait pas besoin, affirma Coburn. Il se situait déjà dans le tiers supérieur de la classe.

« Leonard Nez ? Le Lézard ? Lui, c'est une autre histoire. Je ne sais même pas pourquoi il s'est inscrit à l'université. Il est rarement venu en cours, cet été. Une bonne chose que la session soit presque terminée. Je ne peux pas vous en dire beaucoup plus à son sujet. Un étudiant fantôme qui gâche son temps et son argent. »

Chee raccrocha et réfléchit. Pourquoi Jackson aurait-il menti sur l'endroit où Nez et lui se trouvaient et sur ses possibilités de joindre Nez, si Nez n'avait pas tiré sur Leaphorn ? Le moment était venu de l'interroger à nouveau. Mais d'abord, il décida de boire une tasse de café, de vérifier son courrier électronique. De laisser à Jackson le temps de s'inquiéter.

*

Une légère odeur de transpiration flottait dans la salle d'interrogatoire. Jackson parut presque soulagé de le voir.

« Je me préparais à aller déjeuner, lui dit Chee. Je pensais revenir au cas où vous auriez autre chose à me dire.

– Est-ce que vous avez parlé à Lézard ?

– Vous vous souvenez ? C'est moi qui pose les questions. »

Jackson se tortilla sur la chaise inconfortable. Il était mal à l'aise. Plus agité que lors du premier entretien.

« On n'est pas vraiment allés à Zuni, avoua-t-il. On n'est pas allés aussi loin. On est restés sur l'autoroute pendant une trentaine de kilomètres et, après, on a tourné vers les falaises en prenant une route que Leonard connaissait. Son oncle a un ranch par là.

– Hum, fit Chee.

– On est allés au ranch. Lézard avait quelque chose à y faire et moi, ben, la journée était belle, je n'avais que deux cours faciles... » Il n'acheva pas sa phrase. Pas très fier de lui.

« Est-ce que son oncle vous a vus ?

– Non, personne ne nous a vus. Non, monsieur le policier. » Chee remarqua qu'il ne disait plus “mon vieux”.

– Qu'est-ce que vous avez fait, là-bas ?

– Rien de particulier. On n'a tiré sur personne. »

Chee le regarda. Il le vit gigoter sur sa chaise.

« Si ce n'est pas vous, et si vous prétendez que ce n'est pas Nez, qui pouvait se trouver au volant de la voiture de votre mère ? Comment un inconnu mal intentionné aurait-il pu s'en servir ? C'est une chose que je n'arrive pas à comprendre. Vous pouvez me l'expliquer ?

– C'est comme je vous l'ai dit. Lézard et moi, on conduit chacun notre tour pour aller à UNM. Quand c'est son tour, je laisse la voiture de m'man sur le parking de Bashas. Deux fois par semaine, c'est moi. Le mardi et le jeudi. J'ai cours toute la journée, toute la journée jusque après 17 heures. La voiture resterait garée bêtement sur le parking. Alors je la prête à des gens. »

Chee écoutait.

« Ils me donnent un peu d'argent. Je ne voulais pas les dénoncer.

– À qui la prêtez-vous ? » Chee se souvenait de l'époque où il était étudiant à UNM, à Albuquerque, comme c'était difficile de traverser la ville à pied ou de repérer les bons trajets de bus. Si un camarade lui avait prêté sa voiture, ça lui aurait facilité les choses.

« Certains sont des amis. D'autres sont, euh, des connaissances. Des gens que j'ai rencontrés à la salle de muscu. Aucun n'irait tirer sur quelqu'un. »

Chee parut vraisemblablement dubitatif.

« On joue au basket ensemble, expliqua Jackson. Avec l'argent, j'achète des livres. M'man est fière que j'aille à l'université, mais elle ne se rend pas compte de combien ça coûte en fournitures. Elle ne peut pas m'aider plus qu'elle ne le fait déjà.

– Si vous sortez d'ici, il vaudrait mieux que vous arrêtiez de laisser des tiers conduire la voiture de votre mère. Vous auriez de sérieux ennuis s'ils la transformaient en épave.

– Des ennuis, j'en ai déjà. Vous voulez rire ou quoi ? Vous l'avez vue, ma mère. »

Chee déchira dans son calepin une feuille vierge qu'il fit glisser sur la table de même qu'un stylo. « Reprenez votre portable. Il me faut leurs noms. Leurs numéros de téléphone. Si vous avez leur adresse et leur e-mail, vous les marquez aussi. J'ai d'autres choses à régler. Je reviens chercher la liste dans quelques minutes. »

À son retour, Jackson avait inscrit quinze noms accompagnés de coordonnées. Il avait des talents de futur homme d'affaires.

« Ils y sont tous ?

– Il y a aussi m'man qui emmène des gens, parfois. Surtout des vieilles dames. Je ne connais pas tous les noms.

– Il y a quand même deux choses que je ne comprends pas bien. D'abord, où vous étiez quand Leaphorn a été attaqué.

– Je vous ai dit que j'étais avec Lézard du côté de Zuni… »

Chee secoua la tête et Jackson se tut.

« Réfléchissez bien, Jackson. La raison qui vous pousse à mentir en vaut-elle vraiment la peine ? Vaut-elle vraiment la peine que vous restiez suspect d'un crime aggravé, d'une tentative de meurtre avec préméditation sur la personne d'un représentant de la loi ? La deuxième chose qui m'étonne concerne Nez, la façon dont il est impliqué dans tout ça. Vous le protégez. »

Jackson avait le regard fixé sur le dessus de la table.

« Cela jouerait vraiment en votre faveur si nous pouvions le trouver afin qu'il confirme vos allégations. Dans l'état actuel des choses, vous êtes notre suspect numéro un. »

Jackson avait pâli. « Monsieur le policier, vérifiez, pour les noms que je vous ai donnés. L'un d'eux a peut-être fait un double de la clé. Utilisé notre voiture pour me faire accuser de son crime. J'étais avec Lézard, je vous le jure. Loin de Window Rock.

– Réfléchissez encore. Je reviendrai vous voir. »

Pendant que Chee se dirigeait vers le parking et se préparait à rentrer à Shiprock, un agent l'appela en mimant le geste universel symbolisant un coup de téléphone. Mme Benally, qui se demandait quand Jackson allait rentrer. Et qui lui hurla dessus lorsqu'il lui répondit que son fils allait passer la nuit en prison.

« Vous excepté, Leonard Nez semble être le seul qui puisse affirmer avec certitude que votre fils n'est pas coupable, lui opposa-t-il.

– Si c'est comme ça, je vais vous amener Lézard pour qu'il vous parle. En même temps que le ninja. Agent Chee, vous allez voir. »

*

« Voilà comment s'est passée ma journée, conclut Chee. Et, oh, encore une chose. Quand je suis rentré, il y avait un message de Louisa. Elle disait qu'elle avait quelque chose d'important à nous dire.

– Et ?

– Et quand j'ai appelé son portable, j'ai à nouveau été dirigé sur sa boîte vocale, et elle n'a pas rappelé.

– Tu sais, Louisa commence à paraître suspecte. C'est bizarre que les Fédéraux n'arrivent pas à la trouver. Qu'elle n'ait été sur aucun vol à destination de Houston, contrairement à ce qu'elle nous avait dit.

– Louisa en meurtrière ? Tu ne dis pas ça sérieusement, hein ?

– Je ne parviens pas à me la représenter dans le rôle, mais je ne parviens à me représenter personne… » Elle secoua la tête. « C'est vraiment dommage que nous n'ayons pas été là quand elle a appelé. Ça ne me plaît pas, qu'on ne puisse jamais se joindre. »

Le téléphone sonna. Elle regarda le numéro qui s'affichait. « C'est pour toi.

– Chee à l'appareil. » Il écouta. « Enfin. Merci. Dis à Largo que je serai là tôt. »

9

« Nous avons une nouvelle piste, annonça Chee. Une des empreintes relevées dans la voiture correspond à celle d'un homme qui a un mobile et un casier judiciaire. Garrison Tsosie. Il a été arrêté pour violences, conduite en état d'ivresse, troubles à l'ordre public.

– Comme de nombreux jeunes, dit Bernie. Plusieurs de mes frères de clan.

– Laisse-moi terminer. Garrison a un frère qui purge une peine de prison à cause de Leaphorn. Bon, tout ce qui me reste à faire, c'est aller le trouver chez lui à Crownpoint, lui faire avouer qu'il a tiré sur le lieutenant et expliquer comment Jackson Benally est impliqué dans l'histoire. Affaire résolue. »

Bernie sourit. « Tu sais…

– Tu n'as pas besoin de le dire : ce n'est jamais aussi simple que ça.

– Mais c'est un début. Et Nez ?

– Introuvable. Mais à part les empreintes qui pourraient être les siennes dans la voiture, il n'a pas de mobile, aucun lien avec Leaphorn, pas de casier judiciaire. C'est l'homme invisible, et grâce à la piste Tsosie, il ne représente plus vraiment une priorité.

– Nous devons avoir le frère de Garrison dans les fichiers de l'ordinateur. Je vais chercher s'il y a des Tsosie.

– Ça nous aidera. Mais d'abord, mon sublime dessert fait maison. Une vieille recette familiale. Gelée avec cocktail de fruits.

– Et gâteaux secs ?

– Demain. J'en ferai pour accompagner la glace. »

Bernie mit les bols et les cuillers sur la table. Chee sortit la gelée, l'arrosa de crème fraîche à l'aide d'une bombe de couleur rouge. La chatte manifesta son intérêt en entrant dans la cuisine. Il lui en donna aussi.

La liste établie par Bernie répartissait en deux ensembles les fichiers informatiques de Leaphorn. Le premier regroupait les supects qu'il avait envoyés en prison pour des crimes aggravés, avec en tête de liste les condamnés pour violences à l'encontre de représentants de la loi. Le deuxième recensait ceux qui avaient été incarcérés pour trafic de drogue, cambriolages, ce genre de choses. Dans ce deuxième lot, parmi plusieurs Tsosie, ils trouvèrent un Notah Tsosie qui avait la même adresse que Garrison à Crownpoint, Nouveau-Mexique.

« Le lieutenant a arrêté Notah pour vol de voitures, précisa-t-elle. L'une des dernières enquêtes avant la retraite. Rien de très particulier à en juger d'après le fichier. Tu crois que ça pourrait être lui, le fantôme surgi du passé dont Leaphorn a parlé à Louisa ?

– L'idée même que Leaphorn puisse parler d'un fantôme ne me satisfait pas du tout. Je me souviens de ce qu'il m'a dit plus d'une fois : les gens sont très forts pour se fabriquer des ennuis tout seuls, sans aucune aide surnaturelle. Peut-être Louisa n'avait-elle qu'un souvenir imprécis de ses paroles.

– Hé là, protesta Bernie, c'est une chercheuse universitaire, elle n'arrête pas de collecter des histoires pour le livre sur lequel elle travaille. Elle sait forcément écouter.

– Je suis sûr qu'elle utilise un magnétophone. Et un carnet. Est-ce que celui de Leaphorn contient les renseignements que tu cherchais, sur les membres de sa famille ?

– Peut-être. Il notait tout en utilisant des codes bizarres, mais j'ai trouvé le nom d'un proche qui habite à Farmington. Est-ce que tu pourrais jeter un coup d'œil ? »

Elle alla dans la chambre récupérer le calepin dans son sac à dos, constata que la chatte n'avait pas seulement décidé de dormir sur le lit, mais qu'elle s'était pelotonnée sur l'oreiller de Chee. Elle la prit dans ses bras, sans rencontrer de résistance cette fois, et repartit vers le séjour où elle la posa sur le canapé avant de tendre le calepin à Chee.

« Va à la fin, à l'endroit où il a inséré deux pages », lui dit-elle.

Il jeta un œil. Bernie lui fit part de sa théorie à propos des adresses.

« J'ai appelé Austin Lee et j'ai laissé un message. Pour l'instant, pas de réponse.

– Je peux demander à quelqu'un de suivre cette piste, puisque ça s'inscrit dans l'enquête. Si Tsosie ne donne rien, on aura peut-être besoin d'éventuels parents comme suspects ou comme sources de renseignements. » Il soupira. « On en est au point où je décrochais le téléphone pour composer le numéro que je redoutais d'appeler. Il me faisait comprendre que je devais être aveugle pour ne pas voir ce qui était juste sous mon nez.

– Tu te débrouilles très bien. Si j'avais couru un peu plus vite, j'aurais pu fournir une meilleure description du coupable. J'aurais peut-être eu le temps de tirer. Ça nous aurait évité beaucoup de déboires.

– On ne refait pas le passé.

– Ni toi ni moi. »

Il parcourut les pages. « Est-ce que tu as trouvé autre chose qui t'a donné des idées ? Des références à divers fantômes qui voulaient l'inviter à déjeuner ? »

Elle secoua la tête. « J'ai étudié l'agenda. Certains rendez-vous vaudraient la peine qu'on y regarde de plus près, si on parvient à deviner un nom de personne ou de lieu. »

Chee essaya. « EFB, 12:30. Le vendredi qui a précédé l'agression.

– Oui, peut-être. »

Il tourna un certain nombre de pages et s'arrêta. « Tu as vu ça ? » Il lui présentait le feuillet où Leaphorn avait tracé les schémas. « J'aime bien ceux-là. On dirait des triangles entremêlés, des montagnes à l'envers. Je ne savais pas qu'il avait des dons artistiques.

– Je me demande pourquoi il les a dessinés, dit Bernie.

– Peut-être qu'il gribouillait pour passer le temps. Tu as vu autre chose du même genre ? »

Le téléphone sonna à nouveau. « Je suis sûre que c'est pour toi, dit-elle.

– Laisse sonner. Si c'est important, le correspondant laissera un message.

– C'est peut-être Louisa qui appelle pour avouer. »

Il consulta l'affichage du nom. Décrocha.

« Vous travaillez tard, agent Cordova », dit-il. Un silence, puis : « Le numéro de portable de Louisa que nous vous avons donné est le seul que nous ayons. »

Il sourit en écoutant. Dit dans l'appareil : « Non, je n'ai pas demandé à Benally s'il la connaissait. Je n'ai pas exploré l'hypothèse du tueur à gages. »

Bernie lui jeta un regard et il cligna de l'œil. Elle se souvenait de leur pari au sujet des agents fédéraux et de Louisa qui aurait fomenté un complot dans lequel Jackson et Lézard auraient été des tueurs professionnels. Bernie n'avait pas imaginé que les agents du FBI puissent être aussi obtus. Et résultat, elle lui devait un repas avec de la viande de bœuf.

« Ne quittez pas », dit Chee qui tendit le téléphone à Bernie.

Elle écouta, plaqua le combiné sur son autre oreille quand elle eut besoin de sa main droite pour manger de la gelée. « Bien sûr, tout ce que vous voudrez. Demain ? Où ? C'est entendu. J'y serai. »

Elle dicta son numéro de portable et raccrocha.

Chee l'observait.

« Il souhaite qu'une hypnotiseuse me fasse raconter l'agression. Pour savoir si j'ai vu plus de choses que je n'en garde le souvenir.

– Ça a l'air de te faire drôlement plaisir.

– Je n'ai encore jamais été hypnotisée. Ça pourrait être une expérience intéressante. »

Il fronça les sourcils.

« Qu'est-ce qu'il y a ?

– Il a déjà dit que tu fais un excellent témoin. Pourquoi s'embêter avec ça ? Ils vont venir ici ?

– Non. Il faut que je les retrouve, l'hypnotiseuse et lui, au siège du FBI à Santa Fe.

– Il te demande d'aller là-bas ? C'est de la folie.

– Il tient absolument à résoudre l'affaire. C'est pour ça qu'ils enquêtent sur Louisa et l'hypothèse du tueur à gages.

– Je crois qu'il t'apprécie beaucoup, dit Chee.

– Pourquoi il ne m'apprécierait pas ?

– Il te drague.

– Cordova ? Il est marié. J'ai vu son alliance.

– Il y a des hommes que ça ne dérange pas.

– Si tu es inquiet, viens avec moi. Tu pourras voir Leaphorn. T'assurer que son médecin ne me drague pas non plus.

– Tu sais bien qu'il faut que je trouve Garrison Tsosie.

– Je pourrais peut-être repousser d'un jour, proposa-t-elle. Tu préférerais ? »

Il soupira et se leva du canapé. « Je vais prendre une douche. Il faut que je me lève tôt. »

Elle fit la vaisselle en essayant de ne pas se laisser influencer par sa mini-crise de jalousie. Elle se rendit compte qu'elle n'avait pas parlé à sa mère de toute la journée, puis ses pensées s'orientèrent vers Louisa qui, elle, n'avait pas eu de filles pour s'occuper d'elle. Louisa qui, semblait-il, était désormais seule.

Elle n'avait jamais parlé de sa famille à Bernie et ne savait visiblement pas grand-chose sur celle du lieutenant. Bernie réfléchit au rapport que Leaphorn avait rédigé pour le CRIA et qui avait disparu. Peut-être Louisa l'avait-elle trouvé et envoyé, ou avait-elle vu Leaphorn le poster. Ensuite, elle repensa à Jerry Cordova avec son beau sourire, ses mains bien soignées, le soupçon d'après-rasage à l'odeur sauvage. Elle se remémora la façon dont elle avait répondu à ses questions. Et si ses souvenirs avaient été trompeurs ?

Quand elle se coucha, Chee dormait ou faisait semblant de dormir. Elle se pelotonna contre lui dans l'obscurité, et se réveilla après l'aube. Chee n'était plus là et le téléphone sonnait.

10

Le temps qu'elle bondisse hors du lit et qu'elle décroche, la sonnerie s'était arrêtée. Elle constata que l'allée était vide à l'exception de la Toyota.

Cordova lui demandait de le rappeler le plus vite possible.

Il décrocha à la première sonnerie.

« Vous êtes déjà sur la route de Santa Fe ?

– Non, dit-elle. J'allais vous appeler. J'espérais qu'on pourrait remettre ça à plus tard.

– Les grands esprits se rencontrent. Un des enfants de l'hypnotiseuse est malade. Elle ne peut pas venir aujourd'hui et la personne qui la remplace en cas d'empêchement est à Phoenix, pour un procès. Ça vous serait possible, demain ?

– Demain, c'est mieux. Chee pourra venir aussi et je me sentirai moins seule pendant le trajet.

– Il paraît que c'est lui qui enquête sur la piste Tsosie. Selon ce que ça va donner aujourd'hui, peut-être n'aurons-nous même pas besoin de la séance d'hypnose. Pour moi, vous avez été parfaite sur tous les détails, mais cette procédure permet parfois de tirer de l'ombre des éléments importants.

– Vous avez une excellente technique d'interrogatoire. Très professionnelle. Il se peut que j'emprunte certaines de vos idées.

– Voleuse, hein ? Il se peut que je sois tenté de vous inviter à déjeuner pour vous punir et vous faire la morale. »

Elle ne sut que répondre.

Cordova ne marqua pas un instant d'hésitation. « À 9 heures demain ? Je vous rappelle s'il y a un changement. Merci d'être aussi adaptable, pour les horaires. »

Elle enfila son pantalon de survêtement et ses chaussures de course vertes, les nouvelles qu'elle aimait. Se brossa les cheveux avant de sortir dans la splendeur du matin.

Sur les berges de la San Juan, l'air était parfumé d'odeurs fraîches, vivantes. La chaleur de la journée n'était pas encore sensible et les oiseaux voletaient dans les buissons. Les vieux chants que sa mère lui avait appris résonnaient dans sa tête, vœux discrets adressés au jour afin qu'il distribue ses bienfaits au monde et à toutes les créatures vivantes qu'il abritait. Elle songea à Chee, se demanda s'il faisait toujours la tête. À Leaphorn, et se dit que ça ne servirait à rien de s'inquiéter. À sa mère, à Darleen et à Louisa. Ses pensées dérivèrent alors vers Jerry Cordova : elle se demanda ce qui lui avait donné l'envie d'entrer au FBI, s'il était originaire du Sud-Ouest, s'il flirtait avec toutes les femmes qu'il rencontrait.

Quand son corps trouva le bon rythme, elle ne fit plus que courir, sentir la brise légère sur sa peau, prêter l'oreille à la sérénade de la rivière, admirer la robustesse des trembles de Fremont et les tendres feuilles grises des oliviers de Bohême. Elle se laissa envelopper par cette nouvelle journée.

Quand elle revint, elle vit que Chee avait nourri la chatte et vidé la litière avant de partir. Elle prit le téléphone pour l'appeler et entendit la tonalité précipitée signalant un message vocal en attente.

« Bonjour. Je suis le locataire de la maison d'Austin Lee, vous savez, vous lui avez laissé un message hier. Je l'ai appelé et il m'a demandé de vous dire qu'il est déjà au courant de ce qui s'est passé. »

Fin du message. Elle était policière depuis suffisamment longtemps pour comprendre quelle raison un « locataire » pouvait avoir de ne pas donner son nom.

Elle appela le portable de Chee. Avant qu'elle ait eu le temps de dire « Allô », il lui présenta ses excuses. « C'est difficile d'être marié à la plus belle fille du monde. Je me suis comporté comme un crétin fini.

– Ne t'en fais pas pour ça. C'est moi qui suis sur les nerfs depuis l'agression.

– Personnellement, je trouve que tu as été parfaite.

– Et j'ai un peu avancé. » Elle lui parla du message qu'elle venait de recevoir, ajouta : « Cordova aussi a appelé. L'hypnotiseuse a eu un empêchement, aujourd'hui. Nous avons remis ça à demain et je lui ai dit que tu viendrais aussi. C'est bien ça ?

– Ouais, si tu veux de moi, malgré tout. J'aimerais voir Leaphorn. Je crois que je peux en terminer dans la journée avec l'hypothèse Tsosie.

– Tu en es où ?

– Je suis sur la route, je vais à Crownpoint pour lui parler. Est-ce que tu pourrais regarder à nouveau dans le calepin du lieutenant, voir si tu trouves une référence à Tsosie, initiales GT, NT, quelque chose comme ça ?

– Pas de problème. J'en ai pour une minute. Je te rappelle. Il y a peut-être quelque chose, dans ce carnet, qui peut nous aider, je veux dire t'aider, à résoudre cette affaire.

– C'est bien nous, qu'il faut dire. » Elle l'entendit relâcher sa respiration. « Je crains que tu veuilles en faire trop, ma chérie. Ce n'est pas rien, de voir quelqu'un qu'on respecte abattu de sang-froid.

– Je vais bien. Ce matin, je repensais aux triangles, dans le calepin. Certains de mes vieux manuels universitaires sont chez Mama. Je vais aller vérifier s'il y a quelque chose, dedans, qui se rapporte aux symboles sacrés. C'est peut-être pour ça que Leaphorn les a tracés.

– Ça me rappelle qu'il s'est passé quelque chose de bizarre, hier, avec Darleen. Elle m'a appelé pour me dire que votre maman avait été kidnappée.

– Hein ?»

Il lui relata toute l'histoire.

«Et les deux grands-mères jouaient gaiement aux cartes dans la cuisine de Mme Darkwater pendant que ta sœur faisait une crise de nerfs. Je n'ai jamais entendu quelqu'un paraître aussi soulagé.»

Bernie avait fini de prendre sa douche quand le téléphone sonna à nouveau. Comme les lettres CRIA s'affichaient, elle décrocha. C'était Maxie Davis qui l'appelait de la part du Dr Collingsworth pour savoir si elle avait du neuf au sujet du rapport égaré.

«Nous avons fouillé son pick-up et sa maison, répondit-elle. Rien.» Elle ne mentionna pas une éventuelle copie dans l'ordinateur. Aucune raison de donner de l'espoir à Collingsworth sur de simples spéculations.

«Je vais me renseigner auprès de la femme qui trie le courrier, dit Davis, m'assurer qu'il n'a pas été transmis à la mauvaise personne. Ce n'est pas facile de recruter des gens compétents.

– J'ai remarqué des croquis de Leaphorn qui ont des formes géométriques, reprit Bernie. Ils me donnent l'impresssion de ressembler à ce que l'on peut voir sur d'anciennes poteries pueblo. Je me demandais s'il pourrait s'agir d'images sensibles.

– À ma connaissance, aucun symbole sacré n'est représenté sur les poteries McManus. Je doute que de tels gribouillages aient le moindre rapport avec nous.

– Quand nous aurons retrouvé le rapport, il nous expliquera vraisemblablement tout.

– C'est possible. Collingsworth n'arrête pas de nous faire tous culpabiliser à cause de ça.»

Après avoir raccroché, Bernie appela le bureau de Largo. Elle lui laissa un message sur Austin Lee, membre potentiel de la famille de Leaphorn, mettant de la sorte un terme à sa mission. Pourvu que le reste de l'enquête aboutisse avant que Chee commence à s'en vouloir de ne pas réussir.

Elle était heureuse d'être seule dans la voiture, au cœur de cet univers sans paroles constitué de paysages et de mouvement, heureuse de cette heure de voyage qui lui permettait de passer du rôle de l'agent Manuelito à celui de Sœur et de Fille. Cinquante kilomètres de chaussée goudronnée avec son défilé ininterrompu de gros camions venant du Colorado et se dirigeant vers Gallup en passant par la petite ville de Shiprock. À l'Ouest, magnifique dans sa beauté découpée, le Rocher-avec-des-Ailes qui donne son nom américain à la ville. Paysage béni. Pays des Navajos. Quel bonheur de s'inscrire dans ce monde, elle en avait pleinement conscience. De savoir où étaient ses racines.

Elle laissa Little Water puis Bennett Peak à l'ouest. Réfléchit à ce qu'elle dirait à Darleen, à la façon de débuter la conversation. De dire à sa petite sœur combien ça l'inquiétait qu'elle boive, qu'elle sombre dans l'alcoolisme, combien ça l'inquiétait qu'elle ne veille pas sur leur mère avec le sérieux requis, combien ça l'inquiétait que son ami, qu'il soit davantage que cela ou non, ait une mauvaise influence sur elle. Comment lui parler de tout ça sans lui dire aussi : « Tu es une épave. »

Elle avait prévu de tourner à droite au magasin d'alimentation générale qui fait l'angle entre l'US 491 et la Route Navajo 19. Elle vit la voiture de police garée devant l'entrée du magasin. Si elle avait été au volant de la sienne, elle aurait pris sa radio pour s'enquérir d'un éventuel problème. Mais elle n'était pas en mission, elle n'avait pas de radio, et cela ne la regardait pas.

Elle se gara sur le parking et entra.

L'agent Harold Bigman écoutait Leo Crowder, le propriétaire du magasin, un Blanc dont le ventre débordait au-dessus de sa ceinture. Elle s'avança derrière Crowder sans les interrompre, mais fit en sorte que Bigman sache qu'elle était là. Du regard, il lui signala qu'il l'avait vue. Elle prit un sachet de cacahuètes, une bouteille de Coca et, sur le présentoir, un numéro de *Mother's Day*, le magazine préféré de sa mère. La caissière, une femme d'une quarantaine d'années, accepta son argent sans prononcer un mot et ne lui proposa pas de sac.

« Mauvaise journée ? » demanda Bernie.

La femme eut un regard dans la direction de Bigman.

« Des jeunes. Ils ont essayé de pénétrer ici par effraction. Sûrement drogués à la methédrine ou autre chose. Ils ont endommagé la porte de derrière. Quelqu'un qui passait justement à ce moment-là a repéré le camion et s'est arrêté pour voir si tout allait bien. Ça a dû leur faire peur. Je ne suis pas tranquille. Il y en a un qui a perdu des lunettes de soleil. Peut-être qu'ils vont revenir les récupérer. Les jeunes, c'est aussi bête que ça. Sans compter le vieux policier qui a été blessé par balle à Window Rock. Ça fait trop de mauvaises nouvelles.

– Je comprends ce que vous voulez dire, répondit Bernie. Il est à l'hôpital, à Santa Fe, ils ont des médecins spécialistes des blessures à la tête.

– C'est une bonne chose. Ça me soulage un peu. »

Bigman avait fini de poser ses questions. « *Yá'át'ééh*, dit-il. Tu vas voir ta maman ?

– Oui. Elle aime bien ce magazine. »

Bigman le prit et lut les titres de la couverture à haute voix. « *Modernisez votre cuisine pour cent dollars. Cinquante plats pour renforcer votre système immunitaire. Recettes pour ceux qui sont fatigués de cuisiner.* J'aime bien celui-là : *Une danse sexy pour un été torride.* » Il lui rendit le magazine. « Ça m'a l'air d'être davantage pour toi que pour ta maman.

– Oui, surtout le dernier.

– J'ai entendu sur le scanner radio que Chee a un suspect à Crownpoint. J'espère que ça va aboutir à quelque chose. Et la chatte ?

– Tu lui manques », répondit-elle.

*

Chee se sentait d'humeur optimiste. Il trouva la maison de Tsosie sans difficulté. Un pick-up vert était garé dans l'allée. Une femme vint à la porte, surprise de voir un policier en uniforme. La réaction normale et appropriée.

Quand ils en arrivèrent aux présentations, Chee apprit que cette femme, mère de Garrison et Notah Tsosie, était une lointaine parente à lui. Par conséquent, la brève conversation destinée à apprendre où Garrison se trouvait (il vivait chez son amie, Rose, à Gallup) dura plus d'une heure. Il lui fallut manger un sandwich à la viande précuite, un délice dont il avait réduit la consommation depuis son mariage. Mme Tsosie ajouta d'exquises lamelles d'oignon cru et des tomates du jardin, et elle lui donna une boîte contenant un gros morceau de gâteau au chocolat fait maison qu'il dut promettre de partager en arrivant chez lui. Elle lui apprit que Notah, l'aîné de ses deux fils, comprenait qu'il avait mérité d'être en prison et ne nourrissait aucune mauvaise intention à l'égard du policier qui l'avait arrêté.

« C'est un mal pour un bien, poursuivit-elle. Notah a eu son diplôme de fin d'études secondaires, en prison. Maintenant il étudie autre chose.

– Et votre cadet ? Certains pensent qu'il pourrait en vouloir au policier qui a envoyé un membre de sa famille derrière les barreaux.

– Je connais des gens qui sont comme ça, répondit-elle. Mais Garrison, lui, a été malheureux que son frère se soit autant éloigné de l'harmonie, qu'il se soit écarté du droit chemin. Il lui a manqué, quand il est parti en prison. Garrison s'est même mis à traîner avec des amis de Notah, ceux qui n'ont pas su l'empêcher de s'attirer des ennuis. Mais ensuite, eh bien, il a rencontré Rose. »

Et après quelques hauts et bas, il s'était assagi.

« Regardez », dit-elle en repoussant ses cheveux pour que Chee puisse contempler ses grandes boucles d'oreilles en argent et turquoise.

« Elles sont très belles.

– C'est Garrison qui les a fabriquées. Il suit une formation et il acquiert des compétences. Mon fils a du talent. »

Mme Tsosie encouragea Chee à aller le voir, elle lui donna son adresse à Gallup et son numéro de téléphone.

Agréablement rassasié, et en retard sur le programme qu'il s'était lui-même imposé, Chee appela Largo.

« Je pense que je dois vous prévenir : la mère de Garrison Tsosie est une sœur de clan.

– Vous allez rencontrer des problèmes parce qu'ils appartiennent au même clan que vous ?

– Pas avec Mme Tsosie. Si ça risque de se produire avec Garrison, je vous tiendrai au courant. D'après elle, c'est désormais un citoyen modèle.

– Une mère peut-elle affirmer autre chose ? Du moment que vous contrôlez la situation. »

Chee se rendit à Gallup. À l'adresse indiquée, il trouva la sœur de Rose. Elle gardait ses propres enfants ainsi que le jeune fils de Rose et lui apprit que Garrison et elle étaient partis à Ramah pour aider des amis à déménager. Elle ne connaissait pas le nom de famille de cet ami, pas plus que son adresse ou son numéro de téléphone, mais elle se souvenait à peu près où était la maison. Ils étaient partis dans le pick-up Ford blanc de Rose. Garrison était le type le plus sympa du monde, ajouta-t-elle spontanément, sauf quand il buvait car il devenait un peu hargneux. Mais il ne buvait plus.

Chee couvrit les soixante-cinq kilomètres supplémentaires qui le séparaient de Ramah, trouva la maison de l'ami, apprit que Garrison et Rose étaient partis une heure plus tôt environ. L'ami lui donna le numéro de portable de Garrison, mais quand l'appareil sonna, la mélodie s'entendit du fond d'un canapé : Bruno Mars chantait le passage de *Lazy Song* où il dit qu'il ne veut pas répondre au téléphone. Chee proposa de rapporter l'appareil à Garrison.

Quand il arriva à Gallup, Garrison Tsosie avait appelé son ami pour lui parler du mobile oublié et savait que Chee allait venir. Il correspondait bien à la description que Bernie avait faite du tireur : de petite taille, d'osssature frêle, les cheveux et la peau foncés..., mais bon, comme la moitié des habitants de la réserve.

Contrairement à un suspect ordinaire, Garrison invita Chee à entrer et s'asseoir. La sœur de Rose était partie, elle avait emmené les enfants jouer chez elle.

« Il fait chaud ici, déclara Garrison. Vous voulez une boisson rafraîchissante ?

– Un peu d'eau, peut-être. »

Rose, une jeune femme aux formes généreuses, vêtue d'un jean moulant, qui avait un tatouage à la cheville, en apporta dans une tasse en plastique Flying J[1]. Elle n'avait pas le type navajo, songea Chee ; sans doute hispanique. Quoi qu'il en soit, elle était jolie dans un style un peu affecté.

Il but une gorgée et fit le geste de reposer la tasse sur la table basse.

« Une petite seconde », lui demanda Rose en se précipitant à la cuisine d'où elle rapporta un sous-verre portant, en rouge vif et en relief, l'inscription Fire Rock Casino[2]. Chee y posa la

---

1. Chaîne de relais pour chauffeurs routiers dont le nom complet est Pilot Flying J.

2. Casino navajo proche de Gallup.

tasse où se formait de la condensation. Rose se percha à côté de Garrison, sur le canapé.

« Je nous ai fabriqué cette table pendant mes cours de menuiserie, c'est pour ça que Rose y fait très attention. » Il en caressa la surface. « Ma première grande réalisation. C'est bien d'avoir quelque chose à faire le soir, plutôt que de sortir en bande.

– Joli travail, commenta Chee. Votre maman m'a dit que vous fabriquez aussi des bijoux. »

Garrison afficha un large sourire. « Mon frère aîné, Notah, il m'a un peu appris. Je m'amuse à en faire. Lui, c'est un artiste. Vous devriez voir certains de ses trucs, surtout les bracelets. C'est lui qui a fait celui-là. »

Garrison remonta sa manche pour lui montrer une bande d'argent, moulée dans le sable, de deux centimètres et demi de large. « C'est un Blanc qui lui a donné l'idée du motif, quand il était sur un chantier de construction à Chaco. Vous savez, ce grand canyon où il y a toutes les ruines.

– Notah est l'une des raisons de ma présence, dit Chee. Un policier a été blessé par balle, et c'est celui qui l'a envoyé en prison.

– C'est moche, dit Rose. J'ai vu un sujet, là-dessus, à la télé. À Window Rock, c'est ça ? Ce policier était célèbre. Je ne savais pas que c'était lui qui avait arrêté Notah.

– Moi non plus, dit Garrison. Notah, c'est un malin. Ce policier devait être drôlement intelligent.

– Il l'était, dit Chee. Je veux dire, il l'est. Il est encore vivant.

– Notah est toujours en prison. Et il n'est plus le même qu'avant. Je veux dire, il est toujours intelligent, mais il n'y a plus autant de colère en lui. Il dit qu'il a mérité ce qui lui est arrivé parce qu'il buvait trop, qu'il se droguait trop. »

Garrison se leva, partit à la cuisine, brancha un ventilateur qui promettait de produire plus de bruit que d'air frais. « Je prenais la même direction, moi aussi. Mais j'ai rencontré Rose.

– Nous avons trouvé vos empreintes dans la voiture utilisée pour cette tentative de meurtre.

– Non. Il y a erreur. Je n'en ai même pas, de voiture. On se sert uniquement du camion de Rose.

– Et on n'est pas allés à Window Rock depuis la fête, en septembre dernier, ajouta Rose.

– Un témoin oculaire a identifié la voiture de Jackson Benally comme étant celle que conduisait l'agresseur. Et Jackson lui-même a confirmé que vous l'avez conduite. »

Garrison avait les yeux ronds. « Quelqu'un s'est servi de la voiture de Mme Benally pour tirer sur ce policier ?

– Exactement. » Chee sentit son portable qui vibrait, mais n'en tint pas compte.

« Qu'est-ce qui lui est arrivé, à la voiture ? Si elle a été abîmée, sa mère le tuera. Je suis sérieux, mec. Elle est redoutable.

– La voiture n'a pas souffert.

– Jackson, il essaierait pas de tuer quelqu'un. C'est un garçon droit et honnête.

– Et vous ? demanda Chee. Vos empreintes digitales ?

– Hé là. Pas moi. Impossible. Je le connaissais même pas, moi, ce vieux bonhomme. C'est pas parce que j'ai eu des petits ennuis une ou deux fois, ça veut rien dire. »

Chee attendit.

« Ça m'arrive d'utiliser la voiture de Jackson le mardi. On se met d'accord et je m'en sers pendant qu'il est à l'université. Avant, je lui procurais de l'herbe en échange, mais plus maintenant. Je lui donne un peu d'argent, peut-être des bijoux qu'il peut vendre ou offrir à une fille. Il laisse plein de gens la conduire. Peut-être que c'est un d'entre eux qui a fait ça. »

Chee haussa les épaules.

Garrison se leva. Se rassit.

« Vous êtes sûr que la voiture de Jackson était sur les lieux ?

– Ouais.

– La personne qui l'a vue a peut-être confondu.

– Non, dit Chee. Celui qui a tiré sur le policier a bien utilisé cette voiture. Où étiez-vous lundi matin ?

– Chez Earl, je vendais des bijoux. Rose m'y dépose avant de partir au travail. Vous pouvez demander à n'importe qui dans ce resto, mec. Ils me connaissent tous.

– Après, ajouta Rose, je suis passée le chercher et on est allés à une réunion. Des Alcooliques anonymes. Et après on est allés en ville chez Sammy C pour acheter une pizza. J'ai le reçu quelque part. On l'a rapportée ici. Ma sœur est venue avec ses enfants, on a mangé, ils sont rentrés chez eux, on a regardé un film et on s'est couchés. »

Chee les regarda. « Vous avez une arme à feu, Garrison ?

– Une carabine que mon oncle m'a donnée. Je la mets sous clé à cause de Buddy, le fils de Rose. Et des enfants de sa sœur qui sont tout le temps ici. Je vais vous la montrer, si vous voulez. »

Chee l'accompagna dans la chambre et constata que l'arme était dans un étui rigide fermé à clé. Ce n'était pas le pistolet dont on se sert pour tirer sur quelqu'un presque à bout portant, mais une arme pour chasser les cervidés. Chee referma l'étui. Une partie de lui-même se réjouissait du fait que ce jeune homme, qui lui était apparenté, avait remis de l'ordre dans sa vie. Mais il était profondément déçu d'avoir une nouvelle fois échoué à débusquer l'agresseur de Leaphorn.

Ils regagnèrent le séjour. « Vous est-il arrivé de remarquer du sable un peu scintillant dans la voiture de Benally ? demanda-t-il.

– Du sable scintillant ?

– De couleur pâle. Sur le siège avant, sur le plancher du côté du conducteur. »

Garrison avait l'air étonné. « Jackson en prend grand soin, de cette voiture, vous savez. Si quelqu'un à qui il la louait laissait des choses dedans, il le rayait de sa liste. Alors où elle est ?

– Entre les mains du FBI. Ils sont encore à la recherche d'indices.

– Ils ont intérêt à être efficaces. Mme Benally, elle va piquer sa crise, mon vieux, ça va faire du vilain. »

Chee plongea la main dans sa poche et tendit à Garrison le portable trouvé sur le coussin du canapé. Il lui donna une carte de visite de la Police Navajo avec son numéro de portable personnel inscrit au dos. « Appelez-moi si vous pensez à quelque chose qui pourrait nous aider.

– Soyez tranquille. Vous pensez que vous pourriez acheter un bijou ou quelque chose ? »

Rose ouvrit son porte-monnaie d'où elle sortit des petits sacs en plastique qui contenaient un lot de boucles d'oreilles en forme de cœur. Elle lui en présenta plusieurs.

– Je vais réfléchir. Je pourrais avoir un cadeau à offrir à ma femme. »

Rose acquiesça. « Les femmes aiment recevoir des cadeaux. On vous fera un prix. »

Garrison précisa : « Si vous changez d'avis en quittant la ville, un de mes amis vend ma production à ma place, chez Earl, quand je n'y suis pas. Je serai content d'avoir de vos nouvelles, cousin. »

*

Le restaurant d'Earl attendait les clients au bord de la Route 66, à quelques rues à l'est de l'hôtel historique El Rancho. Chee se souvenait qu'il avait interrogé une femme, dans l'hôtel, lors d'une enquête à propos d'une mallette remplie de diamants disparus, d'un accident d'avion au-dessus du Grand Canyon et d'un jeune et proche parent de l'agent Cow-boy Dashee, son ami hopi. Il se souvenait qu'en attendant Dashee dans le hall, il avait contemplé les vieilles photos en noir et blanc des stars hollywoodiennes qui y avaient séjourné, et il avait grignoté chez Earl après avoir fini d'interroger cette femme[1].

Les clients aimaient ce restaurant parce que la nourriture était abondante, le chili, le poulet frit et les tacos navajos excellents. Et parce qu'on autorisait les Navajos et les Zunis à installer leurs stands dehors et à vendre leur travail en passant de table en table. Chee avait le sentiment que manger chez Earl, c'était comme de se nourrir à une foire dédiée à l'artisanat, ou à un marché aux puces, en fonction des gens qui venaient vous vendre ceci ou cela.

Il discuta avec le patron. Oui, Garrison Tsosie avait été là tous les matins de la semaine avec ses bijoux et ses objets en bois sculpté.

« Il fabrique des choses de qualité et vend apparemment bien. Particulièrement aux touristes, aux femmes. Un garçon très agréable, surtout maintenant qu'il ne boit plus. »

Chee regagna sa voiture, respira profondément et se saisit de la radio pour appeler Largo afin de lui annoncer la mauvaise nouvelle : leur piste la plus prometteuse était tombée à l'eau. Mais avant qu'il en ait eu le temps, son portable vibra. Bernie. Elle semblait nerveusement à bout.

« Qu'est-ce qui se passe ? demanda-t-elle. Je me suis dit que tu ne décrochais pas parce que tu étais occupé, mais après j'ai commencé à craindre... » Elle n'acheva pas. Il connaissait le reste de la phrase.

« Je vais aussi bien qu'un homme qui a mangé trop d'oignons crus à midi. Et qui vient de découvrir que son suspect numéro un possède un alibi en béton.

– Tu vas trouver. Tu es un policier fantastique. Sois prudent. »

Il entendit la mère de Bernie en arrière-plan.

---

1. Voir *L'Homme squelette* (Rivages/noir n° 679).

« Elle m'appelle. À tout à l'heure, à la maison. Je t'aime. » Elle raccrocha.

Il sortit de la voiture et retourna sous l'auvent du restaurant où il acheta une paire de boucles d'oreilles fabriquées par Garrison Tsosie. Des cœurs en argent avec une petite agate rouge au milieu.

11

La mère de Bernie était assise dans la cuisine. Elle portait son vieux peignoir en coton pelucheux et regardait les montagnes par la fenêtre. Bernie avait préparé une pleine cafetière : elle remplit deux tasses, y ajouta du sucre.

« Fille, tu aimes dormir le matin ? Quand tu étais petite, tu te levais avec l'aube. Mais les gens changent. »

Bernie rit. « Je me lève toujours tôt. La nuit dernière nous avions une chatte dans la maison qui faisait du bruit, et après elle a voulu dormir sur ma tête. J'ai été contente de sortir du lit.

– C'est la chatte qui s'était perdue ?

– Elle a réussi à retrouver son chemin jusqu'à la maison de notre ami, sans qu'on sache comment. Celui qui a été blessé. Alors maintenant, Mari et moi, nous allons nous en occuper jusqu'à ce qu'il se soit remis.

– Les chats devraient être dehors où ils peuvent vaquer à leurs occupations.

– Je sais, mais je n'aime pas quand ils tuent les oiseaux.

– C'est dans leur nature. Personne n'y peut rien. »

Mama repoussa tasse et cuiller. « Je vais m'habiller, et après on pourra aller marcher un peu avant que la chaleur s'abatte. »

Bernie lui prit le bras afin qu'elle puisse se hisser sur sa chaise. Elle l'aida à s'habiller, remarqua que ses vêtements flottaient autour de son corps décharné. Elles sortirent. Le ciel d'été était parsemé de quelques nuages d'altitude qui apporteraient peut-être la pluie, mais ne le feraient vraisemblablement pas. Elles marchèrent lentement, un pas après l'autre, pendant une demi-heure environ, observèrent les nouvelles plantes issues des graines que Bernie avait ramassées, les fleurs sauvages et les buissons qu'elle avait replantés à l'automne précédent et que Mama et Darleen arrosaient pour elle. En marchant, Mama mentionna une plante sauvage qui avait des vertus curatives et une autre que les anciens utilisaient pour teindre le fil. Bernie essaya de confier ces noms à sa mémoire pour les noter de façon à en garder la trace.

« Qu'est-il advenu de celui qui a été blessé par balle ?

– Je l'ai vu à l'hôpital. Il n'a pas pu ouvrir les yeux pour me regarder. »

Quand elles revinrent à la maison, Bernie l'aida à s'allonger sur son lit. Puis elle retourna dans le séjour. Ses manuels de l'Université du Nouveau-Mexique étaient rangés sur l'étagère, en bas de la bibliothèque. Elle avait conservé ceux des cours qu'elle avait préférés : botanique et anthropologie du Sud-Ouest. Elle s'assit par terre, lut les titres sur le dos. Sortit un épais volume : *Arts premiers du Sud-Ouest : origines et devenir.* Il abandonna dans l'air un léger sillage de poussière.

Elle l'emporta sur le canapé, ôta ses chaussures, l'ouvrit à la table des matières. Elle s'aperçut que c'était un exemplaire du livre qu'elle avait trouvé sur le bureau du lieutenant. Elle se souvint du Pr Stuart, l'enseignant de l'université qui avait choisi cet ouvrage et qu'elle avait particulièrement apprécié. En plus d'enseigner l'ethnographie, il se référait aux créations artistiques des premiers habitants du Sud-Ouest pour étudier les schémas et les récits de l'exploration, de la colonisation et des bouleversements sociaux. Les illustrations de poteries pueblo présentes dans le livre incluaient les objets très simples des origines et les céramiques créées à l'époque où les conquistadors espagnols et les colons étaient arrivés dans le Sud-Ouest en quête d'or et d'âmes à sauver. D'autres photos montraient des céramiques datant de la domination mexicaine, de la période américaine, des guerres indiennes, de l'époque des pensionnats forcés, de la Deuxième Guerre mondiale et après. Enfin, les illustrations représentaient des travaux considérés comme des œuvres contemporaines tout en demeurant des poteries indiennes.

Le Pr Stuart leur avait dit, se rappela-t-elle, que dans le seul pueblo de Bonito, à Chaco Canyon, soixante-dix mille objets d'artisanat avaient été pillés. Beaucoup étaient partis par caisses entières vers les grands musées de l'Est, ou dans les collections privées d'amateurs que le respect des lois n'étouffait pas. Soixante-dix mille pièces provenant d'une seule des localités qui constituaient le complexe culturel de Chaco. Stupéfiant.

Aujourd'hui, pensa-t-elle, grâce au CRIA, quelques-unes de ces pièces allaient revenir dans leur région d'origine, et ce d'aussi loin que le Japon. Elles seraient de retour sur leurs terres, ou du moins proches d'elles, tout le monde pourrait venir les étudier ou les admirer. Et le lieutenant avait joué un rôle dans ce retour au pays.

Parcourant l'index du livre en quête de références à Chaco Canyon, elle en trouva beaucoup, beaucoup trop. Elle s'allongea, la tête posée sur le bras du canapé. Elle se détendait vite dans cette maison, peut-être parce que, quand elle était là, elle savait que rien ne pouvait arriver à Mama.

Elle regarda les premières séries de photos en noir et blanc. Des artistes de l'ancien temps ornaient coupes, pots, assiettes, figurines et gourdes de lignes courbes, de représentations d'éclairs et de triangles similaires à ceux que le lieutenant avait tracés. Elle imagina un groupe de sœurs, assises quelque part, sous une pergola ombragée, une poterie devant chacune, un pinceau en fibres de yucca à la main, bavardant pendant qu'elles traçaient des motifs noirs sur fond blanc. Peut-être se copiaient-elles les unes les autres, mais chacune ajoutait sa propre touche qui conférait à son travail un caractère original, fût-il infime. Elles n'avaient sûrement jamais imaginé qu'un siècle plus tard, des Navajos curieux d'esprit penseraient à elles.

Bernie sentit ses paupières devenir de plus en plus lourdes. Elle se dit qu'elle allait les fermer un instant. Alors qu'elle oscillait à la frange indécise des rêves, elle entendit une voiture qui s'approchait. Elle était sur le parking de l'Auberge Navajo. Elle voyait le lieutenant tituber.

Elle se réveilla en sursaut. Une portière claqua. Darleen entra et alla directement aux toilettes tandis que la voiture repartait.

Le temps que Petite Sœur reparaisse, Bernie avait enfilé ses chaussures et retrouvé ses esprits.

Ce fut Darleen qui parla la première. « Je suis contente que tu sois venue aujourd'hui. Je pensais que tu travaillais. J'ai mal au ventre. J'ai mal à la tête, aussi.

– Je suis en congé en ce moment. » Bernie se leva et se dirigea vers elle. « Il faut que je te parle. Tu n'as pas acheté les provisions et tu ne fais pas le ménage comme tu t'y étais engagée. Et l'autre jour, tu sentais l'alcool. Aujourd'hui aussi, d'ailleurs.

– Et alors ?

– Et alors, ça ne me plaît pas. Tu ne t'occupes pas de la maison ni de Mama.

– Mama va bien. Lâche-moi un peu. Je ne suis pas en état de discuter de ça maintenant. Il faut que je m'allonge.

– Tu n'es jamais disposée à en parler.

– C'est vrai. Pourquoi je le serais ? Tu ne m'écoutes pas. Tu sais toujours tout d'avance.

– Qu'est-ce... » Bernie se retint. Elle respira profondément. Quand elles se disputaient, cela ne menait jamais nulle part. « Le garçon qui était avec toi hier, c'est ton petit ami ?

– Un gars que je connais. Je n'ai pas envie d'en parler. Je ne voulais même pas aller avec lui, il m'y a plus ou moins obligée. Et je n'ai pas envie non plus de supporter tes critiques.

– Comment ça. Il t'a forcée ? Il t'a menacée ? Brutalisée ? » Bernie sentait la colère monter en elle, elle était prête à se battre pour sa petite sœur. « Personne n'a le droit de t'obliger à faire ce que tu ne veux pas.

– Il est un peu comme toi. Il organise ma vie à ma place, comme toi. Tu m'obliges à faire ce que je ne veux pas. Tu crois que j'ai envie de rester là, à m'emmerder tous les jours ? À écouter Mama rabâcher tout le temps les mêmes histoires ? Alors qu'est-ce que ça peut faire si je bois une bière ou deux ? »

D'une démarche mal assurée, elle s'avança vers le canapé, s'étendit sur le dos, posa un coussin sur ses yeux.

« Quand tu as arrêté d'aller à l'école, dit Bernie, tu m'as promis de mettre à profit le temps où tu ne t'occupais pas de Mama pour réviser tes examens de fin d'études secondaires. Tu t'en souviens ? Tu étais d'accord.

– Si tu veux. C'était à ce moment-là. J'ai changé d'avis. Pourquoi je m'embêterais à obtenir un bout de papier ? On est plus à ce moment-là. J'ai besoin de me distraire.

– De te distraire ? Tu dois te conformer à tes engagements, oui. Tu dois t'occuper mieux de Mama. Et tu dois obtenir ton diplôme avant d'avoir oublié ce que tu as appris quand tu allais en cours.

– La ferme ! » Darleen se cacha le visage sous le coussin. Sa voix était étouffée. « T'arrives, tu t'occupes de quelques petits trucs et tu repars. Moi, je suis là à m'emmerder tous les jours avec rien d'autre à faire qu'un travail d'esclave. Je m'ennuiiiiie.

– Alors fais quelque chose. Tout le temps que tu consacres à *ne pas* nettoyer, *ne pas* faire les courses, *ne pas* cuisiner, tu pourrais le passer à réviser ton examen. Tu habites ici gratuitement, ça ne va pas trop mal pour toi, mais tu te crois obligée de gémir et de te lamenter sur ton sort.

– Je travaille à mes dessins. » Darleen souleva le coussin et se redressa lentement. « Ça compte beaucoup pour moi. Toi, tu es madame la policière navajo irréprochable qui sait tout.

Moi, c'est comme si j'étais la domestique. Ma vie est pourrie et personne en a rien à fiche. » Elle pleurait. « À quoi ça me servirait, de toute façon ? À quoi ça me servirait, cette idiotie ? D'accord, j'obtiens mon examen, j'ai un diplôme de fin d'études secondaires de deuxième classe. Et après ? Hein ? Qu'est-ce que je fais ? Je travaille ? Je travaille où ? Il n'y a pas de travail sur la Réserve. Je pars ? Je n'ai pas d'argent. Je suis toujours coincée ici, je passe à côté de ma vie. Je suis bonne en dessin, je le sais. Mais personne en a rien à fiche. Ouais, j'aime boire. C'est le seul moyen de m'évader que j'ai. »

À nouveau, Bernie respira profondément. Ça lui brisait le cœur de voir sa sœur pleurer, même si elle restait en colère contre elle. « Je ne savais pas que tu te sentais aussi frustrée, dit-elle.

– Et moi qui croyais que tu étais la plus intelligente de nous deux, Grande Sœur. Frustrée ? Ouais, c'est sûr. Tu réponds pas à mes textos. Je peux jamais te joindre au téléphone quand je veux parler. Chaque fois que j'appelle chez toi, t'es pas là et je parle au Cheeseburger.

– Tu sais bien que mes horaires sont irréguliers. Le temps que je rentre à la maison, il est parfois trop tard pour que j'appelle. Je le fais après.

– Quasiment jamais. Tu peux mentir autant que ça t'arrange. »

Bernie déglutit. « D'accord. Parfois, je vois que c'est toi et je ne réponds pas. Je suis fatiguée. J'ai eu affaire à trop de gens qui vont très mal. Je n'ai pas l'énergie nécessaire pour t'écouter te plaindre de Mama et de ton ennui. Mais bon. Je vais t'appeler tous les jours. Même s'il est tard et que je suis épuisée. Je te le promets. Ça te convient ? »

Darleen s'adossa au siège. Elle avait le teint pâle. « O.K. Comme tu voudras.

– Tu as mal au ventre ?

– Ouais. Trop de café sur trop de bière.

– Je ne savais pas que tu buvais du café.

– J'en bois pas, mais Charley Zah m'a dit que je devrais. C'est peut-être ça qui me donne envie de vomir.

– Tu n'es pas enceinte, dis ? »

Darleen lui lança un regard noir. « Je t'ai dit que j'ai pas de petit ami. Les bébés ? Mama te l'a confié, ce travail-là, celui d'avoir des bébés. Tu t'en tires pas très bien. »

Bernie alla au cellier où elle trouva une boîte de petits gâteaux salés. Elle donna à sa colère le temps de retomber.

« Manges-en. Ça t'aidera peut-être à te caler l'estomac.

– Non merci. »

Bernie alla chercher son sac à dos, en sortit un rouleau de pastilles Tums.

« Tu peux les garder. Croques-en deux. Ça ne te fera pas de mal. »

Darleen retira l'emballage. « Merci.

– J'apprécie ce que tu fais pour Mama. Je sais…

– Non. Tu sais pas du tout comment ça peut être, de rester ici jour après jour.

– Tu veux me raconter ?

– Je veux te raconter que je peux pas faire ça éternellement. J'ai besoin d'avoir une vie à moi. J'ai besoin d'avoir du temps pour me consacrer à ma création.

– Obtiens ton diplôme. C'est ce que nous avions décidé ensemble. Il faut que tu commences par ça. Après, tu décideras de ce qui est le mieux pour toi et pour Mama. »

Darleen mordit dans une pastille contre l'acidité gastrique. « Tu le connaissais, ce type, ce flic retraité qui a été tué à Window Rock ?

– Il n'est pas mort. Oui, je le connais. C'est un peu un ami à moi, plus comme un oncle ou quelque chose comme ça. Chee et lui ont travaillé ensemble sur des enquêtes.

– Qu'est-ce qui lui est arrivé ?

– Quelqu'un est arrivé en voiture, lui a tiré dessus et est reparti.

– Juste comme ça ? Une agression sans raison, le fait du hasard ?

– Le FBI n'y croit pas. Ils pensent que le tireur voulait le tuer. »

Darleen la regarda. « Il faut surtout pas que ça t'arrive à toi.

– Comme je ne vais pas travailler pendant quelques jours, tu n'as pas à t'inquiéter.

– Je dis ça sérieusement. Mama a besoin de toi.

– Mama a besoin de toi aussi. Et moi pareil. Je suis désolée si je suis trop autoritaire.

– Tu l'as toujours été. Je suppose que tu peux pas t'en empêcher. » Elle serrait un coussin sur son ventre. « Je vais dormir. »

Bernie reprit ses recherches. Elle constata, sur les poteries provenant de plusieurs pueblos du Nouveau-Mexique installés le long du Rio Grande, la présence de fleurs, de lézards, d'oiseaux, ainsi que d'une stupéfiante variété de formes géométriques. Elle savait que des archéologues en avaient découvert dans d'anciennes kivas* pueblo. Mais le texte du livre ne faisait pas état de recherches associant le moindre de ces motifs à des cérémonies ou des rites sacrés. Elle ne trouva pratiquement aucune indication signalant que ces poteries précises avaient pu être fabriquées pour des usages particuliers. Peut-être Maxie Davis avait-elle raison et Leaphorn ne faisait-il que gribouiller pour passer le temps. Ou peut-être Bernie avait-elle besoin d'un livre de référence mieux informé et plus détaillé.

Peu après, Mama se réveilla et fut prête à manger. Après le repas, Bernie lui montra le calepin de Leaphorn et les dessins en forme de triangle. Darleen poursuivait son somme.

« Ces dessins sont semblables à ceux que faisaient les anciens, lui dit Mama. Ceux qui habitaient à Chaco Canyon. » Elle détourna les yeux du calepin. « Celui qui les a dessinés, c'était ton ami qui a été blessé ?

– Oui. »

Mama referma le calepin. « Ne les regarde pas trop longtemps.

– Est-ce qu'ils sont sacrés ? »

Mama sourit. « Certains disent que tout ce qu'il y a de naturel, sur notre Mère la Terre, est sacré. »

Bernie se replongea dans les photographies. Elle en trouva qui représentaient des gourdes, des symboles d'oiseaux, des pictogrammes et des pétroglyphes peints et piquetés sur les parois de Chaco Canyon. Elle trouva des images de billes en argilite et de turquoises datant de plusieurs centaines d'années, de magnifiques pièces ayant servi à des jeux. Passionnant et frustrant à la fois. Elle rangea le livre sur son étagère, en sortit un autre. Cette fois, elle alla à une page où il y avait des photos de poteries cylindriques.

Elle lut : *Trouvés à Pueblo Bonito, ces vases cylindriques rares possèdent une base horizontale sur laquelle on pouvait les poser. Les petits trous ou anses en argile qui figurent près de l'ouverture indiquent qu'on pouvait aussi les suspendre par une cordelette et peut-être s'en servir comme instruments de percussion. Les décorations géométriques asymétriques, noires sur blanc, soulignent leur forme, un exemple rare pour des poteries anasazi.*

Elle sortit son calepin personnel afin d'y noter plusieurs précisions, des éléments de réflexion. Les audacieux motifs noirs et blancs étaient presque identiques à ceux que Leaphorn avait tracés. Pourquoi avaient-ils retenu son attention ?

Ayant découvert ce dont elle pensait avoir besoin pour sa recherche liée aux poteries du CRIA, elle essaya de savoir ce que le livre disait sur l'art qui lui tenait le plus à cœur, celui des tisserands et tisserandes navajo. Elle montra plusieurs images à sa mère, lui parla de la couverture du musée. Elle lui décrivit le travail de l'artiste et explicita l'épisode de la création qu'elle racontait.

« Ça ressemble à la couverture que j'ai vue quand j'étais petite, dit Mama. Celle dont je t'ai parlé, mais l'épisode représenté est différent.

– Je suis sûre et certaine que je ne me trompe pas, Mama. Je n'arrivais pas à en détacher mon regard, c'était si frappant, et d'un travail vraiment splendide. »

Mama lui donna une petite tape sur la main. « Celui qui a tissé cette tapisserie, certains pensaient qu'il ne devait pas le faire. Certains pensaient qu'il avait tort. Ils disaient que les prières pour obtenir la guérison ne doivent pas être emprisonnées dans une couverture. Mais cela se passait en des temps extrêmement rudes. Certains se demandaient si le Diné allait pouvoir survivre. Beaucoup, beaucoup mouraient de maladie parce qu'ils n'avaient rien à manger quand le gouvernement nous a obligés à tuer nos moutons. Des gens mouraient parce qu'ils avaient le cœur brisé. Des anciens, des gens précieux qui connaissaient les histoires, les chants et les prières pour obtenir des bénédictions. »

Bernie était au courant de ces années où on les avait contraints à réduire leur cheptel, des années de famine, d'acculturation. Des années terribles pour les Navajos.

« Celui qui a tissé cette tapisserie, c'est une femme blanche qui l'a incité à entreprendre ce travail. Cette *bilagaana* se souvenait de tout ce qu'elle avait vu et elle faisait des dessins des peintures de sables sacrées que le *hataalii* utilisait pour obtenir la guérison. Ces dessins et les couvertures représentant les histoires sacrées ont été emportées dans un lieu spécial. »

À l'université, Bernie avait appris cette collaboration entre Hosteen Klah, Mrs Franc Newcomb et son amie Mary Cabot Wheelwright. Leur travail avait inclu l'enregistrement au dictaphone de chants sacrés. Tout avait découlé de la présupposition, au début du XXe siècle, que les Navajos étaient une tribu en voie d'extinction.

« Je pense que leur cœur était pur, dit Mama. Mais les choses d'autrefois s'en vont, des choses nouvelles arrivent, il en va ainsi. Ce monde change. Certains disent qu'il ne peut tout contenir. »

Mama posa des questions sur la tapisserie que Bernie avait vue au CRIA, des questions spécifiques sur les couleurs utilisées et la disposition des motifs. « J'aimerais la voir, dit-elle.

– J'adorerais te la montrer, répondit Bernie. Le trajet est très long jusqu'à Santa Fe.

– Et elle est de retour pour longtemps. Pas aujourd'hui. Une autre fois. »

Bernie acquiesça. « Nous irons. »

Mama sourit. « Darleen devrait venir aussi. Elle est là ?

– Elle avait mal à la tête. Elle s'est allongée sur le canapé, mais après elle a regagné sa chambre. Elle dort probablement.

– Darleen a souvent mal à la tête. Elle dit que dessiner lui fatigue les yeux, mais je pense que c'est à cause de la boisson.

– Où trouve-t-elle cet alcool ? »

Mama secoua la tête. « Les trafiquants se moquent de l'âge qu'on peut avoir.

– Où se procure-t-elle l'argent ? »

Mama secoua à nouveau la tête. « Je ne sais pas. Ne t'inquiète pas tant à son sujet. »

Quand Darleen sortit de sa chambre, une heure plus tard, elle déclara que ça allait mieux. Les deux sœurs dressèrent une liste de courses. « J'ai pensé à quelque chose, dit Bernie. Si tu décidais de suivre des cours du soir, pour ton examen, je pourrais rester avec Mama deux soirs par semaine. Ça te permettrait de sortir de la maison.

– J'y réfléchirai. »

Mama tapota la main de Bernie. « Tu ferais bien d'y aller. Cheeseburger va se demander ce qui t'est arrivé. Il ne va pas arrêter de nous embêter.

– Ouais, dit Darleen. Je vais voir comment fonctionnent les cours. Je te tiendrai au courant. »

En rentrant, Bernie appela Chee sur son portable pour lui dire qu'elle arrivait. Pas de réponse. Elle appela chez eux, pas de réponse. Laissa des messages aux agences de Window Rock et de Shiprock. Entra dans leur petite maison plongée dans l'obscurité. Nourrit la chatte. Prépara le dîner. Mangea seule. Alla se coucher, l'appréhension au cœur, et autorisa la chatte à dormir avec elle.

Il était près de minuit quand elle entendit le pas de son mari sur le plancher.

« Bonsoir, ma belle », lui dit-elle.

Il se pencha pour l'embrasser. Elle perçut sa profonde fatigue. « Tu viens te coucher ?

– Pas encore. Il faut que je réfléchisse à des trucs. »

Le temps qu'il sorte de la douche, elle avait préparé du café.

Il l'embrassa. « Tu n'étais pas obligée, mais je suis heureux que tu l'aies fait. J'ai rapporté quelque chose à manger. Tu as faim ?

– Toujours. »

Il alla chercher le gâteau dans son coffre. Bizarrement, ça lui fit penser à la clé USB sur laquelle le technicien avait dû transférer le rapport de Leaphorn au CRIA et que Largo lui avait transmise. Elle était dans sa poche, de même que les boucles d'oreilles.

Le gâteau paraissait encore meilleur après huit heures passées dans une voiture surchauffée.

« Alors, on va à Santa Fe, demain ? lui demanda-t-il.

– Aujourd'hui, en fait. Après, on pourra aller à l'hôpital. Tu penses pouvoir te libérer ?

– Ouais, du moment que je suis joignable. J'ai bouclé tout ce que j'avais à faire aujourd'hui, du mieux que j'ai pu.

– Quelqu'un a-t-il réussi à trouver Garçon Lézard ?

– Lenny le Lézard ? On est toujours à sa recherche. C'est le suspect suivant. Avec Louisa et le ninja de Mme Benally. »

Il ajouta : « Hé, j'ai une autre surprise pour toi.

– Une bonne ? »

Il tendit ses deux poings fermés. Elle choisit le droit. Il l'ouvrit pour révéler la clé USB.

« Le rapport de Leaphorn ?

– Sans doute », dit-il. Il lui sourit. « Mais ce n'était pas vraiment ça, la surprise. »

Elle toucha le poing gauche et il écarta les doigts pour dévoiler les boucles d'oreilles.

« Elles sont superbes. Qu'est-ce qu'on fête ?

– C'est juste un petit merci parce que tu parviens à me supporter. »

La chatte sauta sur le canapé, s'installa sur les cuisses de Chee.

« Tu lui as manqué, dit Bernie.

– Ce sont sûrement Louisa, Leaphorn et leur maison qui lui manquent. Après avoir interrogé Tsosie et m'être retrouvé sans la moindre piste, je me suis dit, bon, il est temps d'appeler Leaphorn. Et c'est là que ça m'est revenu.

– Il t'aurait dit de retourner sur les lieux du crime, t'aurait fait reprendre tous les indices un à un, comme à son habitude. » Elle s'interrogea pour la quarantième fois sur la précision de la description qu'elle avait fournie pour la voiture et le tireur. Elle avait travaillé avec suffisamment de témoins pour savoir que leurs souvenirs laissent souvent beaucoup à désirer.

« Demain, je veux aborder la question d'une cérémonie de guérison avec le lieutenant », annonça Chee.

Leaphorn n'était pas un Navajo traditionaliste, mais Chee avait exécuté un chant pour lui, des années auparavant, après une enquête particulièrement éprouvante[1]. À l'époque où il étudiait avec son oncle, décédé depuis. « Je crois que je peux

1. Voir *Le Voleur de temps* (Rivages/noir n° 110).

trouver quelqu'un qui s'en chargera, quand il sera de retour chez lui. »

Avant que Bernie retourne se coucher, elle alluma l'ordinateur portable et inséra la clé USB pour voir si elle contenait le rapport de Leaphorn destiné au CRIA. Elle trouva beaucoup plus de choses qu'elle n'en avait espéré.

12

La succession de fichiers, tous intitulés « CRIA » et accompagnés de numéros, s'étalait jusqu'au bas de l'écran. Elle ouvrit le premier, la facture établie par le lieutenant pour ses services de consultant, incluant les photocopies et le kilométrage. Cela correspondait au contenu de l'enveloppe qu'elle avait livrée au CRIA.

Elle cliqua sur le dossier suivant, plus gros, qui datait d'une semaine auparavant. Un document de recherche, une sorte de catalogue de vente aux enchères en ligne venant de quelque part à New York. Elle y jeta un rapide coup d'œil. Des objets d'artisanat indiens figuraient dans la liste.

Elle referma ces deux fichiers, en ouvrit un troisième. Et, bien sûr, ça ressemblait au rapport manquant. Ce n'était pas simple, ça ?

Elle parcourut rapidement la première page, la lettre provisoire adressée au Dr Collingsworth par le lieutenant, dont elle admira l'économie de langage. Puis elle passa au rapport proprement dit.

La partie introductive concernait la question de l'évaluation à fin d'assurance, le domaine d'expertise du lieutenant.

Le texte lui-même exposait d'abord de manière concise à quelles règles obéissent les estimations et en quoi elles diffèrent des évaluations faites par les collectionneurs en vue d'une vente aux enchères ou pour prétendre à une déduction fiscale s'il s'agit d'une donation caritative. Bernie négligea la démonstration consacrée aux changements intervenus sur le marché global de l'art et de l'artisanat des Premiers Américains. Le lieutenant spécifiait que la plupart des valeurs mentionnées, dans les estimations que Collingsworth et le conseil d'administration avaient reçues de la Fondation McManus, semblaient exactes pour la date où elles avaient été effectuées. Il recommandait que le CRIA relève de vingt pour cent la prime sur la collection, en raison des risques supplémentaires encourus par la présentation des objets aux visiteurs du musée, à son personnel et aux chercheurs. Le rapport mentionnait que les rares estimations inexactes seraient traitées en annexe.

Cela éveilla la curiosité de Bernie, mais elle poursuivit sa lecture.

La deuxième partie traitait de l'opportunité de présenter la collection au public. Leaphorn soulignait les raisons pour lesquelles de nombreuses tribus indiennes d'Amérique s'opposaient à ce que certains objets, qu'ils attribuaient à leurs ancêtres, soient montrés au public, ou même mis à la disposition des chercheurs ou muséographes. Leurs arguments comprenaient, écrivait-il, «*des explications qui ne doivent pas être révélées à quiconque n'est pas membre de la tribu, ni à des membres de la tribu qui n'ont pas été initiés*». Il avait lu les descriptions d'objets non utilitaires, sortant de l'ordinaire, proposées par les experts. Il avait également porté une attention toute particulière au très long rapport d'un ethnologue qui avait contrôlé minutieusement les pièces potentiellement les plus sensibles.

Bernie se souvint que Collingsworth en avait parlé.

Leaphorn indiquait avoir également mené sa propre recherche sur les objets éventuellement sacrés, se fondant sur des entretiens et des sources écrites qu'il recensait en fin de rapport. En conclusion, il assurait Collingsworth que la collection, dans sa totalité, «*pouvait être présentée à un public incluant des Indiens d'Amérique sans crainte de les offenser*».

Elle leva les yeux de l'écran. Le lieutenant était doué pour ce genre de choses. Il appliquait le type de réflexion logique, et de recherche méthodique, qui avaient fait sa réputation en tant qu'enquêteur. Ce qu'elle venait de lire prouvait que les soupçons de Collingsworth étaient nuls et non avenus. Elle regretta qu'il soit trop tard pour l'appeler et l'en informer.

Elle lut en diagonale la liste des sources et les notes, arriva aux exceptions que Leaphorn avait relevées concernant l'estimation des poteries.

Il avait rédigé une déclaration liminaire :

«*J'exprime des réserves sur les objets de la collection McManus numérotés de 2343 à 2355 tels qu'ils sont présentés dans l'estimation d'EFB. Ces objets ont pu être sous-évalués de manière importante lors de l'estimation précédente. Selon mes recherches à ce jour, je suis dans l'impossibilité d'expliquer les raisons de pareille sous-évaluation. Ces pièces sont rares. Il peut se révéler extrêmement difficile de localiser des objets comparables.*»

Sur la page suivante, douze petites photographies en noir et blanc représentaient des céramiques accompagnées d'un numéro d'identification et d'une description. Très intéressant, songea Bernie. Les objets qui avaient éveillé les soupçons du lieutenant étaient hauts et cylindriques. Certains clichés paraissaient légèrement flous.

«*Le Dr Maxie Davis et moi-même avons abordé ces problèmes de chiffrage différent. Elle a suggéré que ses connaissances approfondies des poteries trouvées ou fabriquées à Chaco Canyon lui permettaient d'actualiser ces estimations. Elle a également signalé que les collections du CRIA renferment au moins un exemple de ce style de poterie ancestral, et a noté que l'assurance relative à cette pièce particulière a été intégrée à l'ensemble de la collection sans qu'aucune objection ait été formulée.*

« Cette anomalie dans une estimation antérieure, par ailleurs sérieuse, soulève également, à mes yeux, la question de l'origine de ces objets. En attendant que celle-ci puisse être établie, je recommanderais au CRIA de ne les accepter qu'à titre temporaire. »

Bernie alluma l'imprimante et procéda à un tirage du rapport. Elle fit une copie supplémentaire de la page où figuraient les photos des poteries, accompagnées de leur numéro, qui avaient éveillé la méfiance du lieutenant.

Tout ce qu'elle savait sur l'estimation des objets d'art et d'artisanat, elle l'avait appris par l'émission de PBS où les gens apportent leurs trésors pour les faire évaluer. Certains apprennent que leur oncle Bob avait du flair pour les œuvres d'art ; d'autres, que la sculpture achetée au marché aux puces vaut la moitié de la somme qu'ils ont déboursée. C'était en regardant les experts parler d'antiquités qu'elle avait appris le mot « glaçure ».

Pourquoi avoir sous-estimé ces pièces en particulier ? Un collectionneur, pensa-t-elle, pouvait sous-estimer un objet pour minimiser les frais d'assurance, mais qu'arriverait-il s'il devait adresser une demande de remboursement ? Peut-être le marché avait-il évolué et ces pièces avaient-elles pris de la valeur.

Elle glissa le rapport dans une enveloppe sur laquelle elle écrivit le nom de Collingsworth et qu'elle déposa, de même que la feuille volante, sur la table de la cuisine où elle était sûre de les retrouver le lendemain.

Elle s'endormit et rêva qu'elle se tenait dans une file d'attente composée de grandes poteries fines, noires et blanches, qui patientaient avant d'être présentées dans l'émission de télévision consacrée aux antiquités.

*

Ils partirent pour Santa Fe avant le lever du jour, et le soleil se lève tôt, en juin, dans le nord-ouest du Nouveau-Mexique. Chee avait nourri la chatte et, mieux encore, préparé du café pour eux deux. Bernie avait enfilé un jean, une chemisette d'été et ses confortables chaussures de sport vertes. Ils montèrent dans le pick-up de Chee parce que la climatisation marchait.

Ils traversèrent les paysages beige et jaune. Par bonheur, la circulation demeura fluide même quand ils atteignirent Farmington.

« Ce n'est pas ici qu'habite le gars que tu cherches ?

– Austin Lee ? Je ne suis pas certaine de l'endroit où il habite. Il est propriétaire d'une maison qui se trouve ici.

– Je me suis renseigné sur lui. Si c'est le même, il travaille avec le mari de la femme qui vient au bureau, à l'heure du petit déjeuner, avec ses burritos. »

Le temps qu'ils laissent Bloomfield derrière eux et tournent vers le sud-est en direction de Cuba, de Bernalillo et du quartier général de la police du Nouveau-Mexique à Santa Fe, le soleil s'était levé. Il parait d'une teinte flamboyante la protubérance rocheuse d'Angel Peak et éclairait les tons gris, jaunes et marron tirant sur le rouge du grès et du schiste argileux des Mauvaises Terres environnantes. Chee se rangea au bord de la route pour que Bernie prenne le volant. Elle rapprocha le siège et ajusta les rétroviseurs.

« Je serai contente quand j'en aurai fini avec cette histoire d'hypnose, dit-elle.

– Ah, c'est pour ça que tu es aussi silencieuse. Ne t'en fais pas. Même si elle te fait aboyer comme un chihuahua, il n'y aura pas beaucoup de spectateurs. »

Bernie lui adressa son regard agacé. « La perspective qu'une inconnue aille fouiller dans ma tête m'angoisse. Je ne crois pas m'être trompée, mais si c'était le cas ? Si on n'avait pas cessé de tourner en rond en nous concentrant sur les Benally et les gens qu'ils fréquentent ?

– Cordova a dit que tu étais un très bon témoin oculaire, tu te souviens ? Mais si tu as oublié un petit détail ou commis une infime erreur, ça peut nous aider. C'est tout. Il ne s'agit pas de tes noirs secrets profondément enfouis, mais du lieutenant.

– Tu es sûr que Tsosie n'est pas impliqué ? Il reconnaît qu'il a accès à la voiture. Il avait un mobile à cause de son frère. Et d'après ce que tu dis, il correspond à la description.

– Il a un alibi solide. Et il jure que son frère n'est pas rongé par le poison de la rancune. Il m'a affirmé qu'ils suivent la Voie Navajo.

– Ouais, évidemment. Surtout quand on est en prison. Surtout quand tu parles avec un policier qui te considère comme suspect.

– Ce n'est pas le sentiment que j'ai eu. Pas parce que c'est mon cousin, mais parce qu'il disait la vérité. Il semble que son frère ait vraiment un comportement irréprochable en prison.

– L'ami qui le remplace, chez Earl, ou le patron du restaurant, ils pourraient mentir pour le protéger.

– Tu es soupçonneuse, ce matin.

– Tu as dit à Largo que c'est ton cousin ?

– Oui, bien sûr.

– Si je pensais qu'un de mes cousins était impliqué dans une affaire, je marcherais sur des œufs.

– Non, je ne crois pas. Tu ne ferais jamais ça. Tu crois que je le ferais, moi ?

– Non. Bien sûr que non. C'était juste pour parler. Je serais heureuse que tu résolves cette affaire. » Elle lui jeta un nouveau regard, posa la main sur la sienne. Le camion dévia légèrement sur la droite.

« Concentre-toi sur ta conduite, lui dit-il. Tu connais la limite de vitesse, ici ?

– Cent cinq. Je suis à peine au-dessus de cent dix. »

– Ce qui est arrivé au lieutenant, c'est le cauchemar de tous les policiers. Ça te suit partout, ça te rend nerveux.

– Est-ce que tu y penses, toi ? Au fait qu'un fantôme du passé puisse ressurgir pour se venger ?

– Ne t'inquiète pas pour moi, ma belle. » Il tendit le bras et lui massa la nuque, sentit la tension.

« Seulement si tu promets de ne pas t'inquiéter pour moi, répondit-elle.

– Ça, je ne peux pas.

– Dans ce cas... » Elle changea de sujet. « Je me demande à quel sujet Louisa et Leaphorn se sont disputés. Pour qu'elle parte, ça devait être grave. Et je me demande pourquoi les Fédéraux n'ont pas été capables de la retrouver. Ça donne l'impression qu'elle est coupable.

– Ou qu'ils sont incompétents. Et ça rend la théorie du tueur à gages moins délirante. Pendant que j'y pense, tu me dois un steak. Je compte en profiter à midi, merci beaucoup. Ça me donne faim rien que d'y penser. Je prendrai aussi une pomme de terre au four. À moins que je me décide pour des frites ? »

Bernie répondit par un grognement.

« Et Leonard Nez ? reprit Chee. Encore un qui a disparu. Ça ne me plaît pas du tout, qu'on n'ait pas réussi à lui parler, même s'il semble n'avoir aucun lien avec le lieutenant ni aucune raison de lui avoir tiré dessus.

– Alors qu'est-ce que tu dis de ça ? Louisa paye Nez pour qu'il abatte le lieutenant. Nez sous-traite avec le ninja de Mme Benally. Jackson est assis sur le siège arrière, il est occupé à faire ses devoirs. Ils le déposent sur le site de Zuni pour son projet de géologie, tirent sur Leaphorn, ramènent la voiture au parking de Bashas et disparaissent dans le style des ninjas.

– Excellent scénario. Mais il faut que tu transformes le ninja et Nez en voyageurs spatio-temporels si tu veux qu'en une heure ils aillent de Window Rock à Zuni et retour.

– Il faudra qu'on leur pose la question quand Mme Benally nous le livrera. »

Ils poursuivirent sur la quatre-voies, à travers la région du gaz et du pétrole, puis grimpèrent dans les pins ponderosa, dépassèrent le casino Nugget des Apaches Jicarilla, un avant-poste solitaire composé de machines à sous, de pompes à essence et d'un magasin général d'alimentation. Quand ils arrivèrent dans la vallée du Rio Puerco, ils appelèrent Louisa. Toujours pas de réponse. Cette fois, Chee laissa un message disant qu'ils étaient en route pour aller voir le lieutenant. Ils arrivèrent à Cuba où Bernie fit le plein, burent tous les deux une nouvelle tasse de café avant que Chee reprenne le volant.

Ils avaient entendu des policiers se plaindre que l'État du Nouveau-Mexique investissait trop dans les prisons et pas assez dans l'amélioration de la formation des représentants de la loi et la réfection des lieux où ils travaillaient. Mais comparé au quartier général de la Police Navajo, le bâtiment de celle de l'État du Nouveau-Mexique, dans le quartier sud de Santa Fe, était un palace. Bernie signala leur présence à l'accueil et ils s'assirent dans le hall. Chee avait apporté un livre.

Bernie alla aux toilettes, se remaquilla et revint. Elle vérifia les messages sur son téléphone portable. Se leva et lut le panneau d'informations. Revint s'asseoir à côté de Chee.

« Ne t'en fais pas, lui dit-il. Qu'est-ce qui peut arriver de pire ? Que tu criailles comme un coq transi d'amour ou caquettes comme une poule ? Un petit plaisantin mettra la vidéo sur YouTube. Tu deviendras célèbre et tu pourras subvenir à mes besoins en imitant des cris d'animaux à temps plein. »

Elle fixa sur lui le regard particulier qu'elle réservait aux rares occasions où, pendant une fraction de seconde, elle se demandait pourquoi elle l'avait épousé.

Ils attendirent, regardèrent des policiers aller et venir. C'était étrange de ne voir personne qu'ils connaissaient.

« J'ai à nouveau réfléchi au repas de midi, annonça Chee. Nous devrions choisir un restaurant où ils ont des steaks et des sopaipillas[1]. Un bon restau.

– J'adore ça, les sopaipillas.

– Je sais bien. Des petits pains frits. Soufflés. Servis avec du miel, ou fourrés avec de la viande hachée, des oignons, du chili.

– Arrête. Tu me donnes faim. Je ne peux pas penser à manger et m'inquiéter en même temps.

– C'est réglé, alors. Même si tu préféreras sans doute aller au Kentucky Fried Chicken quand tu en auras terminé. Tu sais, pour dire bonjour à tes congénères. Recette originale, peau super-croustillante. »

Il ouvrit son livre et avait progressé de la page 45 à la page 48 quand l'agent Cordova s'avança vers eux. Il leur serra la main, leur révéla que le FBI ne disposait d'aucune nouvelle piste pour la tentative de meurtre. Ils avaient réussi à trouver plusieurs prisonniers en liberté conditionnelle, dont la route avait vaguement croisé celle de Leaphorn, mais tous avaient de solides alibis. Cordova escorta alors Bernie vers la salle d'interrogatoire.

Chee l'imaginait-il ou s'était-elle redressée un peu en rentrant le ventre quand elle avait vu l'agent du FBI ?

Cordova la guida non pas vers une salle d'interrogatoire normale, comme elle s'y était attendue, mais un bureau meublé d'une table de travail, d'un canapé et de deux grands fauteuils, avec des photographies de fleurs au mur. En lieu et place d'une fenêtre se trouvait un miroir sans tain. Il lui fit signe de s'installer sur un fauteuil inclinable couleur charbon. « L'hypnotiseuse sera là dans une minute. Elle sait s'y prendre.

---

1. Sorte de beignet chilien au potiron ou à la courge.

Vous allez l'apprécier. » Il s'assit sur le canapé. « Comment ça se passe ?

– Tout de suite après, j'irai à l'hôpital voir le lieutenant. J'en saurai plus à ce moment-là.

– Je voulais dire, comment encaissez-vous le coup, avec le recul ?

– Le recul ? Je n'arrête pas de me dire que j'aurais dû pouvoir intervenir.

– Vous allez vous rendre malade avec tous ces "si". Vous êtes en congé ? »

Elle hocha la tête.

« Ça vous va très bien, la tenue civile.

– Merci, dit-elle. À en croire ma sœur, l'idée que je me fais de la mode est sans espoir.

– Vous seriez jolie même en portant n'importe quoi. J'adore vos chaussures vertes. »

La porte s'ouvrit et une Noire svelte entra. Cordova la présenta : Michelle Abernathy. Il posa une main légère sur le bras de Bernie. « Je vais assister à la séance de la salle voisine. C'est un plaisir de travailler avec vous. »

Abernathy prit place derrière le bureau.

« Agent Manuelito, merci d'être venue à Santa Fe aujourd'hui. Vous me facilitez énormément la vie.

– Vous pouvez m'appeler Bernie.

– Avez-vous déjà été hypnotisée, Bernie ?

– Non. »

Abernathy lui expliqua la procédure, insistant sur le fait que la séance se concentrerait uniquement sur l'agression et les événements qui l'avaient immédiatement précédée. Elle avait étudié le compte rendu de l'entretien que Bernie avait eu avec Cordova, et qui figurait dans son ordinateur portable, et avait également écouté l'enregistrement de leur conversation. Le principe de cette sorte d'hypnose, expliqua-t-elle, était que, placé dans un état de profonde relaxation, le cerveau parvient parfois à retrouver des souvenirs effacés ou oubliés grâce à la présence d'une thérapeute qualifiée qui oriente le processus.

« Vous me le direz, si je raconte quelque chose qui diffère du compte rendu ?

– Oui. Je peux vous remettre une copie de l'enregistrement de la séance, si vous le souhaitez. D'autres questions ?

– Je ne crois pas. Allons-y. »

Abernathy atténua les lumières. Elles débutèrent par des techniques pour faciliter la relaxation. Elle était efficace, minutieuse, professionnelle, nullement intimidante, très agréable. Bernie sentit qu'elle se détendait. Au bout d'un certain temps, Abernathy lui demanda d'imaginer qu'elle assistait à la projection d'un film sur l'agression dont Leaphorn avait été victime. Il passait au ralenti et elle pouvait en arrêter le défilement à sa convenance, image par image. Abernathy enclencha le processus à l'aide d'une série de questions.

Bernie décrivit la personne vêtue de noir qui sortait de la conduite intérieure bleue, allait droit vers le lieutenant. Marchait vite. Elle voyait se tendre la main qui tenait le pistolet.

« Que fait le lieutenant ?

– Il lève les yeux. Il regarde cette personne.

– Est-ce que le lieutenant reconnaît cette personne ?

– Je n'en suis pas sûre, prononça Bernie dans un souffle. Il a l'air surpris, comme s'il s'apprêtait à dire quelque chose.

– Qu'est-ce que vous voyez ensuite ? »

Bernie décrivit le canon noir du pistolet, le bruit de la détonation, un rayon de soleil reflété par du métal sur le poignet de la personne qui tirait, le lieutenant qui s'affaissait sur l'asphalte. Abernathy l'interrogea sur l'arme, mais Bernie ne discernait pas d'autres détails.

« Je voudrais que vous reveniez en arrière. Regardez plus précisément le poignet, s'il vous plaît. Est-ce que vous voyez avec plus de clarté ce qui a attiré votre œil ?

– Je vois une large bande métallique.

– Est-ce que vous remarquez autre chose ?
– Je regarde le dessus et je ne vois pas de cadran de montre. Je suppose qu'il s'agit d'un bracelet.
– De quelle couleur est-il ?
– Argenté.
– Pouvez-vous distinguer autre chose ? »
Bernie laissa l'image envahir son cerveau. « Il y a des cœurs, deux cœurs liés, comme dans un motif. On dirait un bracelet moulé dans le sable. »

*

Chee l'emmena déjeuner à La Tortilla Volante. C'était elle qui payait, à la suite du pari sur le FBI. Elle commanda des sopaipillas farcies à la viande hachée et au piment vert. Chee prit un steak accompagné de poivrons farcis au fromage, à l'œuf et à la viande hachée, parce que le menu appelait ces poivrons « Big Jim ». Elle lui raconta la séance.
« La seule chose qui m'ait étonnée, c'est le bracelet.
– Dommage que ça n'ait pas été une gourmette avec son nom inscrit dessus.
– C'est quand même un indice supplémentaire. Ce qui est mieux que rien.
– Il ne nous reste plus qu'à trouver quelqu'un qui a conduit la voiture de Mme Benally et qui porte un bracelet en argent. Probablement tous les Navajos qui sont montés dedans un jour. Hommes et femmes.
– Peut-être faudrait-il que tu reparles à Mme Benally. Que tu lui demandes de te montrer ses bijoux. » Elle porta une nouvelle bouchée à ses lèvres.
« On dirait que l'hypnose stimule ton appétit, non ? Ça a eu le même effet sur moi, et pourtant, je n'y ai pas été soumis.
– J'étais morte de faim, avoua-t-elle. Trop angoissée pour manger au petit déjeuner. »

Il prit une tortilla pour achever d'éponger sa sauce au piment vert. « L'hôpital est loin d'ici ?

– La moitié de la ville à traverser, à peu près. Un quart d'heure peut-être.

– Il y a trop de gens qui meurent dans ces endroits-là. » Il repoussa son assiette. « Et on ne sait jamais si la personne à qui on rend visite ne préférerait pas qu'on la laisse tranquille. »

Elle savait qu'en donnant son accord pour venir à l'hôpital Chee montrait combien Leaphorn importait pour lui, même s'il aurait refusé de le reconnaître. Elle avait été témoin de la manière un peu brusque avec laquelle le lieutenant le traitait, dénonçant des indices négligés, des suppositions hâtives, des failles dans la logique du raisonnement. Elle savait que ces critiques donnaient à son mari, qui était intelligent et compétent, l'impression d'être un stagiaire fautif. Néanmoins, Chee respectait Leaphorn.

L'infirmière de l'USI se souvenait d'elle et la reconnut même sans l'uniforme. « Votre oncle semble en meilleure forme aujourd'hui.

– Il peut parler ?

– Non, à cause du tube respiratoire. Le Dr Moxsley sera là cet après-midi et procédera à une nouvelle évaluation de la blessure. »

Bernie montra le chemin jusqu'au chevet du blessé. La chambre était sombre et fraîche. Le lieutenant gisait, immobile, et il paraissait plus petit. Sa tête était toujours emmaillotée dans les bandages. Tubes et écrans de contrôle étaient toujours en place.

« *Yá'át'ééh.* » Chee avait parlé à voix basse avant de s'approcher du lit.

Les yeux du lieutenant s'ouvrirent un bref instant, semblèrent chercher d'où venait la voix. Puis les paupières retombèrent.

Chee lui parla en navajo. « Ma femme et moi sommes venus

pour nous assurer que vous ne faites pas de bêtises. Nous voulions vous dire que nous pensons à vous. »

Bernie compléta : « J'espère que vous vous sentez mieux aujourd'hui. Vous nous manquez. »

Le visage de Leaphorn était un peu plus coloré et un peu moins enflé. Elle fut prise d'espoir en le voyant dans cet état.

Elle passa à l'anglais. « Nous avons eu Louisa au téléphone, elle nous a chargé de vous dire qu'elle regrette de ne pouvoir être là. Qu'elle vous aime. »

La main de Leaphorn bougea d'un ou deux centimètres dans sa direction. Elle tendit la sienne pour s'en saisir.

« J'achève votre travail pour le CRIA, reprit-elle. J'ai rencontré les Drs Collingsworth et Davis, et j'ai vu une partie de la collection. Des poteries splendides. Ils m'ont montré la tapisserie de Hosteen Klah. Je n'arrivais pas à en détacher mon regard. »

Chee intervint : « Je vais maintenant vous tenir au courant des progrès de l'enquête sur votre agresseur. En un mot, il n'y en a pas. Uniquement des impasses. »

Il lui relata ses rencontres avec Mme Benally et son fils qui avait le sens des affaires, raconta l'histoire du gâteau et de Garrison Tsosie. Au moment où Bernie commençait à s'inquiéter qu'il parle depuis trop longtemps, il dit : « Il faut que vous vous remettiez pour que vous puissiez nous apporter votre concours pour l'enquête. Comme ça nous ne serons plus obligés de travailler autant. »

Les paupières de Leaphorn papillonnèrent à nouveau. Il se tourna vers Chee et ses lèvres bougèrent. Le respirateur artificiel l'empêcha de parler.

« Est-ce que vous savez qui vous a tiré dessus ? » demanda Chee.

Leaphorn remua la tête de haut en bas d'une manière presque imperceptible. Bernie sortit un calepin et un stylo de son sac à dos. Elle tendit le stylo, et la main du lieutenant s'avança faiblement avant de retomber sur le lit.

« La prochaine fois, dit-elle. Reposez-vous, maintenant. Reprenez des forces. »

Chee proposa : « Je me suis posé la question de savoir si vous voudriez qu'un chanteur adresse des prières pour votre guérison. Levez juste le doigt ou faites un geste similaire si cela vous convient. Si vous ne voulez pas, restez immobile. »

Leaphorn leva l'index de la main droite, le remua au-dessus du drap et bougea très légèrement la tête. Il sembla désigner Chee du menton. Cet effort l'épuisa. Il ferma les yeux et Bernie sentit sa main se relâcher entre ses doigts.

Dans le couloir, elle dit : « Il veut que ce soit toi qui exécutes un chant. On va passer voir l'aumônier de l'hôpital pour lui en parler.

– Moi ?

– Il t'a désigné du menton.

– Pourquoi en parler à l'aumônier ? Qu'est-ce qu'il y connaît ?

– Il se peut que tu sois obligé de contourner un peu le règlement de l'hôpital pour y organiser une cérémonie, mais le lieutenant n'est assurément pas le premier Navajo qu'ils soignent. Et ça ne peut pas faire de mal d'avoir aussi avec nous Jésus et le Dieu des Blancs.

– Je pensais organiser quelque chose quand il serait suffisamment d'aplomb pour voyager. Mais étant donné son état de faiblesse, il faut que nous agissions rapidement. »

13

Le bureau de l'aumônier était fermé. Ils trouvèrent une boîte en plastique, fixée sur la porte, avec une fente pour déposer des messages. Chee laissa une carte de visite avec son numéro de portable et un message.

Ils retournèrent au camion en remarquant les nuages qui s'amoncelaient telle une couche de gaze légère sur les Monts Sangre de Cristo. « Il peut voir les montagnes de sa chambre, dit Chee. C'est à peu près le seul point positif qui me vienne à l'esprit. »

Le Dr Moxsley avait exprimé l'inquiétude que la balle ait pu endommager la vision du lieutenant, mais Bernie ne le mentionna pas. Elle dit : « Le personnel est bien, aussi.

– Ça m'a surpris qu'il soit aussi frêle.

– Je suis inquiète pour lui », confirma-t-elle.

Quand ils montèrent dans le petit camion, elle prit le rapport qu'elle avait imprimé pour le CRIA et expliqua à Chee comment ils pouvaient y aller.

Ils prirent la Vieille Piste du Pecos en direction de la Plaza, puis la Piste de Santa Fe, une voie étroite qui suivait l'ancien itinéraire des pionners d'origine européenne venus au XIXe siècle faire du commerce avec les marchands locaux.

Tout en conduisant, Chee réfléchissait à la cérémonie de guérison. Il fallait qu'il consulte un *hataalii* possédant l'expérience de ce genre de situation exceptionnelle. Il lui demanderait s'il serait d'accord pour venir à Santa Fe, puis l'aiderait à prendre les dispositions nécessaires. Il lui faudrait plusieurs jours et cela exigerait de la force de persuasion. Peut-être le lieutenant irait-il assez bien pour rentrer chez lui et la cérémonie pourrait-elle avoir lieu à Dinetah, la terre entre les montagnes sacrées, comme il se devait. Mais dans un futur proche, c'était hautement improbable, selon le médecin.

« Tourne ici », lui indiqua Bernie, et ils s'engagèrent sur une route qui sinuait entre de belles demeures historiques, semblables à des haciendas, protégées par des haies, des murs d'adobe et des portes de jardins. L'étroite voie pavée était bordée de grands arbres. De petites élévations en asphalte, couvertes de briques, appelées dos de moutons parce qu'elles étaient plus basses que des dos d'ânes, obligeaient les voitures à ralentir.

Chee se gara sur le parking de terre, devant le bâtiment où se situait l'accueil du Centre de Recherche sur les Indiens d'Amérique. Pendant qu'ils prenaient l'allée conduisant au bureau de Collingsworth, Bernie lui montra le chemin qui menait au musée.

« Ça a représenté une promotion, pour le lieutenant, de venir travailler ici : le quartier général de Window Rock paraît sacrément délabré en comparaison. Ils ont même un jardin. C'est sympa, non ? »

Elle s'arrêta pour examiner une plante en bordure d'allée. « La floraison ne va pas tarder. Il va y avoir de belles pivoines.

– C'est quoi, les pivoines ? »

Bernie fit courir ses doigts sur l'extrémité arrondie du bourgeon. « Des fleurs qui ne durent que quelques jours, mais qui sont énormes et splendides. J'en ai vu pour la première fois lors d'une excursion avec le cours de botanique. »

Le Dr Collingsworth avait quitté le campus pour un rendez-vous avec un membre du conseil d'administration, mais Marjorie, la secrétaire, annonça à Bernie qu'il devrait bientôt revenir. « Puis-je aller vous chercher quelque chose pendant que vous l'attendez ? Une bouteille d'eau ? Une boisson fraîche ? Et pour votre compagnon ? »

Bernie procéda aux présentations.

« J'ai trouvé le rapport que voulait le Dr Collingsworth, sur l'ordinateur du lieutenant et, puisque j'étais à Santa Fe, je me suis dit que j'allais passer le lui déposer. Je l'ai parcouru pour m'assurer que c'était le bon. J'ai remarqué que le lieutenant n'avait qu'un seul souci majeur. » Elle lui tendit l'enveloppe.

« Je suis désolée que vous vous soyez donné tout ce mal, dit Marjorie. Je l'ai trouvé ce matin. Je n'ai pas eu l'occasion de le montrer au Dr Colingsworth, mais je l'ai appelé et je l'en ai tenu informé. » Elle montra une enveloppe marron, sur son bureau, qui portait l'écriture caractéristique de Leaphorn.

« Je suis heureuse que vous l'ayez, dit Bernie. Je suppose qu'il a fini par arriver. Comme ça, vous en aurez deux exemplaires.

– Il n'était pas au courrier. Il est clair qu'il était déjà arrivé mais qu'il avait été mis par erreur dans le bureau de quelqu'un d'autre. Je l'ai cherché partout après votre départ. Ce matin, j'ai ouvert mon bureau, je suis allée au bout du couloir pour lancer le café et, quand je suis revenue, il était là. Quelqu'un a dû le trouver et le déposer en passant. Sans vouloir en être remercié, ce qui a de quoi surprendre.

– Bizarre, abonda Bernie. Et qui savait que le rapport avait disparu ?

– Le Dr Collingsworth a envoyé un message électronique à tout le monde. Il y a des gens qui laissent leurs messages s'entasser. On reçoit surtout des spams, ces temps-ci. En tout cas, je suis désolée que vous ayez fait le voyage pour rien.

– Oh, ça n'a pas été pour rien, dit Chee. Je n'étais jamais venu dans ce quartier de Santa Fe. C'est rudement moderne. Et je n'avais jamais entendu parler du CRIA avant que Bernie commence à me vanter la couverture que vous lui avez montrée la dernière fois.

– Celle de Hosteen Klah ? Ça vous dirait de la voir ?

– Oh oui. Si ça ne pose pas de problème.

– Aucun. Le musée n'est pas ouvert au public, seulement pour les recherches et les visites privées, mais je vais appeler pour les prévenir que vous allez passer. Cette couverture est un de nos chefs-d'œuvre. » Elle lui sourit. « Je suis désolée de ne pas pouvoir vous accompagner. Bernie sait que nous possédons aussi une magnifique collection de poteries et de paniers des Premiers Américains. Prenez votre temps. Profitez-en. »

Les épais murs d'adobe gardaient les bureaux administratifs du CRIA relativement frais, mais ici, à Santa Fe, même à plus de deux mille mètres au-dessus du niveau de la mer, il faisait chaud dehors. Ils se dirigèrent d'un pas tranquille vers le musée, un bâtiment plus récent, intelligemment construit pour se fondre dans le campus historique. Comme Bernie s'y attendait, Chee fit halte dans le couloir de l'entrée pour admirer, sous le projecteur, l'énorme pot noir et ses éclats de mica. Ils signèrent le registre à l'accueil, comme l'exigeait le règlement. « Il fait froid, remarqua Chee.

– Contrôle des conditions atmosphériques pour protéger nos collections. » La réceptionniste s'exprimait à peine au-dessus du murmure. Elle remit à chacun un badge en plastique portant l'inscription VISITEUR. « Ne touchez à rien, mais prenez votre temps pour profiter de la collection. Si vous avez des questions, je suis à votre disposition.

– Est-ce que nous pouvons voir la grande tapisserie navajo, celle qui est dans la salle du fond ?

– Bien sûr. » Elle appuya sur un bouton de sa console de commande. « J'ai libéré le système de fermeture, comme ça vous n'aurez pas besoin du code pour ressortir. Allez-y, la porte est ouverte. »

Bernie s'émerveilla à nouveau de la richesse des pièces exposées, dont certaines qu'elle n'avait pas remarquées lors de sa première visite. Le musée abritait des objets d'artisanat ancien parmi les plus beaux qu'on puisse voir au monde, et il y avait une galerie de créations récentes inspirées de ces traditions.

« Eh bien, fit Chee. Je me demande comment ils peuvent avoir la place d'accueillir la nouvelle donation dont tu m'as parlé. C'est déjà archi-plein. Regarde comme c'est beau.

– Collingsworth m'a dit que, quand la collection arrivera, elle sera accompagnée d'une somme suffisante pour construire une nouvelle aile où ils pourront l'exposer. Un drôle de cadeau, hein ? »

Elle ouvrit la porte qui donnait sur la salle de la couverture où le rhéostat augmenta progressivement et automatiquement la lumière ambiante.

La tapisserie de Klah était encore plus belle que dans son souvenir, remarquable à la fois par sa représentation du Peuple Sacré et par la virtuosité du tissage. À nouveau, elle retint son souffle. Se tenir ici, c'était se trouver en présence de la grandeur. Ce devait être ce que les Blancs ressentent quand ils pénètrent dans la chapelle Sixtine. Tandis qu'elle se laissait envahir par cette grandeur, ses inquiétudes pour le lieutenant se dissipèrent comme du sel dans de l'eau chaude. Elle éprouvait de la reconnaissance en présence d'un tel génie créateur, de la reconnaissance parce qu'elle vivait dans un monde aussi incroyable et que sa mère lui avait enseigné la joie de tisser. De la reconnaissance parce qu'elle connaissait le lieutenant. De la reconnaissance parce qu'elle avait trouvé et épousé un homme d'une si grande valeur. Elle tourna son regard vers Chee. Il semblait perdu dans ses pensées et ses yeux étaient noyés de larmes.

Quand il prit conscience qu'elle l'observait, il chuchota : « Le moment était parfait, pour venir ici. Merci. »

Bernie sourit. Ils demeurèrent là, silencieux.

Quand ils sortirent de la salle et suivirent le couloir pour regagner la partie principale du musée, elle se sentit plus légère, comme si un énorme rocher qui pesait sur son cœur en avait été retiré.

« J'aurais voulu que mon oncle Hosteen Nakai puisse voir cette couverture, dit-il. Elle devrait être à Dinetah, pas dans un musée de Santa Fe.

– Je suis d'accord. Mais si elle n'était pas là, elle serait peut-être accrochée dans le salon d'un collectionneur, et nous n'aurions jamais pu la voir. »

Avant de quitter le musée, Chee fit halte à l'accueil.

« Merveilleuse collection. J'imagine que vous avez l'équipement adapté pour assurer sa protection. »

La réceptionniste confirma de la tête. « Un système de sécurité ultramoderne. C'est exact. Certains de ces objets sont inestimables et irremplaçables. »

Bernie annonça : « La caméra qui se trouve dans le couloir ne marche pas. Vous devriez peut-être la faire vérifier. »

La femme sembla perplexe. Elle étudia son écran de contrôle.

« Pourquoi dites-vous ça ?

– La lumière qui clignote d'habitude quand ces caméras enregistrent reste fixe. Elle est restée verte tout le temps. Je doute que l'image que vous voyez sur votre écran de contrôle soit enregistrée en ce moment. »

Le visage de la femme exprima le scepticisme. « Je vais vérifier auprès de la société qui assure l'entretien de l'installation. Nous n'avons jamais eu de problème. Les gens qui viennent visiter le musée sont comme vous. Intéressés et respectueux.

– Mais on ne sait jamais, objecta Bernie. Et pourquoi payer un système de sécurité s'il n'est pas efficace ?

– Vous êtes la policière qui est venue ici avec le Dr Collingsworth. C'est pour ça que vous en savez autant.

– Il y a ça, dit Chee, plus le fait qu'elle est fouineuse de nature. C'est aussi pour ça que je l'aime.

– Curieuse, corrigea Bernie en riant. Dis plutôt que je suis curieuse de nature. C'est plus agréable à entendre. »

Sur le trottoir, en retournant au parking, ils rencontrèrent Collingsworth, et Bernie présenta les deux hommes.

« Je suis content d'être arrivé à temps, dit Collingsworth. Désolé que vous ayez fait le trajet pour rien. Marjorie m'a dit que vous vous êtes donné beaucoup de mal pour dénicher ce rapport. Elle aurait dû vous appeler pour vous annoncer que nous l'avions retrouvé.

– Cela m'a donné l'occasion de voir le musée, intervint Chee. Superbe collection. »

Collingsworth s'adressa à Bernie. « Je tiens à m'excuser à nouveau de m'être comporté comme un rustre. J'aurais dû savoir que M. Leaphorn ferait son travail jusqu'au bout. Je suis certain que le conseil d'administration va soutenir sa recommandation d'augmenter notre prime d'assurance de vingt pour cent pour couvrir les nouvelles pièces. Pour le reste, j'ai été soulagé de constater qu'il ne soulevait aucun problème majeur relatif à l'aspect sacré des objets ou à leur estimation.

– J'étais fatiguée quand je l'ai lu, hier soir, dit Bernie, mais les questions qu'il pose au sujet des poteries les plus anciennes, les cylindres de Chaco qu'il mentionne dans l'annexe consacrée aux exceptions, m'ont paru intéressantes. Je ne suis pas une experte, mais ces inquiétudes m'ont paru digne d'être étudiées attentivement.

– Quelles exceptions ?

– Je parle des premières et des dernières pages où il mentionne les objets de la Fondation McManus qui ont vraisemblablement été sous-évalués. »

Elle vit l'incompréhension se peindre sur le visage de Collingsworth.

« Si, souvenez-vous. Celles où il a ajouté les photos un peu floues des poteries sur lesquelles il s'interrogeait. Les grandes poteries fines, vous savez ? »

Collingsworth arrêta de marcher. « Je n'ai rien vu de tel. Ce n'était pas dans l'enveloppe qu'il nous a envoyée.

– C'était inclus dans le rapport que nous avons trouvé sur son ordinateur, et ça figure dans la copie que je vous en ai faite. Peut-être a-t-il oublié... » Elle s'interrompit. Le lieutenant oubliait rarement des choses. Il n'aurait jamais négligé d'envoyer des éléments aussi cruciaux pour ses conclusions, des documents dont il désirait que Collingsworth prenne connaissance.

« Oublié de me les envoyer ? acheva Collingsworth. Il semblait indéniablement compétent, mais le meilleur d'entre nous n'est pas à l'abri d'une erreur. Je vais jeter un coup d'œil à ce que vous m'avez si gentiment apporté. Mais sous-estimé ? C'est aussi rare, dans notre métier, qu'une dent de dinosaure plaquée or. Il est arrivé que des colectionneurs peu scrupuleux gonflent des estimations... »

Il se tut et recula de quelques pas pour se mettre à l'ombre. « S'il était en état de poursuivre ses recherches, je lui accorderais une ou deux journées supplémentaires pour résoudre cette petite énigme. Mais si j'ai bien compris, cela n'est pas possible.

– Laissez-moi m'en occuper, voir si je peux découvrir quelque chose sur ces poteries.

– Je suis convaincu que ces objections ne seront que des vétilles. Les références que j'ai consultées signalent que M. Leaphorn est très à cheval sur les détails. » Il sortit un mouchoir de sa poche, épongea la transpiration sur son front. « Pourquoi ces anciennes poteries vous tiennent-elles à cœur ?

– Pour moi, ce n'est pas la question des poteries. Il est possible que ç'ait été la dernière mission accomplie par notre ami, ou du moins la dernière avant longtemps. Il aurait désiré qu'elle soit achevée correctement. Comme il ne peut s'en charger lui-même, je serais tout à fait disposée à mener ce travail à son terme. »

Collingsworth hésitait. Il rangea son mouchoir. « Je ne vois pas ce que cela pourrait nous apporter, mais ça ne devrait pas non plus nous faire de mal. Je suis certain que les questions soulevées par M. Leaphorn ne concernent que des points techniques, mais on n'est jamais trop prudent quand il s'agit d'une collection pareille. Si je ne reçois pas de nouvelles d'ici deux jours, j'en conclurai que vous n'avez abouti à rien. Notez les heures que vous y consacrez, je vous paierai ce que je l'aurais payé.

– Ce ne sera pas…

– J'insiste, dit Collingsworth. Mais j'attends de vos nouvelles sous quarante-huit heures au plus tard. Ne me refaites pas le coup de Leaphorn. »

Il indiqua une rangée de petits bâtiments d'adobe du côté nord du parking.

« Le Dr Davis est en possession de l'enveloppe contenant les éléments de recherche que vous nous avez déjà apportés. Ils pourraient vous être utiles. Elle est dans son bureau, là-bas. »

Collingsworth s'éloigna vers le sien tandis qu'ils se dirigeaient vers le complexe nord. Chee pointa l'index sur le 4×4 Lexus d'un gris étincelant dont la portière arborait un logo du CRIA gros comme un ballon de basket-ball. « Les salaires doivent être élevés, s'il s'agit de sa voiture de fonction. »

Ils frappèrent à la porte indiquant *Directrice adjointe*.

« Entrez. » Bernie présenta Chee avant d'expliquer la raison de leur visite. Par contraste avec l'espace imposant du bureau de Collingsworth, celui de Davis semblait accueillant avec sa cheminée, ses étagères de livres et deux confortables fauteuils proches de lampes de lecture et de tables basses. Il y avait des poteries au milieu des livres. Comme dans une galerie, deux rangées de photographies encadrées étaient accrochées aux murs.

Davis ouvrit un de ses tiroirs et tendit à Bernie l'enveloppe contenant les pages photocopiées. « Mais pourquoi en avez-vous besoin ? »

Bernie exposa l'arrangement conclu avec Collingsworth.

« On m'a signalé que Marjorie avait retrouvé le rapport sur son bureau, dit Davis. J'ai donc pensé qu'on pouvait passer à la suite. Comme je l'ai dit à Leaphorn quand Collingsworth l'a engagé, je peux compléter ce qui manque. Ces poteries s'inscrivent dans mon domaine d'expertise. Je suis sûre que vous avez bien autre chose à faire.

– En réalité, non. Achever ce travail compte énormément pour moi.

– J'ai le sentiment, dit Chee à Davis, que nous nous sommes déjà rencontrés. Votre visage me dit quelque chose.

– Beaucoup de gens me le disent. » Davis sourit, un sourire susceptible de faire oublier à un homme qu'il est marié. « Ce doit être mon visage qui veut ça. »

Bernie dit : « Le lieutenant se posait des questions sur plusieurs des poteries, dans l'estimation initiale qui a été faite par la société EFB. Vous la connaissez ?

– Laissez-moi vérifier sur notre listing. J'ai un fichier de référence, pour les cabinets d'expertise auxquels nous faisons appel. Ça ne me prendra qu'une minute de voir si elle y est. »

Elle leur fit signe de s'installer dans les fauteuils et prit place à son ordinateur. Bernie observa une poterie blanche élancée, ornée d'éclairs et surmontée d'un couvercle en forme de nuage dont la poignée en céramique représentait la foudre. Contemporaine, mais les décorations étaient inspirées de céramiques anciennes. Posée sur le bureau de Davis, juste devant elle. « Ces poteries-ci font-elles partie de la collection du CRIA ?

– Certaines », répondit Davis.

Bernie se leva pour examiner la poterie blanche. « Celle-là, la grande, ressemble aux anciennes poteries cylindriques découvertes à Pueblo Bonito.

– C'est exact, confirma Davis. Il y a plusieurs pièces de grande valeur de ce style, dans la collection McManus. Il faudra que vous veniez les voir, quand nous les aurons.

– J'aime bien le motif de l'éclair, dit Chee. Ça me rappelle ce qu'ils font au pueblo de Zuni.

– Et elle semble avoir une utilité, ajouta Bernie, comme un bocal à bonbons. »

Davis abandonna son écran d'ordinateur. « C'est une urne. »

Bernie et Chee se regardèrent.

« Mon compagnon, mon fiancé pour être plus précise, a été assassiné. Quand on l'a retrouvé, il ne restait que des ossements.

– Assassiné ? Comment ? s'enquit Chee.

– Je ne l'ai jamais su exactement. Il a disparu dans un canyon, le long de la San Juan. Il était archéologue. Il étudiait d'anciennes mandibules, des os de mâchoires, et il avait développé une importante théorie sur la mutation génétique chez les ancêtres des Pueblos, à Chaco. Il s'en servait pour identifier des schémas migratoires. » Elle soupira. « La théorie de Randall aurait vraisemblablement permis d'établir un lien direct entre la civilisation de Chaco et les habitants des pueblos contemporains, les Hopis et les peuples du Rio Grande. Quand il est mort, ses brillantes idées sont mortes avec lui. »

Elle retourna à l'écran de l'ordinateur. « Désolée, je ne parviens pas à trouver de référence correspondant à EFB. Beaucoup des estimations de la famille McManus remontent à il y a bon nombre d'années. C'est pourquoi Collingsworth a engagé Leaphorn.

– A-t-on trouvé qui était l'assassin de votre fiancé ? demanda Chee.

– Une étrange histoire circulait à propos d'un ermite psychopathe qui vivait dans une grotte, au-dessus de la San Juan, près de Sand Island. Personne n'a jamais consacré beaucoup d'efforts à le retrouver. Le policier qui travaillait sur l'affaire en savait davantage qu'il n'a jamais voulu l'admettre. »

Elle se tourna vers Bernie. « Assez parlé de ça. Bonne chance pour votre mission. Faites-moi signe si je peux vous aider. Je vais vous raccompagner. Il faut que je parte travailler sur le terrain.

– J'adore ces photos, dit Chee. Quels nuages !

– Merci. C'est moi qui les ai prises. La photographie est mon passe-temps favori. Je vois quantité de paysages magnifiques quand je suis à la recherche de ruines. »

Ils sortirent ensemble et la regardèrent monter dans le gros 4×4.

Bernie ouvrit la portière du pick-up, se glissa au volant et abaissa la vitre. Même s'ils avaient trouvé une place de stationnement à l'ombre, le soleil de l'après-midi avait fait son œuvre. Le volant donnait l'impression d'être une plaque de cuisson qui serait restée allumée sur feu doux.

« Je suis certain que je l'ai déjà vue, dit Chee.

– J'ai bien remarqué sa façon de te sourire.

– Je parie qu'elle sourit comme ça à tous les hommes. Pendant que tu pensais à elle, une idée m'est venue pour retrouver la société EFB. » Il sortit son téléphone. « Je connais quelqu'un qui pourrait nous aider. Il travaille pour le réseau des musées du Nouveau-Mexique, ici, à Santa Fe. »

Il brancha le haut-parleur. La chance leur sourit. Le contact de Chee, Rocko Delbert, un ancien policier Navajo, aimait discourir et il lui raconta ce que devenaient sa grand-mère, sa mère, ses tantes, sa femme et chacun de ses quatre enfants. Puis il parla de son nouveau poste au Musée Indien des Arts et de la Culture. Chee lui posa sa question.

« C'est drôle que tu me demandes ça, répondit Rocko. J'ai vu Ellie, la propriétaire d'EFB, il y a plusieurs semaines. Elle était prof à Arizona State. Elle a été licenciée et, maintenant, elle est de retour, elle a repris son activité d'autrefois. Elle est venue au musée chercher dans nos archives des documents et des informations dont elle avait besoin pour ses estimations. La dernière fois qu'elle est passée, elle m'a demandé si je savais comment entrer en contact avec Joe Leaphorn. Tu sais, le Légendaire Lieutenant ?

– Dis-m'en davantage sur cette Ellie.

– Eleanor Friedman-Bernal. C'est elle qui a fondé EFB. Elle a divorcé il y a des années de ça. Elle a laissé tomber le nom de Bernal, mais elle l'a conservé dans celui de la société. Maintenant elle se fait appeler Ellie Friedman.

– Tu sais pourquoi elle voulait contacter Leaphorn ?

– Tu comprends bien que ce n'était pas mes affaires. Mais elle m'a raconté une longue histoire datant de l'époque où elle travaillait à Chaco Canyon en tant que chercheuse et spécialiste des céramiques. Ça s'est mal terminé pour elle, elle a été blessée. Leaphorn l'a aidée. Quelque chose comme ça. Peut-être qu'elle a eu besoin d'un détective privé.

– Tu sais comment je peux la joindre ?

– J'ai l'adresse de son nouveau bureau. Elle m'a dit qu'elle allait avoir recours à mes services cette semaine, deux heures pour assembler des meubles de rangement, pour ses livres, mais elle ne m'a pas encore appelé.

– C'est ici, à Santa Fe ?

– Oui », répondit Rocko qui lui indiqua comment s'y rendre.

Bernie démarra et conduisit pendant que Chee lui donnait les indications en faisant attention à la signalisation.

« Tu crois que Davis garde les cendres de son petit ami dans cette poterie ?

Chee haussa les épaules. « Les Blancs ont d'étranges coutumes liées à la mort.

– Ça me donne le frisson rien que d'y penser.

– Alors arrête de le faire. Ah, on dirait que voici notre rue. Prépare-toi à tourner à gauche. »

Le petit centre commercial de plain-pied, en forme de L, se trouvait derrière un ancien entrepôt transformé en une sorte de salle de gymnastique. Ils s'avancèrent sur le parking pratiquement désert et, parmi les façades des magasins, découvrirent un panneau annonçant : « Estimations d'art indien ». Une vieille Subaru marron foncé était garée près de la porte.

Chee resta assis dans le camion. Bernie alla frapper. Pas de réponse. Elle essaya de tourner la poignée. Fermée à clé. Les stores étaient baissés.

Elle vit une femme sortir de la boutique voisine. L'inscription, sur sa chemise, disait : « Coupe signée par Janelle ».

« Bonjour, lui dit Bernie. Est-ce que vous sauriez quand Mme Friedman va revenir ?

– Non. Désolée.

– Si vous la voyez, pouvez-vous lui demander de m'appeler ? » Elle nota son numéro de portable au dos d'une carte de visite de la Police Navajo.

Janelle étudia la carte avant de relever la tête. « Je suis responsable de l'occupation et de l'entretien du bâtiment. Je n'aurais jamais cru que vous étiez policière. Je pensais à vous appeler, en fait. J'ai peur qu'Ellie ait des ennuis. »

Elle se tourna vers Chee, dans le pick-up.

« C'est mon mari, dit Bernie. Il est policier aussi. Nous sommes venus en ville ensemble. Pourquoi pensez-vous qu'elle a des ennuis ?

– Il correspond plus à l'image que je me fais d'un policier. » Elle afficha un sourire puis reprit son sérieux. « Je ne la connais pas très bien. Elle ne s'est installée ici qu'il y a quelques semaines, mais elle m'a demandé de lui faire des retouches. Je suis venue prendre livraison des vêtements, mais elle n'a pas ouvert. Comme sa voiture était là, la Subaru, je me suis dit qu'elle était au téléphone ou qu'elle avait simplement changé d'avis. Ou qu'elle avait fait comme si elle n'était pas là. Elle est sujette à des sautes d'humeur, vous savez ? »

Bernie hocha la tête.

« Mais quand je suis venue travailler le lendemain, vendredi, la voiture était toujours là, à la même place. J'ai à nouveau frappé à la porte. Rien. Peut-être qu'un client, un petit ami ou quelqu'un, est venu la chercher et qu'ils ont laissé sa voiture. Mais c'est bizarre. D'autant qu'elle n'a pas bougé depuis.

– Ça paraît effectivement inquiétant.

– Ça me fiche la trouille, c'est sûr. Je détesterais me dire qu'elle a pu mourir à l'intérieur ou ce genre de chose.

– Moi aussi. Nous devrions entrer voir. Vous avez la clé ? »

Janelle hésita, repoussa une mèche de cheveux qui lui tombait sur l'œil. « En principe, je ne suis pas autorisée à entrer, ni à laisser entrer quelqu'un.

– Mais là, c'est différent. Une question de vie ou de mort. Et je suis policière.

– J'ai vu beaucoup d'émissions sur la police, à la télé. Je sais comment ça se passe. Si quelqu'un est en danger ou quelque chose comme ça, vous défoncez la porte et vous faites irruption dans les lieux. C'est ça ?

– C'est la façon dont on présente nos interventions à la télé. »

Pendant que Janelle allait chercher la clé dans sa boutique, Bernie fit signe à Chee de la rejoindre. Ils se retrouvèrent sur le trottoir devant le cabinet de Mme Friedman.

« Qu'est-ce qui se passe ?

– La copine de Rocko pourrait avoir disparu. »

Janelle revint avec une enveloppe qui contenait la clé. Elle regarda Chee. « Vous êtes policier, c'est ça ?

– C'est exact. Au service de la Nation Navajo.

– Où est-ce ?

– À l'ouest d'ici. C'est grand comme la Nouvelle-Angleterre.

– Oh, fit Janelle. Je crois que j'en ai entendu parler. Je crois que j'ai lu un article dessus, une fois, dans le *National Geographic.* »

Elle inséra la clé dans la serrure, appuya sur la poignée et la porte s'ouvrit. Elle entra.

Il y régnait une odeur de poussière et de lieu inhabité. Bernie la saisit par le bras. « Madame, attendez ici. Il se peut que ce soit une scène de crime.

– Il y a une salle d'eau, au fond. Il faudrait vérifier aussi. C'est à croire que ma cliente était la reine des souillons. Ou que le cabinet a été retourné de fond en comble. »

À l'exception d'un bureau, d'un fauteuil à roulettes et d'un second fauteuil recouvert de tissu, il n'y avait pas de meubles. Tous les tiroirs du bureau étaient ouverts, la plupart vides ou presque vides, à l'exception de celui du haut qui renfermait une collection de stylos, de crayons, de post-it, etc. Des papiers, des livres et des dossiers de rangement étaient disséminés sur la moquette. Des boîtes, toutes ouvertes, gisaient la tête en bas ou sur le côté.

Dans le cabinet de toilette, Bernie trouva d'autres tiroirs vides ouverts, un rouleau de serviettes en papier et des réserves de papier toilette. Mais pas de Mme Friedman.

« Oh, voilà les étagères dont Rocko nous a parlé. » Chee toucha un tas de planches du bout de sa chaussure.

Bernie s'arrêta devant un ensemble de photos sous verre accrochées au mur, de grands tirages couleur : des encadrements de portes en pierre, le célèbre indicateur du solstice Sun Dagger et de hautes habitations de pierre en ruines. Elles paraissaient déplacées au milieu de ce chaos.

Chee vint regarder derrière son épaule. « Chaco Canyon. Ces encadrements de porte en forme de T, c'est à Pueblo Bonito qu'on les trouve. Jolie photo. »

Bernie examina de plus près le dessus du bureau, remarqua une fine couche de poussière, une boîte de mouchoirs en papier, une tasse à café bleue, un chargeur de téléphone vide et un calendrier à l'ancienne, servant également de bloc-notes, qui était ouvert au mois de juin. Certaines des cases numérotées portaient l'indication d'heures, de noms, des numéros de téléphone, des adresses. Dans l'une d'elles, Ellie avait écrit « Pueblo Alto ! ». Dans une autre, les lettres « SJ » suivies d'un numéro de téléphone. Bernie releva les noms, les numéros et les jours au cas où l'un des rendez-vous fournirait un indice sur l'endroit où pouvait se trouver la disparue. Elle repéra quelque chose d'intéressant.

« Viens voir, dit-elle en pointant l'index sur une des cases : le numéro de téléphone du lieutenant, à son domicile, noté au stylo bleu. Je me demande pourquoi elle voulait le rencontrer.

– Un mystère de plus », dit Chee. Il se pencha pour examiner le tiroir du bas, en sortit des pages dactylographiées qu'il tendit à Bernie. « Ça te dit quelque chose ? »

Bernie les reconnut. C'était la section manquante du rapport du lieutenant consacré à la collection McManus.

Janelle affirma qu'elle n'avait pas entendu de bruits particuliers provenant du cabinet d'estimations ; qu'elle n'avait rien vu d'étrange à l'exception de la voiture d'Ellie qui n'avait pas bougé. Elle referma à clé et leur communiqua l'adresse personnelle d'Ellie qui figurait dans ses dossiers de contrats de location.

« Elle m'a dit qu'elle vivait seule, poursuivit Janelle. Ce serait terrible si elle avait eu une attaque cardiaque ou je ne sais quoi d'autre et qu'elle gisait par terre sans pouvoir bouger. »

C'était à environ trois kilomètres. Bernie reprit le volant. « Bon, mais pourquoi ce désordre, dans son cabinet ?

– Je crois que quelqu'un est venu chercher quelque chose, répondit Chee. Peut-être Ellie elle-même, ou quelqu'un d'autre. Difficile à dire. Ça dépasse le fouillis classique d'un emménagement. »

Chee compara les notes de Mme Friedman avec le calendrier du calepin de Leaphorn. Les dates du rendez-vous correspondaient.

« Ellie lui a donc posé un lapin, dit-il. Je pense que nous avons trouvé notre fantôme surgi du passé. Les photos couleur m'ont rafraîchi la mémoire. C'est la femme qui travaillait à Chaco Canyon. Tu te souviens de cette chercheuse disparue qui avait failli être tuée par un collègue de travail ? Celle à qui Leaphorn a sauvé la vie ? C'était Ellie. Eleanor Friedman-Bernal. On en a plein la bouche, de ce nom.

– Tu en es certain ?

– Absolument. Je m'en souviens parce que c'est moi qui avais fourni le renseignement au type qui a failli l'assassiner.

– Tu n'aurais jamais fait ça.

– Si. Je m'en suis rendu compte à temps, que j'avais été un idiot fini, et j'ai pu aider le lieutenant à l'emmener à l'hôpital. Elle était inconsciente quand je suis arrivé sur les lieux et je ne l'ai jamais revue. Elle était impliquée dans je ne sais quelles fouilles suspectes, sur les sites de pueblos, des ruines qui se trouvaient le long de la San Juan. Un drôle d'endroit pour aller récupérer quelqu'un. J'avais été obligé d'affréter un hélicoptère.

– Étrange qu'elle ait disparu à nouveau. L'histoire se répète.

– Si ce n'est qu'au lieu de tenir le rôle de la victime elle pourrait être notre suspecte, cette fois. »

Ellie Friedman vivait dans un quartier ouvrier où un fatras de complexes d'appartements se mêlaient à des maisons isolées qui associaient des murs extérieurs en pseudo-adobe et les toits plats irréalistes qui sont la marque de fabrique de Santa Fe. Les clôtures en fer, les rochers peints et les moulins à vent miniatures des jardins complétaient le tableau.

L'adresse d'Ellie les conduisit à un immeuble d'habitation neuf aux abords non paysagés, à l'extrémité d'un bloc, un des rares bâtiments du quartier à avoir un étage. Bernie se gara et grimpa les marches, Chee sur les talons. Elle sonna, entendit le carillon à l'intérieur. Les stores étaient baissés. Elle se pencha pour regarder par la fente métallique réservée au courrier, dans la porte d'entrée, aperçut sur le sol un tas multicolore de prospectus et de publicités.

« On pourrait appeler Cordova pour qu'il contacte les flics locaux et qu'ils viennent ouvrir, au cas où il s'agirait d'une scène de crime, dit-elle.

– Je crois que oui.» Il actionna le bouton de la porte qui tourna dans sa main: elle n'était pas fermée de l'intérieur.

Il cria: «Police. Assistance à l'habitant. Eleanor, ça va? Ellie, vous êtes là?»

Bernie jeta un regard, derrière elle, à l'allée d'accès déserte avant de le suivre à l'intérieur en enjambant le courrier et en refermant silencieusement la porte.

L'air chaud sentait le renfermé, puis des relents de vieilles ordures parvinrent jusqu'à eux. Le salon contenait un canapé noir, un fauteuil assorti, une affiche du Grand Canyon et une télé à écran large. À l'exception du courrier, la pièce et la salle à manger contiguë étaient relativement en ordre. Bernie nota les piles de livres, par terre, et un tiroir de la table basse qui était ouvert.

Elle s'engagea dans le couloir, jeta un coup d'œil par les portes demeurées ouvertes. Dans la chambre, le contenu de la commode en chêne (lingerie, T-shirts, et autres vêtements) avait été jeté sur le lit double. Un thriller relié, à la couverture rouge et noire, était posé sur la table de nuit. La porte du placard était entrouverte, les vêtements accrochés sur des cintres poussés d'un côté. Pas de valise. Ellie l'avait-elle emportée? La salle de bains aux murs jaunes présentait un désordre comparable. Bernie vit un panier de cosmétiques à côté du lavabo. Une seule serviette éponge sur le porte-serviettes.

Elle retrouva Chee dans la cuisine.

«Ça fait un bon moment qu'elle n'est pas rentrée, dit-il. Je suis aussi allé vérifier dans la pièce où il y a la machine à laver et dans les placards. Aucun cadavre nulle part et personne à la maison.

– Pareil de mon côté. La chambre et la salle de bains sont en désordre, exactement comme son cabinet. On dirait qu'elle est partie en toute hâte. Ou qu'elle a fouillé la pièce à la recherche de quelque chose.»

Elle aperçut les plantes qui pendaient sur le rebord de la fenêtre. Toucha la terre dans les pots. Archi-sèche. « Regarde ces violettes africaines fanées. Les pauvres. Je me demande pourquoi elle ne les a pas confiées à des voisins ou à Janelle avant de partir. »

Elle retourna dans le salon, s'accroupit pour jeter un coup d'œil sur les enveloppes. « Personne n'a ramassé le courrier depuis mercredi dernier.

– Je vais appeler Cordova, dit Chee, et lui annoncer que nous avons un autre suspect possible pour la tentative de meurtre contre Leaphorn.

– Comment Ellie aurait-elle eu accès à la voiture des Benally ? Et pourquoi aurait-elle tiré sur l'homme qui lui a sauvé la vie ?

– Excellentes questions. Il ne nous manque plus que les réponses. »

14

Après Cordova, Chee appela Largo pour lui communiquer la nouvelle de la disparition d'Eleanor Friedman.

« Chee, soyez ici, à Window Rock, demain à midi, pour une réunion avec les Fédéraux et la police de l'État afin de parler de ce qu'il convient de faire maintenant.

– Il y a du nouveau ?

– Pas beaucoup. La police de l'Arizona a trouvé un Leonard Nez qui a été conduit au poste pour y être interrogé. Le mauvais Leonard Nez, il a dans les quarante ans. Benally garde toujours le silence sur l'endroit où se trouve le bon Nez. » Largo projeta un petit souffle d'air dans le combiné. « Les Fédéraux nous ont envoyé quelqu'un pour poser des questions à Jackson sur Nez. Les mêmes que les nôtres. »

Il ricana. « Ils pensent qu'elle a pu les payer, soit lui, soit Nez, peut-être les deux, qu'il peut s'agir d'une machination faisant intervenir un tueur à gages, voire plusieurs. »

Il demanda à Chee de transmettre un message à Bernie. « L'ancienne femme d'Austin Lee a appelé. Elle dit qu'elle ne le voit pas souvent, mais que si ça se présente elle lui communiquera la nouvelle, à propos de Leaphorn. Elle m'a demandé de dire à votre femme que le lieutenant et Lee sont frères de clan. Elle a exprimé sa tristesse que le lieutenant soit blessé.

– Je vais transmettre à Bernie. Autre chose ?

– Ouais. Rappelez-lui qu'elle est en congé. Non pas que ça serve à grand-chose. »

*

Chee conduisait sur la I-25 en périphérie sud de Santa Fe. À l'embranchement de la NM 14, la route qui mène au pénitencier d'État, ils dépassèrent le petit hangar saugrenu avec son énorme dinosaure sculpté. Dans le ciel de juin, les formations nuageuses d'altitude avaient procuré un peu d'ombre mais pas de pluie. Elles laissaient présager un coucher de soleil en technicolor.

Bernie regarda le paysage changer entre les trembles de Fremont de la vallée de la Cienega et les parois volcaniques de La Bajada, la colline la plus abrupte entre Santa Fe et Albuquerque. Près du sommet, elle entrevit les ornières de la vieille route empruntée par les chevaux, les chariots puis les Ford Model T, à l'époque où l'autoroute goudronnée ne reliait pas aussi facilement les deux villes.

« J'ai lu, dans le *New Mexico Magazine,* que certaines voitures d'autrefois étaient obligées de grimper la pente péniblement en marche arrière pour arriver au sommet, dit-elle. Il fallait presque toute la journée pour se rendre de Santa Fe à Albuquerque. Maintenant, il faut une heure.

– Moins, si c'est toi qui conduis. » Il croisa la route qui partait vers le lac Cochiti et, plus loin, le pueblo de Santo Domingo. Bernie sortit l'enveloppe remise par Maxie Davis et se replongea dans les documents, qu'elle n'avait fait que parcourir, espérant y découvrir des réponses aux questions que se posait le lieutenant à propos des estimations d'EFB.

Le téléphone de Chee sonna dans le chargeur du pick-up.

Elle mit le haut-parleur et répondit.

« Ah… euh. Je voudrais parler à l'agent Jim Chee.

– Il est au volant. Agent Manuelito à l'appareil. Est-ce que je peux faire quelque chose pour vous ?

– C'est vous qui avez failli être tuée ?

– Qui êtes-vous ?

– Jackson. Vous savez, Jackson Benally. J'ai pensé à un autre endroit où quelqu'un aurait pu prendre la voiture.

– Je vous entends, dit Chee. Bonjour, Jackson.

– M'man me la laisse pour aller au ranch où je travaille le samedi et le dimanche, et quand je n'ai pas de cours. Nous devons laisser les clés sur le contact au cas où ils auraient besoin de déplacer les voitures quand ils font rentrer un gros chargement de foin, du bétail ou autre chose. » Il parlait vite. D'une voix nerveuse. « Si quelqu'un en avait profité pour faire un double de la clé ? Il aurait pu revenir en douce pour la voler ? Et tirer sur le policier ? »

Chee secoua la tête sans quitter la chaussée des yeux. « Laissez-moi réfléchir un peu à cette possibilité, Jackson. En attendant, je me demande toujours ce qu'est devenu Leonard Nez, et je pense à cet oncle et à son ranch. L'idée que quelqu'un ait exécuté un double de votre clé en se disant qu'elle serait sur le parking de Bashas me paraît un peu tirée par les cheveux, vous ne… »

Il se tut en entendant « chut » et en voyant Bernie, l'index posé sur ses lèvres.

Le téléphone se tut lui aussi, mais Bernie remarqua qu'il y avait encore des barres lumineuses. Jackson devait réfléchir.

« Comment s'appelle le ranch où vous travaillez ? lui demanda-t-elle.

– Le Double X. C'est près de Cortez. Vous voyez ?

– Je vois. Donnez-moi le numéro de téléphone. »

Jackson le récita de mémoire pendant que Bernie le notait. Un signe favorable. Peut-être disait-il la vérité.

« Et pour Nez ? insista-t-elle.

– Oh, je vous entends très mal. Le signal n'est… » Il raccrocha.

« Je pense qu'on devrait appeler le ranch pour vérifier si l'histoire de Jackson tient debout, dit-elle.

– Vas-y, fais-le. Pourquoi tu ne prends pas les choses en main ? Moi, je continuerai à fouiller dans les fichiers, à suivre des fausses pistes, à faire du surplace. Ton nouveau copain du FBI préfère travailler avec toi, de toute façon.

– Désolée. Je n'aurais pas dû te demander de te taire. J'ai cru que Jackson allait dire quelque chose d'important si tu faisais semblant d'être intéressé.

– Ça m'a franchement agacé. »

Elle s'abîma dans la contemplation du paysage, observa les coulées de lave qui s'étendaient à l'ouest jusqu'à la cime bleue des montagnes, réfléchit à Ellie qui avait disparu, à la façon dont elle-même s'impliquait dans cette histoire. À la promesse faite à Leaphorn, et à combien elle était loin de l'avoir tenue.

« Tu es bien silencieuse, remarqua-t-il.

– C'est frustrant. Terminer ce dossier d'estimation pour le lieutenant aurait dû être aussi facile que de passer un coup de téléphone à EFB. Et au lieu de ça, on se retrouve avec un nouveau mystère. »

Chee attendit. « Mais encore ? »

Bernie soupira. « Je n'ai pas aimé le voir dans son lit d'hôpital : il ne va pas mieux. Ça m'a fait prendre conscience que je dois passer plus de temps avec Mama. Et je suis inquiète pour Darleen. J'ai essayé de l'appeler deux fois aujourd'hui. Pas de réponse. »

Elle garda le silence si longtemps qu'elle donnait l'impression d'en avoir terminé. Puis elle ajouta : « Mais c'est surtout à cause de cette enquête. Les pistes que nous avons s'évanouissent ou débouchent sur des complications dès que nous y regardons à deux fois. C'est vraiment décourageant. Ça me rend folle. Je n'arrête pas d'y repenser en me demandant ce qui nous a échappé. »

Elle posa la main sur la jambe de Chee, sentit la chaleur de son corps à travers le jean. « Et je me demande si la personne qui a tiré ne risque pas d'essayer de te tuer, de tuer Largo ou quelqu'un avec qui nous travaillons. Si les Fédéraux se trompaient, si nous avions affaire à un déséquilibré qui déteste les flics ? »

Chee lâcha le volant d'une main. Il posa le bras sur ses épaules. Elle se serra contre lui, heureuse qu'il n'y ait pas des sièges séparés à l'avant du camion. « Il faut arrêter de ruminer tout ça, ma chérie, dit-il. Nous faisons le maximum.

– Et puis il y a toi, dit-elle. Il y a nous. Nous n'avons pas assez de temps pour nous non plus. Si nous ne travaillions pas ensemble, nous ne nous verrions pratiquement jamais.

– Tu as raison. Quand nous arriverons au bout de cette enquête, nous irons faire un tour à Monument Valley. Les gens de ma famille pourront nous héberger. Nous ferons de grandes promenades et arrêterons de penser au travail pendant un jour ou deux. »

Ils laissèrent derrière eux les lumières criardes du Casino Hollywood, une tentative indienne supplémentaire, couronnée de succès, pour rétablir l'équilibre des comptes avec les spoliateurs d'origine espagnole ou anglaise et leurs descendants. À Bernalillo, Chee prit l'US 550 vers le nord-ouest et le pueblo de Zia. Une vingtaine de minutes plus tard, il mit son clignotant, ralentit et se rangea sur le bas-côté.

« Quelque chose qui ne va pas ? »

Il ne répondit pas.

« Tu t'endors ? Tu veux que je conduise ? »

Il coupa le moteur. Libéra sa ceinture de sécurité et se pencha pour défaire celle de Bernie. Il descendit du pick-up qu'il contourna pour lui ouvrir sa portière. Lui tendit la main.

« Madame Chee, accepteriez-vous de venir savourer cet instant avec moi ? »

Le ciel était majestueux. Les Monts Sandia se dressaient à l'est tel un monolithe bleu découpé, illuminé d'éclats orange, rouge vif et jaune tournesol par le coucher du soleil. Il l'entoura de son bras tandis qu'ils regardaient la lumière passer du magenta à un rose brumeux et se dissoudre dans le gris soyeux qui précède les ténèbres estivales. « Je me fais du souci pour toi, lui dit-il. La jeune femme joyeuse que j'ai épousée travaille trop. Elle a trop de fardeaux à porter. »

Elle se nicha plus près de lui. « Dimanche soir, quand tu es rentré tellement tard, je me suis dit que tout allait bien. Mais quand même. Et après ce qui est arrivé à Leaphorn...

– Tout va trop vite. Nous ne voulons pas de cette vie de cinglés que les gens ont à Santa Fe. »

Elle rit. « Parfaitement. Nous voulons la vie de cinglés des Navajos de Shiprock. »

Tandis qu'il la serrait contre lui, elle aperçut la douce lumière palpitante de la première étoile. *So'Tsoh* ou Grosse Étoile. Vénus, la déesse de l'amour.

C'était elle qui conduisait quand, au crépuscule, ils traversèrent Cuba, petite ville du comté de Sandoval réputée pour son restaurant, El Bruno, dont la nourriture compte parmi les meilleures du Nouveau-Mexique. Ils commandèrent tous les deux des enchiladas, Bernie au fromage avec du piment vert, Chee au bœuf rôti et aux piments de Noël, verts et rouges.

Ils avaient fait halte ici à plusieurs reprises avec le lieutenant, après les longues soirées de réunions à Albuquerque. Leaphorn mangeait toujours un burger, se souvint-elle, sans fromage ni oignons, et le faisait suivre d'une tranche de tarte surmontée d'une boule de glace à la vanille.

Ils regagnèrent le camion et la lune presque pleine leur éclaira le chemin.

« À combien sommes-nous de Chaco Canyon ? lui demanda-t-elle. J'ai très envie de voir le lieu d'où viennent ces fichues

poteries. Et comme tu n'as pas besoin d'être tôt au travail... »
Elle laissa sa phrase en suspens.

« Avant la bifurcation, il y a quatre-vingts kilomètres de route rapide puis trente de plus, lents, jusqu'aux ruines.

– Tu as du matériel de camping dans le pick-up ?

– Oui. Deux sacs de couchage. J'ai même un sachet de fruits séchés que nous pourrons manger au petit déjeuner.

– Allons y passer la nuit. On se lèvera tôt, on verra un peu le parc avant de repartir. »

Elle conduisit sur la route goudronnée jusqu'à Nageezi. Dans le temps, ça l'effrayait de rouler sur la NM 550 une fois la nuit tombée, à cause de la combinaison mortelle des gros camions, des longues distances et des routes perpendiculaires qui débouchaient sans prévenir. L'alcoolisme, un des fléaux du pays indien, s'ajoutait au mélange funeste de chauffeurs à moitié assoupis ou inattentifs. Depuis, le Service des Routes du Nouveau-Mexique avait élargi la chaussée et ajouté des bandes vibrantes pour arracher au sommeil les conducteurs qui dérivaient vers le bas-côté. Elle dépassa des camions qui transportaient du bétail, des semi-remorques en route vers l'ouest et un petit nombre de pick-up, de breaks et de 4×4. Quand elle vit le panneau indiquant le site national historique de Chaco Canyon, elle tourna à gauche et poursuivit sa route, d'abord sur le bitume, puis, quand il n'y en eut plus, sur la terre tassée qui cédait la place à de la tôle ondulée et du sable. Pas un seul véhicule en vue.

Chee déclara : « Je ne suis pas revenu depuis la fois où le lieutenant et moi enquêtions sur la disparition d'Ellie, la première. Elle travaillait ici. »

Bernie hocha la tête. « Quand tu as loué l'hélicoptère ? Tu l'as juste payé comme ça, avec ta carte de crédit ? »

Il rit. « C'est une longue histoire. En réalité, il y en a eu deux, des hélicoptères. Le type qui avait blessé Ellie était archéologue mais aussi pilote. Il avait éventré les tombes des anciens et Ellie l'avait découvert. Une enquête fascinante. Leaphorn ne m'a jamais dit comment elle a été résolue. Il m'a juste confié qu'il ne comprenait pas, dans la culture des Blancs, leur fixation sur la vengeance, leur volonté de rendre coup pour coup.

– Ce n'était pas juste après le décès d'Emma ?» Bernie regrettait toujours de ne pas avoir eu l'occasion de connaître l'épouse de Leaphorn.

« Si. Après sa mort, il a déposé une demande de mise à la retraite, mais ensuite il a changé d'avis. Je pense que le fait d'avoir retrouvé Ellie lui a procuré la motivation nécessaire pour demeurer policier quelques années supplémentaires.

– Ça te surprend, que Louisa et lui ne se soient pas mariés ?

– Je lui ai demandé, une fois.» Chee gloussa. « Il m'a répondu qu'il le lui avait proposé mais qu'elle avait refusé. En disant qu'elle avait déjà été mariée et que ça ne lui convenait pas bien.»

Bernie se pencha vers le pare-brise. « Je crois que j'ai aperçu quelque chose de gros, devant nous.

– Oui. J'ai vu aussi.

– Ça me rend nerveuse.» Elle avait grandi au milieu d'histoires de porteurs-de-peau*, les légendaires changeurs-de-forme navajo qui prennent l'aspect de divers animaux et rôdent dans les ténèbres en quête d'actes malfaisants à commettre. Elle gardait le souvenir vivace des récits à vous faire dresser les cheveux sur la tête que sa grand-mère lui racontait sur les horreurs dont ils étaient coupables. Cette présence surprenante, par une calme nuit de pleine lune, la faisait réagir comme une fillette de cinq ans angoissée.

« Les wapitis sont de retour dans la région, expliqua Chee. Il y a peut-être un lion des montagnes, voire un loup gris du Mexique qui les pourchasse.

– J'espère juste qu'aucune créature ne va traverser la route.

– Oh non. Et la chatte ? Nous n'allons pas être rentrés pour la nourrir.

– Tu lui as donné à manger ce matin. Elle a aussi eu un bol d'eau. Tu pourras la nourrir dès notre retour.

– Oui. Je sais. Mais quand même. La pauvre. »

Bernie restait à un bon soixante-dix à l'heure pour atténuer les cahots sur la tôle ondulée. À la sortie du virage suivant, les phares rencontrèrent la robe rousse de trois vaches hereford, un petit troupeau au milieu de la route. Elle relâcha l'accélérateur et, les deux mains sur le volant, appuya plusieurs fois sur le frein. Elle braqua sur la droite, mais les phares éclairèrent une quatrième vache qui cheminait d'un pas nonchalant vers ses congénères et l'endroit où le pick-up serait passé si Bernie n'avait pas braqué à nouveau en se décalant plus encore sur la droite. Elle sentit le pneu avant qui mordait dans le sable meuble au bord de la route. Les vaches levèrent la tête et observèrent avec intérêt le véhicule qui se rapprochait.

Bernie pensa : Camion, arrête de rouler. Vache, ne bouge pas, reste calme. Restez calmes, toutes.

Elle abandonna davantage la tôle ondulée argileuse tandis que les pneus s'enfonçaient dans l'épaisse couche de sable à la limite de la terre tassée. Le petit camion fit une embardée, ralentit, puis les pneus arrière rencontrèrent la surface solide sous le sable. Elle accéléra un peu et revint sur la route.

Elle entendit Chee qui relâchait sa respiration. Les phares éclairèrent brièvement un panneau, un triangle jaune avec une vache dessinée en noir.

« Heureusement qu'il est là, dit Chee. Très bons réflexes. Laisse-moi prendre le relais un moment. »

Elle s'arrêta et ils mirent pied à terre. Même si la température était probablement montée à trente-deux degrés dans la journée, l'air nocturne était frais et agréable, il caressait le dos trempé de sueur de Bernie. Au-dessus d'eux, en dépit du clair de lune, elle vit des centaines d'étoiles. Des milliers. L'Étoile du Nord, ou Feu Central, *Nahookos Baka. Argo Navis*, l'Étoile Coyote, qui scintillait au sud dans un soupçon de rouge et d'orange. La stridulation des criquets et les bruits d'autres insectes, qu'elle ne reconnaissait pas, peuplaient la fin de soirée.

« Ma grand-mère n'aimait pas que l'un de nous soit dehors une fois la nuit tombée, dit-elle. À l'heure où les *chindis* rôdent en quête de mauvais coups à faire. »

Chee se campa à côté d'elle et étudia les étoiles. « La mienne était pareille. Il m'a fallu des années avant de me sentir en accord avec les ténèbres. Et parfois, ça revient.

– C'est le bon sens du policier de métier. Et qui peut prétendre que nos grands-mères avaient tort ? »

Ils cahotèrent pendant vingt minutes encore, heureux que la lune soit là pour les éclairer et qu'il n'y ait plus de vaches, de wapitis, de chevaux retournés à l'état sauvage, ni même d'autres véhicules sur la route. Ils distinguèrent la forme emblématique de Fajada Butte qui se dressait au loin.

« Je n'avais jamais vu les environs de nuit, dit Chee. C'est encore plus désert, plus isolé, plus mystérieux.

– À propos de mystère, il a été résolu, celui de l'endroit où les habitants sont partis ?

– Celui-là, oui, de manière assez convaincante. Avant, on disait qu'ils avaient disparu. Des recherches approfondies ont montré qu'ils sont partis quand les conditions sont devenues trop rudes. Pourtant, personne ne sait pourquoi ils s'étaient installés ici, au tout début, ni pourquoi ils ont bâti ces immenses structures et construit des kilomètres et des kilomètres de routes larges pour aller d'un site habité à l'autre. Et, bien sûr, on ignore ce qui se passait dans leurs kivas.

– Je me souviens que mon oncle me racontait des histoires sur notre peuple et les anciens qui vivaient ici. Les liens de parenté qu'ils avaient avec les Navajos, surtout avec le *Kiiyaa'áanii*.

– On m'a raconté comment ce clan tient son nom d'une tour de pierre qui se trouve non loin d'ici. À moins que ce soit dans Canyon de Chelly ? Est-ce que ton oncle t'a parlé de Pueblo Pintado ?

– Probablement. Je m'en veux de ne pas me souvenir de tout ce qu'il m'a raconté. Mais il m'a dit, ça je m'en souviens, que sans le Diné, il n'y aurait pas eu de civilisation ici. »

Ils sentirent et entendirent la différence quand les pneus quittèrent la terre pour le goudron. Bernie vit un panneau : Centre des visiteurs de Chaco Canyon, huit kilomètres. Ça allait leur faire du bien, de s'allonger et dormir.

Puis elle vit un mouvement. « Attention. »

Chee freina.

De grandes formes noires se dressaient devant eux. Le faisceau des phares se réfléchissait dans leurs yeux. Contrairement aux vaches à demi assoupies, les wapitis libérèrent la route d'un bond et poursuivirent leur course.

« Ils sont énormes, dit-elle.

– Ouais. Ils sont plus gros, ici, parce qu'on est plus bas. D'habitude, tu les vois en altitude, dans les Chuska où ils sont plus petits. »

Elle rit. « Alors c'est pour ça que les truites nagent dans les rivières de montagne et que les baleines vivent dans l'océan ?

– Exactement. J'ai toujours su que tu apprenais vite. »

Quand ils pénétrèrent dans le camping, Chee mit les feux de position. Ils dépassèrent des tentes dressées à côté de tables de pique-nique et de barbecues sur pied, des caravanes, des sihouettes rectangulaires de camping-cars. Il leur fallut plusieurs minutes pour trouver un emplacement libre. En essayant de ne pas faire de bruit, ils sortirent les toiles de sol et les sacs de couchage, les étendirent sur la terre sableuse qui conservait la chaleur de la journée de juin.

Ils approchèrent leurs sacs de couchage l'un de l'autre et entreprirent de retirer leurs chaussures.

« C'est quoi, ce bruit ? demanda Chee en parlant tout bas.

– On dirait un croisement entre un gargouillis et le frottement du papier de verre. Je parierais pour des grenouilles, des crapauds ou quelque chose comme ça.

– Je croyais qu'il leur fallait de l'eau.

– Il a dû pleuvoir, ici », dit Bernie. Le désert était un endroit merveilleux, songea-t-elle, plein d'une vie qui attend patiemment sous la surface de la terre qu'une goutte d'humidité l'incite à sortir de son trou. « Je parie que demain nous allons voir des fleurs sauvages ouvertes. »

Chee retourna au camion, revint avec leurs gourdes et lui tendit la sienne. « Tu m'as donné soif. »

Ils se glissèrent dans les sacs de couchage et il l'attira plus près de lui. Jusqu'à ce qu'ils s'endorment, ils regardèrent la lune se déplacer dans le ciel infini du Nouveau-Mexique.

Bernie se réveilla à la lumière gris perle de l'aube. Elle regarda Chee qui contemplait le ciel. « Viens courir avec moi », lui murmura-t-elle. Ils enfilèrent leurs chaussures pour aller à la rencontre du jour, coururent à travers le camping où des tentes en nylon bleues, grises et vertes avaient poussé comme des champignons, se rapprochèrent de la route principale au pied des falaises de grès érodées. L'air frais leur apportait le cri des oiseaux.

Ils coururent jusqu'à ce que le soleil se lève avant de faire demi-tour et, quand ils revinrent, le camping sortait du sommeil. Ils entendirent des conversations étouffées, sentirent des odeurs de café et de bacon. Près de leur emplacement, une femme en chemise à carreaux alimentait le feu sous un barbecue. « Bonjour, voisins », leur dit-elle en les voyant approcher. Elle prit un pot bleu par son anse en utilisant une serviette comme tissu isolant. « J'en ai plus qu'il ne m'en faut. Vous voulez vous joindre à moi ?

– Avec plaisir, répondit Bernie. C'est vraiment très gentil de votre part. »

La femme lui tendit une tasse assortie au pot, servit Chee dans une autre, grande et rouge, leur proposa du lait et du sucre.

« Quel que soit l'endroit où je me trouve, dit-elle, je ne peux commencer la journée sans boire une tasse. »

Bernie goûta. C'était du thé, pas le café auquel elle s'était attendue. Elle aurait dû le deviner à l'odeur. Au moins, c'était chaud.

« Elles vous plaisent, les ruines de Chaco ? lui demanda Chee.

– Je viens tous les trois ou quatre ans. Mon mari venait avec moi, il râlait tout le temps que c'était loin de Denver. Maintenant, il est avec sa nouvelle femme, il râle sûrement pour autre chose. » Elle eut un petit rire, se resservit. « Je m'appelle Karen.

– Moi, c'est Jim. Et elle, Bernie. »

Bernie remarqua un bloc-notes ouvert sur une page de croquis.

« Vous êtes dessinatrice ?

– Si on veut. Je dessine les endroits que j'aime, un journal visuel. Chaco reste mon préféré. J'ai fait les sites principaux, il y a plusieurs années, avec monsieur le râleur. Maintenant j'explore ceux qui sont plus difficiles d'accès.

– Vous partez en randonnée seule ? » lui demanda Chee.

Karen hocha la tête.

« Soyez prudente.

– Je l'ai été. » Elle but son thé. « Je vous proposerais volontiers un vrai petit déjeuner mais je ne cuisine pas ce matin. Je range et je m'en vais.

– Nous allons voir les ruines, dit Bernie, et après il faudra que nous reconduisions ce garçon à son travail.

– Vous habitez près d'ici, alors ? Je suis jalouse. C'est quoi, votre métier ?

– Je suis policier », répondit Chee. Il tourna la tête vers Bernie. « Elle aussi. Nous sommes basés à Shiprock.

– Eh bien, vous allez peut-être trouver ça intéressant : au début de la semaine, je dessinais sur la piste, à Pueblo Alto. Quand je me suis garée, il y avait une autre voiture. J'ai escaladé, je voulais une belle vue sur Pueblo del Arroyo, c'est la ruine la plus proche du parking. J'ai remonté un lit de rivière asséché et je me suis installée à l'ombre, face à un superbe panorama. Je perds la notion du temps lorsque je travaille. Je ne sais pas depuis quand j'y étais, mais j'ai entendu du bruit. Comme si des gens se disputaient. J'ai aperçu deux randonneurs sur la piste qui suit la crête. Une femme avec une chemise à manches longues, vous savez, ces machins chers qui protègent des UV ? L'autre avait un de ces chapeaux kaki qui s'attachent à l'aide d'une ficelle, ces trucs risibles que portent les gens âgés. »

Chee hocha la tête. Karen poursuivit : « La personne coiffée du Chapeau-Risible tordait le bras de l'autre pour l'obliger à avancer. Elle résistait, mais Chapeau-Risible semblait avoir plus de force. Ou Manches-Longues a simplement abandonné. Ils ont disparu, mais je les ai entendus se disputer encore un moment. Je n'y ai pas attaché une importance particulière. J'ai recommencé à dessiner. La lumière était parfaite, vous savez ? Bon. J'ai fait une pause pour prendre ma gourde et j'ai vu Chapeau-Risible, en bas, qui courait. Sur le coup, je me suis dit qu'il faisait trop chaud pour courir. J'ai fini, j'ai remballé mes affaires et je suis redescendue tranquillement à ma voiture. L'autre, je suppose que c'était la leur, n'était plus là. »

Elle posa sa tasse. « Je me suis dit que la femme avait dû repartir à pied, avant ou après, je n'en sais rien, et que je ne l'avais pas vue passer. Mais ça m'a travaillée.

– Vous avez signalé l'incident au quartier général du parc ?

– Non. Je ne voulais pas que les gardes me prennent pour une artiste illuminée. J'ai décidé d'y passer ce matin, mais le bureau n'est pas encore ouvert et il faut que je prenne la route.

– Nous allons leur en parler, déclara Bernie. Nous partons par là dans quelques minutes, de toute façon. Il y a eu autre chose, en rapport avec cet incident, que nous devrions leur signaler ?

– J'ai entendu un bruit fort pendant que je dessinais. J'ai pensé à une voiture qui aurait eu un retour d'allumage ou à quelqu'un qui aurait fait éclater un pétard. Mais maintenant que j'y réfléchis et que je vous en parle, ça aurait pu être une détonation. »

Bernie et Chee prirent le camion pour se rendre au centre d'accueil des visiteurs où ils se dirigèrent vers le bureau d'information. Ils se présentèrent au garde qui avait des cheveux gris, Andrew Stephen, comme étant des policiers navajo. « Est-ce que Joe Wakara est là aujourd'hui ?

– Non. C'est moi qui suis de service. Je peux vous aider ?

– Les vieux de la vieille prennent leur jour de congé, comme tout le monde », remarqua Chee.

Stephen rit. « Vous le connaissez, hein ? »

Aussi loin que remontaient ses souvenirs, Wakara, un ami de Leaphorn, était le chef de la sécurité du parc.

Chee mentionna l'altercation entre les randonneurs.

« Personne n'est venu nous signaler une disparition. Je vais demander à notre collègue qui patrouille de remonter cette piste assez loin, cet après-midi. On ne sait jamais.

– À propos, où est-ce, Pueblo Alto ? » demanda Bernie.

Stephen lui montra sur la carte.

« Je ne suis pas venu à Chaco depuis un bon moment, dit Chee. Ce n'est pas un nouveau centre d'accueil des visiteurs, ici ?

– Il a ouvert il y a plusieurs années. Le vieux bâtiment dont vous vous souvenez a dû être rasé.

– Trop vieux ? On ne l'avait pas construit dans les années 1950 ?

– Ironique, non ? L'Amérique moderne serait incapable de construire un centre d'accueil qui dure soixante-dix ans. Les bâtiments érigés par les Pueblos sont encore debout après plus d'un millénaire. Mais cette fois, nous avons procédé comme il convient. Nous avons demandé à un Indien de venir bénir le site. » Il sourit à Chee. « Alors, c'est vous que j'appelle si quelqu'un me prévient qu'il y a des vaches sur la partie de la route située en territoire navajo ?

– Ça dépend si les vaches veulent porter plainte à cause des automobilistes qui les harcèlent. Ça fait longtemps que vous travaillez ici ?

– Quinze ans. J'adore. À part la route.

– Est-ce que vous avez connu une femme nommée Eleanor Friedman-Bernal qui faisait des recherches ici ? demanda Bernie.

– Ellie ? Un peu. J'ai été recruté quelques mois avant qu'elle échappe à la mort. Elle a appelé ici, le mois dernier, tout excitée. Elle m'a dit qu'elle avait abandonné son poste à l'université et qu'elle revenait au Nouveau-Mexique. Qu'elle viendrait voir les ruines et qu'elle passerait me dire bonjour.

– Je suis chargé d'une mission par le CRIA, dit Bernie. J'aimerais lui parler de certaines poteries de Chaco.

– Elle est experte en poteries. C'est sa spécialité. Elle est littéralement passionnée. Vous la connaissez ?

– Je l'ai rencontrée, dit Chee. J'ai enquêté sur cette affaire qui a failli lui être fatale. Elle est donc revenue ?

– Pas encore. Il faut croire qu'elle a modifié ses plans. Il paraît qu'elle a toujours été un peu instable. On m'a dit qu'elle voulait rouvrir son cabinet d'estimations maintenant qu'elle n'enseigne plus. Il faut croire que ça lui prend tout son temps. » Il sourit à Bernie. « Si les poteries vous intéressent, nous avons des livres, ici. Des ouvrages de référence difficiles à trouver qui s'intéressent essentiellement aux poteries du site. »

Ils allèrent au coin librairie, passèrent ensuite quelques instants à admirer les objets exposés. La majorité des pièces trouvées à Chaco Canyon ayant été emportées ailleurs il y avait bien longtemps, celles qui étaient présentées leur avaient été prêtées. Le musée Maxwell de l'Université du Nouveau-Mexique avait fourni des exemples de bijoux, animaux sculptés, fragments de turquoise travaillés, outils en pierre, tessons de poteries noirs et blancs, dans le cadre d'un partenariat prolongé entre ces deux institutions proches.

Un groupe d'enfants navajo, âgés de six ou sept ans, envahit la salle. En plus de deux femmes, visiblement des enseignantes, Bernie repéra un jeune homme de grande taille au milieu des enfants. Garçon Voûté. Elle le vit intervenir auprès de deux garçons qui se bousculaient depuis un moment, les prendre chacun par un bras et s'accroupir pour leur parler en se mettant à leur niveau. Tiens, se dit-elle. Elle avait présumé qu'il était sans emploi.

Garçon Voûté l'aperçut et sourit. À aucun moment elle ne l'avait vu sourire en présence de Darleen. Il s'approcha en remorquant les deux garçons derrière lui.

« *Yá'át'ééh* », dit-il.

Elle ne se souvenait pas de son nom. Il sembla le comprendre et la tira d'embarras en se tournant vers Chee. « Je m'appelle Charley Zah. » Il se présenta selon la coutume navajo. « Je suis un ami de la sœur de l'agent Manuelito. »

Chee se présenta pareillement. Les garnements que Zah tenait fermement s'impatientaient. « Vous avez de quoi vous occuper.

– Vous pouvez le dire. » Garçon Voûté rit. « Nous les amenons en excursion, l'été, une ou deux fois. Dans le car, nous leur racontons les histoires de Chaco, nous leur parlons de ceux qui vivaient ici. Après, nous leur montrons les ruines, ils prennent un peu le soleil, ils regardent les corbeaux s'élever dans les airs. Vous êtes ici officiellement ? Il paraît qu'on a retrouvé des corps dans le canyon à plusieurs reprises. Sans oublier ce qu'il est advenu de tous ceux qu'on n'a pas retrouvés, ici. Enlevés par des extraterrestres ? »

Chee rit. « Nous ne travaillons pas sur ces vieilles affaires classées. Nous les laissons aux archéologues. Ils essaient de comprendre pourquoi, dans un endroit habité aussi vaste, il y a si peu de sépultures. »

Les deux élèves indisciplinés tiraient sur les mains de Garçon Voûté. « Nous commençons notre visite par Pueblo Bonito, si jamais vous voulez vous joindre à nous ou nous éviter. Mais notre première étape se situe là-bas.» Du menton, il désigna les toilettes et se laissa entraîner. «Heureux d'avoir fait votre connaissance», lança-t-il à Chee. Et, à Bernie: «Heureux de vous avoir revue.

– Alors c'est ce garçon qui a une mauvaise influence sur Darleen?

– Je l'ai peut-être mal jugé, dit Bernie. C'est sûr qu'il paraît très différent, ici.

– Ça doit être dû à ce que l'on nomme le Phénomène de Chaco.

– Tu sais tout, hein?»

Il sourit: «Et ce que je ne sais pas, je l'invente.»

Ils quittèrent le bâtiment pour suivre la piste menant à Una Vida, une des structures que les archéologues appellent les Grandes Maisons: une très haute ruine constituée de pierres taillées à la main, partiellement ensevelie sous des siècles de sable chassé par le vent et sous une fine couche d'âpre végétation. La piste qui traversait ce qui restait des pièces d'habitation les conduisit à des pétroglyphes, la représentation, par les artistes d'autrefois, d'animaux, d'éclairs, de spirales, peut-être aussi de divinités.

Bernie s'arrêta près d'une section de mur qui semblait différente de la maçonnerie en pierre environnante. «Ça pourrait être un vieux campement à moutons.»

Chee la rejoignit, la brochure à la main. «C'est exact. Évidemment, il y a eu des enclos navajo, ici, vers 1800.

– S'il y avait un peu d'eau, ce serait un bon pays pour l'élevage des moutons», dit-elle.

Ils revinrent au centre d'accueil et à leur pick-up en sentant pleinement la chaleur croissante.

«Dans deux semaines, ce sera envahi de gens qui viendront pour le solstice, dit Chee.

– Les défenseurs de la spiritualité et ceux qui se prennent pour des Indiens me rendent malade.

– Je ne peux pas leur reprocher de vouloir être ici. Il n'y a aucun endroit vraiment comparable, dans le monde entier. Quand tu penses que ceux qui vivaient ici étaient tellement clairvoyants que, dix siècles plus tard, on peut encore utiliser leurs cadrans solaires. C'est impressionnant.

– J'aime la façon dont l'architecture se fond dans le paysage. Je me demande ce qui les a fait venir ici ? »

Chee allongea le pas pour ouvrir le petit camion.

« Ils sont venus à pied, chérie. Le pick-up n'avait pas encore été inventé. »

Ils n'avaient plus le temps de marcher, mais explorèrent la piste goudronnée en boucle qui offrait des panoramas sur d'autres ruines imposantes, les vestiges d'une culture qui avait atteint son apogée et périclité en l'espace de trois siècles. Ils sortirent ensuite du parc, dépassèrent le point de vue sur Fajada Butte et la route conduisant aux ruines de Wijiji. « Voir ces endroits a aiguisé ma curiosité au sujet des poteries qui en viennent, dit Bernie, celles sur lesquelles le lieutenant travaillait. Et au sujet d'Ellie. »

Chee ralentit quand ils quittèrent la chaussée goudronnée pour la route de terre. « Intéressant, ce que le garde nous a dit, qu'elle voulait revenir.

– Et c'est sûrement pour ça qu'elle avait marqué Pueblo Alto sur son calendrier. Elle a peut-être décidé de tirer sur le lieutenant avant, puis de se cacher.

– Nous lui poserons la question quand nous l'aurons retrouvée. Ou quand les Fédéraux l'auront arrêtée.

– Elle donne plutôt l'impression d'être quelqu'un de calme. Concentrée sur son travail. Il faut croire que passer autant de temps en compagnie de vieilles poteries rend les gens, disons, insensibles.

– À moins que ce dialogue soit le fait de ne pas aimer beaucoup les gens qui incite à se passionner pour les poteries.

– On croirait parler aussi du Dr Davis. Les fanas de poteries sont peut-être tous des introvertis. »

Ils cahotèrent un moment en silence. La tôle ondulée de la route interdisait tout confort, même relatif. Que l'on aille vite ou lentement, les vibrations menaçaient de desserrer des boulons. Bernie vit un coyote efflanqué dont le poil marron clair avait la couleur de la terre sablonneuse et contrastait avec le gris de la sauge. Elle observa un trio de vautours à tête rouge qui se détachaient sur le ciel bleu vif. Pas encore de nuages.

« Davis a menti en disant qu'elle ne se souvenait pas de moi. J'ai bien vu, à sa façon de me regarder, qu'elle savait qui j'étais. Son visage m'a rappelé quelque chose. Mais, à l'époque où je l'ai rencontrée, elle avait les cheveux roux, longs et bouclés.

– C'était quand ?

– Il y a des années. Ici, à Chaco, quand j'enquêtais sur la disparition d'Ellie avec le lieutenant. Nous l'avions interrogée. La majorité des gens n'ont pas souvent l'occasion d'être en contact avec la loi. Ils se souviennent des policiers.

– Peut-être essaie-t-elle d'oublier cette phase de sa vie, suggéra Bernie.

– Peut-être. Mais Ellie et elle vivaient dans des logements destinées aux employés. Je trouve bizarre que le nom de la société EFB ne lui ait rien rappelé non plus.

– Elle ne connaissait peut-être pas le nom qu'Ellie a choisi pour son cabinet. Tu l'as vue chercher dans sa banque de données. »

Bernie remarqua une voiture qui venait à leur rencontre, tressautant sur la tôle ondulée, à la limite de la perte de contrôle. « Tu sais, l'autre point qui ne va pas dans tout ça, c'est Leonard Nez. S'ils n'ont pas tiré sur le lieutenant, pourquoi Jackson garde-t-il un tel silence sur lui et sur ce qu'ils faisaient ce jour-là ? Le dénommé Nez doit avoir un certain pouvoir, un moyen de faire pression, il le menace.

– Ouais, dit Chee. Je ne crois pas à cette histoire d'oncle qui n'a pas de nom et qui habite du côté de Zuni. Ce que ça cache doit être suffisamment important pour que Jackson accepte de passer une nuit en prison. »

Afin d'échapper au nuage de poussière que soulevait un 4×4 King Cab qui remorquait une caravane, Chee déboîta et le dépassa. « Tu te souviens du ranch où Jackson a déclaré qu'il travaille ?

– J'en ai entendu parler, répondit Bernie. La famille Jacobs y habite depuis des générations.

– Je crois que le numéro de téléphone qu'il t'a donné est celui qu'Ellie a noté sur son bloc-notes, à côté de "SJ". Je me suis souvenu de l'indicatif du Colorado. »

Bernie vérifia les notes qu'elle avait prises dans le cabinet d'EFB et sortit son téléphone portable. Quand elle obtint enfin le signal, elle appela : pas de réponse, mais le message enregistré lui annonça qu'elle était au ranch Double X.

« Tu avais raison. Et ça établit un lien entre Ellie, Jackson et la voiture. »

Elle ouvrit la boîte à gants pour en sortir une carte routière qu'elle déplia sur ses genoux.

« Je crois que je sais par où il faut passer, dit Chee. Je reste sur la grand-route jusqu'à ce qu'on atteigne Farmington. Ou jusqu'à ce que je me range sur le côté pour te laisser le volant. Corrige-moi si je me trompe. Mais c'est une chose que je n'ai plus besoin de te dire, hein, mon cœur ? »

Elle lui donna un coup de poing sur le bras. Pas fort, mais assez pour qu'il le sente quand même.

« Je cherche le chemin le plus court entre Shiprock et le ranch Double X.

– Tu pourrais utiliser le GPS de ton téléphone.

– Exact. J'adore la façon dont la voix numérisée déforme les noms de lieux navajo. Je peux garder le pick-up ?

– Désolé. Pendant que tu iras trouver SJ, cet après-midi, je dois me rendre à Window Rock. Je me demande quelle nouvelle torture Largo a inventée à mon intention. »

15

Chee prit une douche et Bernie rappela le ranch Double X. Slim Jacobs, le propriétaire et exploitant, décrocha, et elle s'identifia. Oui, il acceptait de lui parler d'EFB, même si son ranch ne se trouvait pas sur la réserve navajo et, ajouta-t-il, même s'il pensait qu'elle ne se trouvait pas dans sa zone de compétence. Et oui, il connaissait Jackson Benally. La journée était plutôt calme. Qu'elle vienne. Il lui fournit un meilleur itinéraire que sa carte routière.

Elle prépara deux sandwiches au beurre de cacahuètes, une cafetière, sortit sa tasse de voyage.

Le regard de Chee se posa sur le comptoir de la cuisine. « Tu y vas, alors ? »

Il sentait bon le savon et le soleil, pensa-t-elle. « Si Slim Jacobs peut nous aider à retrouver Ellie, ça vaut amplement le voyage. Je peux achever le travail d'estimation et toi, continuer de te renseigner sur elle et obtenir des précisions sur ce rendez-vous qu'elle avait fixé avec le lieutenant. Et qui sait, peut-être Slim pourra-t-il aussi nous apprendre quelque chose sur Leonard Nez.

– Pourquoi tu ne lui as pas simplement demandé au téléphone ?

– Il ne me connaît pas et il m'a paru susceptible. De vive voix, c'est préférable. À propos, Largo a téléphoné pendant que tu te lavais. Mme Benally t'attend. Elle a des informations sur Nez, mais elle n'accepte de parler qu'à toi.

– J'avais raison en parlant de torture. »

Elle versa du café dans la tasse de voyage qu'elle lui tendit en même temps qu'un sandwich. « Je n'ai pas réussi à trouver la tienne. Prends celle-ci. »

Il l'embrassa. « Et toi ?

– Je vais boire mon café ici, j'emporterai un Coca.

– À ce soir. N'oublie pas d'appeler Darleen. »

Le trajet pour se rendre au Double X lui prit une heure. D'ordinaire, ça la détendait de conduire, mais pas cette fois. Curieux, songea-t-elle. Seule dans la Toyota, elle se souvint de la détonation, de l'expression de surprise et de choc sur le visage de Leaphorn tandis qu'il s'affaissait sur le sol. Du grondement de la voiture qui partait à toute vitesse. Du sang chaud qui devenait poisseux sur ses mains. Des yeux foncés qui fixaient sans rien voir dans un visage de plus en plus pâle. De l'odeur de goudron chaud. De la sirène de l'ambulance.

Elle lâcha le volant d'une main pour essuyer ses larmes. Concentre-toi sur la circulation, se dit-elle. Tu as un travail à terminer. Tu n'as aucune raison de pleurer.

Elle dépassa le panneau signalant la limite de la Réserve Navajo. La Montagne du Ute* qui Dort, un lieu important pour les partis de guerriers utes, se dressait au nord-ouest. Aux yeux de certains, sa silhouette bleue et massive appelait l'image d'un homme allongé, coiffé d'un chapeau à plumes ; d'autres y voyaient une femme à la poitrine généreuse. Le casino de Ute Mountain était tapi dans l'ombre de la montagne, avec ses lumières clignotantes, ses lettres de néon et un parking archi-plein.

Quelqu'un avait marqué la bifurcation menant au ranch Double X à l'aide d'un vieux pneu pendu à un poteau de clôture. Elle abandonna la chaussée de l'US 491, tressauta sur une grille à bétail avant d'atteindre la terre. Un cheval opérait son choix parmi la maigre végétation. Apparemment, un poney revenu à l'état sauvage : le terme employé par les touristes était « pittoresque », celui des propriétaires de ranches, « calamiteux ». Elle appuya sur le frein quand un chien marron efflanqué traversa devant elle de droite à gauche. Il s'arrêta au sommet d'un accotement de terre pour la regarder poursuivre sa route cahotante.

Le ranch Double X était une exploitation de tout premier ordre qui avait la réputation de respecter la terre et de bien traiter ses employés. Il y avait beaucoup d'espace, par ici, pensa-t-elle. Un dédale d'arroyos* peu profonds, des pistes de terre qui allaient vers les mesas, des affleurements de rochers. Le plateau du Colorado, où régnaient coyotes et corbeaux, lui fit penser au cadre d'une gigantesque chasse à l'homme à la poursuite des bandits qui avaient dévalisé un casino, des années auparavant. En dépit des efforts de nombreuses forces de l'ordre, les fugitifs s'étaient évaporés dans ce paysage aride[1].

Au bout de quinze cents mètres environ, elle vit une succession de pick-up trucks et de conduites intérieures cabossées (les véhicules emblématiques de la réserve) garés le long de la route. Elle les dépassa pour buter sur une pelleteuse qui bloquait en partie le passage après le virage suivant.

« Je vais travailler toute la journée par intermittence, lui expliqua le conducteur. Vous feriez mieux de garer votre voiture avant, si vous ne voulez pas vous retrouver bloquée. »

Elle effectua un demi-tour, se gara au bout de la file, l'avant face à la route goudronnée, et marcha jusqu'à la ferme principale avec, en arrière-fond sonore, le grondement grave de la pelleteuse. La plupart des véhicules avaient les vitres baissées et les clés sur le contact, comme l'avait affirmé Jackson.

1. Voir *Blaireau se cache* (Rivages/noir n° 442).

Assis à l'ombre de la terrasse, un énorme chien hirsute aboya à son arrivée. Il se leva péniblement et ne se donna pas la peine d'approcher. La porte d'entrée était entrouverte, mais l'écran moustiquaire fermé.

« Il y a quelqu'un ? » appela-t-elle. Le chien continuait d'aboyer. « Je viens voir M. Jacobs. »

Le grillage s'ouvrit et un homme bedonnant vêtu d'un jean et d'une chemise à carreaux gris sortit sur la terrasse. « Tais-toi, Princesse. Suffit. » La chienne fit silence en gardant un œil sur Bernie. « Elle fait juste son boulot », dit l'homme.

Il sourit, dévoilant un court instant des dents plantées de travers. « Entrez. Je suis Slim Jacobs. Vous devez être l'agent Manuelito.

– Exactement. » Elle essuya les semelles de ses Nike sur le paillasson qui disait « *Salut, mon vieux* ».

« Je peux vous apporter de l'eau, agent Manuelito ? J'ai peut-être du soda quelque part.

– Je vous remercie, monsieur Jacobs. De l'eau, ce sera très bien. Vous pouvez m'appeler Bernie.

– Et vous, appelez-moi Slim. Ou comme vous voudrez. Du moment que vous ne m'appelez pas trop tard pour le dîner. » Il lui fit signe de s'asseoir à une grande table en bois couverte de tas de factures, de catalogues, de correspondance. Un Stetson qui avait beaucoup servi était accroché à une patère.

« Je suis au courant, pour le vieux policier qui a été blessé par balle à Window Rock, dit-il. C'est terrible. Vous avez une idée, sur celui qui a fait ça ?

– Nous y travaillons. C'est pour ça que je voulais vous parler d'Ellie Friedman. Elle avait pris rendez-vous avec ce policier, avant la tentative d'assassinat. Je la cherche pour lui parler de ça ainsi que d'une ancienne estimation qu'elle a faite.

– Je crains que vous n'ayez fait tout le voyage jusqu'ici pour rien, Missy, dit-il. Je n'ai jamais réussi à la voir, la semaine dernière. Cette Ellie m'a posé un lapin. Pas de coup de téléphone pour me prévenir qu'elle ne viendrait pas. Pas de coup de téléphone après pour m'en expliquer la raison. Bien sûr, elle a toujours été un peu écervelée. J'ai essayé de la contacter pour remettre à plus tard et lui dire que, du coup, elle me devait un repas. J'ai laissé des messages. Je n'ai pas eu de réponse.

– C'est étrange.

– Surtout de la part de quelqu'un qui se remet en affaires. La première fois que je l'ai appelée, il y a quinze jours, elle est venue tout de suite. Elle avait l'air très intéressée par ce travail, alors nous avons fixé une date. J'ai tout préparé, je nous ai même fait à déjeuner.

– Je travaille pour un musée de Santa Fe. Je voudrais la retrouver afin de pouvoir mettre un point final à ma mission. Il semble que vous la connaissiez vraiment bien. »

Slim afficha un large sourire. « Oh, on a eu une histoire, tous les deux, à l'époque où elle travaillait à Chaco, avant qu'un cinglé essaie de la tuer et qu'elle commence à enseigner à ASU[1]. Elle m'a dit qu'on l'avait licenciée et qu'elle avait décidé de revenir au Nouveau-Mexique. Qu'il fait plus frais ici. Une chouette fille. »

Il se tut et parut dans l'attente d'une question.

« Comment l'aviez-vous rencontrée ?

– Je l'avais engagée pour procéder à une estimation, à l'époque où elle était encore inexpérimentée. J'avais vu le petit carton qu'elle avait affiché sur le panneau de la laverie automatique, à Cuba. Elle ne faisait des estimations qu'à temps partiel, à ce moment-là, elle arrivait à en caser quelques-unes pendant qu'elle étudiait les poteries anciennes. Et moi, je travaillais sur un ranch près de Cuba, je marquais une pause loin du nôtre et de mon père. »

1. Arizona State University.

Princesse gémit à la porte et Slim se leva pour la laisser entrer. Elle s'approcha de la visiteuse. Bernie ne tenant nul compte de sa présence, elle se dirigea nonchalamment vers Slim pour poser la tête sur ses genoux. Il lui gratta les oreilles d'un geste automatique tout en parlant.

« Je possédais des pièces que j'avais récupérées. La plupart du temps, elles venaient de gars qui travaillaient sur le ranch et qui avaient besoin de quelques dollars pour acheter de l'essence. Je me demandais si l'un ou l'autre de ces pots valait quelque chose. L'argent m'aurait été bien utile. Elle est venue, on a bu une bière ou deux, on a commencé à parler et on s'est bien entendus. En plus de ce qu'elle faisait à Chaco, elle m'a expliqué qu'elle montait un cabinet d'estimations, qu'elle travaillait en partenariat. Elle avait décroché un contrat pour évaluer une importante collection d'objets anasazi qui partaient chez les Japs. Je crois qu'aujourd'hui on les appelle autrement, ces poteries anciennes, on ne dit plus anasazi. »

Il se tut brièvement. « Vous êtes un peu pueblo sur les bords ?

– Non, dit Bernie. Navajo des deux côtés, d'aussi loin que tout le monde s'en souvienne.

– Comme Ellie logeait avec les employés, dans le parc de Chaco, on se retrouvait à Cuba. Elle avait un box où elle entreposait ses meubles, une poignée de livres, des boîtes de fragments de poteries pour sa recherche, ce genre de choses. Elle avait assez de place pour y fabriquer des pots et elle avait installé une petite table et des dossiers de rangement pour l'aspect administratif de son cabinet.

« Enfin bon, on allait danser au bar, on se payait une bouteille de Cold Duck ou de Blue Nun[1]. Peut-être un joint, et après on retournait au box pour goûter un moment d'intimité. On voyait les caravanes, les camping-cars et les bateaux qui y étaient

1. Deux vins très bon marché.

garés, et on s'amusait à se raconter qu'on partait pour une destination exotique. Ces vieilles caravanes Airstream argentées, elles nous faisaient hurler de rire. Des suppositoires sur roues. »

Il se tut, puis dit : « Vous ne m'aviez pas demandé tout ça, hein ? »

Elle but un peu d'eau froide, jeta un regard sur le fouillis de célibataire où se mêlaient paniers indiens, cailloux, livres, reçus jaunis, plusieurs petites mais belles couvertures navajo. Elle attendait la suite de l'histoire.

« En tout cas, cette transaction avec les Japonais, ç'a été la seule fois où je l'ai vue se mettre en colère, ça la prenait sérieusement à rebrousse-poil.

– Pourquoi ? Elle aurait dû être contente d'avoir décroché ce travail, puisqu'elle était nouvelle dans le métier. »

Il gloussa. « C'est exactement la question que je lui ai posée. Le type voulait les estimations parce qu'il vendait tout le fourbi à un rigolo de Tokyo plein aux as. Je lui ai dit : "Mais bon sang, Ellie, il y en a par milliers, des vieilles poteries, ici. Qu'est-ce que ça peut te faire ?" Nom de nom, je la vois encore comme si j'y étais. Qu'est-ce que j'ai pris ! »

Il adopta une voix un peu plus aiguë : « "Le patrimoine américain !" "Envolé pour toujours !" "Irremplaçable." "Ces gens n'ont absolument aucune conscience !" Ces anciennes poteries, elle les aurait achetées elle-même juste pour qu'elles restent dans notre pays, si elle avait eu le fric. »

Il s'écarta de la table, oscillant sur les pieds arrière de la chaise, ce qui entraîna le départ de Princesse. Et signala, pensa Bernie, la fin de sa diatribe.

« Il semble qu'elle était drôlement calée sur les poteries de Chaco Canyon.

– Il n'y avait rien, dans le monde entier, qui l'intéressait plus. Elle aimait particulièrement celles fabriquées par les Indiens qui habitaient dans le canyon même. Elle les préférait à celles qui étaient arrivées à la suite d'échanges commerciaux, qui venaient de groupes indiens différents, d'une façon ou d'une autre, ou de gens qui arrivaient d'ailleurs en empruntant ces grandes routes. Vous êtes au courant de tout ça ?

– Un peu. Ça fait réfléchir, de se dire qu'elles sont assez larges pour un camion. Je me demande pourquoi les anciens prenaient le temps et la peine de les construire.

– Ellie et moi, on en parlait. J'avais toujours pensé que les gens venaient à Chaco pour faire la fête, rendre visite à leurs proches, peut-être pour essayer de trouver une femme. Quelques prières et un peu de commerce avant de prendre le chemin du retour. »

Il se tut, lui adressa un sourire. « Vous êtes jolie. Mariée ?

– Oui. Vous aviez commencé à me dire qu'Ellie n'est pas venue pour l'estimation, la semaine dernière.

– Il n'y a pas grand-chose à ajouter là-dessus. » Il s'arrêta de parler. Reposa les pieds de la chaise sur le sol. Avala une gorgée.

« La collection que vous avez mentionnée, reprit Bernie, celle qui est partie pour le Japon. Il est possible que ce soit l'estimation sur laquelle j'ai des questions à lui poser. Certaines, parmi les poteries qu'elle a évaluées, reviennent dans un musée de Santa Fe.

– Le retour au pays ? Ellie en sera très heureuse. Elle aimait particulièrement les grandes poteries verticales. Elle les appelait des cylindres, et c'est bien ce à quoi elles ressemblent. Elle en parlait souvent, insistait sur leur rareté. Leur beauté. Elle m'en avait montré une en photo. Assez jolie, je suppose, mais pour moi, c'était juste une vieille poterie maigrichonne. »

Il repoussa sa chaise et se leva. « Une petite minute, Missy. Je reviens tout de suite. »

Princesse le regarda partir avant de se glisser sous la table et de poser le museau sur le genou de Bernie, qui n'était pas habituée à voir des chiens dans une maison, mais lui tapota la tête.

Slim réapparut avec une photo. « Je l'ai retrouvée la semaine dernière. Jackson et moi, on cherchait des trucs, on se préparait pour l'estimation à laquelle elle n'est pas venue. C'est le genre de poterie qu'elle adore. »

Il lui tendit un cliché vraisemblablement pris vingt ans plus tôt. « C'est Ellie, avec la poterie. »

Une jeune femme pâle, aux cheveux clairs, tenait un récipient cylindrique devant elle. Bernie remarqua un schéma en triangle qui lui rappela le dessin de Leaphorn. Une seconde femme se tenait à côté d'Ellie. Elle lui sembla vaguement familière.

Slim reprit place sur sa chaise. « En fait, je suis assez content que vous n'ayez pas réussi à la trouver. J'ai cru que c'était moi qu'elle voulait éviter.

– Est-ce que vous avez encore le temps de répondre à deux ou trois questions ?

– Allez-y. J'ai toute la journée.

– Ellie vous a-t-elle dit qu'elle devait quitter la ville, partir chez des amis, ce genre de chose ?

– Non, pas du tout. Elle semblait pressée de procéder à l'estimation, et assez contente de me revoir.

– Vous a-t-elle parlé un jour d'un homme qui s'appelle Joe Leaphorn ?

– Pas dans mon souvenir, mais je n'ai plus ma mémoire d'antan.

– Vous avez mentionné que vous connaissez Jackson Benally. Vous est-il arrivé d'avoir des problèmes avec lui ? »

Slim hésita. « Avec Jack ? C'est un gars bien. Un peu jeune pour son âge, parce que sa Mama ne veut pas le laisser jeter sa gourme. » Ses sourcils remontèrent sur son front. « J'ai pas mal roulé ma bosse, Missy. Je vois où vous voulez en venir. N'allez pas vous imaginer que Jackson a tiré sur ce policier. Il ne veut même pas tuer les serpents à sonnette qu'empêchent de tendre une clôture. Pourquoi vous me posez des questions sur lui ?

– Il est possible que sa voiture ait été utilisée. Il a disparu juste après la tentative d'homicide et il a menti à l'enquêteur en disant qu'il était à l'université. Il a dit qu'il était avec un ami, mais cet ami n'a toujours pas été retrouvé.

– Un ami ? Qui ça ?

– Un jeune homme appelé Leonard Nez.

– Le Lézard ?

– Vous le connaissez ? » Jacobs était plein de surprises.

« Lézard Nez ? Ce garçon, c'est un fana de rodéos. Il n'a pas disparu. Renseignez-vous sur combien on offre, ce mois-ci, pour chevaucher un bronco. C'est là que vous le trouverez.

– Pourquoi Jackson n'a-t-il pas voulu nous le dire ? »

Slim gloussa. « J'imagine que c'est parce que sa féroce Mama n'aime pas du tout les rodéos. Elle ne veut absolument pas que son fils adoré soit, en aucune façon, sous quelque forme que ce soit, ou dans quelque condition que ce soit, impliqué dans des activités de cow-boy. Si j'ai bien compris, Jackson n'a pas particulièrement envie de se faire jeter au sol et piétiner. Il accompagne Lézard comme une sorte de manager. Et pour rencontrer des filles. »

Bernie réfléchit. Une possibilité.

« Vous est-il arrivé d'avoir des difficultés avec Jackson ? »

Slim rit à nouveau. « Vous me l'avez déjà demandé. Vous savez comment sont les jeunes. Jackson a tendance à ce que j'appelle s'y croire un peu. Il a encore besoin de mûrir. Mais non. Du moment qu'il sait ce que j'attends de lui, il répond présent. »

Bernie pensa à Darleen. La description lui correspondrait aussi.

Slim se leva, prit le verre d'eau de Bernie et le sien. Les remplit au robinet. Préleva dans le réfrigérateur un seul glaçon pour chacun des verres. Se rassit. Princesse s'écarta et partit vers la porte qu'elle poussa avec sa truffe.

« Qu'est-ce que Jackson fait, au ranch ?

– Vous diriez sans doute que c'est un apprenti, un assistant ou quelque chose comme ça. Il est doué pour le calcul, il m'aide pour les impôts, les paperasses administratives. Il travaille dur dehors, si je lui demande. En plus de m'aider, il va de temps en temps sur un petit champ de fouille. » Il tourna son regard vers la droite, au-delà de la clôture, en direction de l'horizon. « Tout ça est on ne peut plus légal. Sur mes propres terres. Jackson y travaille avec Maxie, sur son temps libre, tant que ça ne concerne pas de sépultures. Il me dit qu'il aime étudier l'archéologie, mais je pense qu'il sait reconnaître une jolie femme quand il y en a une qui passe à proximité.

– Maxie Davis ? C'est elle qui figure avec Ellie, sur la photo ?

– Ouais. Maxie se fait appeler le docteur Davis. Vous la connaissez ? »

Bernie hocha la tête. « Quel genre de travail fait-elle, ici ?

– Oh, c'est tout une histoire. Une de ces routes qui viennent de Chaco Canyon et dont on discutait tout à l'heure, il se trouve qu'elle passait droit à travers le ranch, enfin, là où le ranch se serait trouvé s'il avait existé il y a mille ans. C'est Maxie qui me l'a appris. Elle voulait creuser chez moi, effectuer des recherches. Un jour, elle m'a appelé alors que je ne m'y attendais pas du tout. Je lui ai dit d'accord. Elle a découvert un petit campement. Une sorte de hameau.

– Très intéressant, dit Bernie.

– Les chercheurs disposent d'un tas de matériel ultramoderne, maintenant, pour détecter des ruines ensevelies. Mais le Dr Davis… Sacré nom, avant, je disais seulement Maxie, mais maintenant c'est le Dr Davis. Elle n'a pas eu besoin de tout cet équipement moderne. Elle se souvenait qu'elle avait vu certains fragments de poterie par ici et elle a suivi son intuition. Bingo.

– Donc, d'après la photo, je suppose que vous la connaissiez déjà il y a fort longtemps ?

– Maxie, c'est pas le genre de fille qu'un cow-boy va oublier, même si moi, j'avais un faible pour Ellie. Quand elle est venue me parler de ces fouilles, elle se souvenait que j'avais pris une photo où elle était avec Ellie, et elle m'a demandé si je l'avais toujours. Je lui ai répondu que non. J'avais complètement oublié. Après, elle m'a demandé si j'avais des photos qu'elle avait prises quand elle travaillait avec Ellie. Là encore, je lui ai répondu que non. »

Il secoua la tête. « Ellie les a conservés, tous ces vieux souvenirs. C'est un esprit libre, cette Ellie, mais elle a toujours gardé les archives de ses travaux. Elle m'a dit que si elle découvrait quelque chose de similaire, dans le cadre d'une nouvelle estimation, elle pourrait vérifier en comparant. Ça lui ferait gagner beaucoup de temps.

– Davis vous a-t-elle expliqué pourquoi elle voulait une photo où elles étaient toutes les deux ?

– Je lui ai demandé. Elle m'a répondu que pour elle, ç'avait été une période épouvantable et qu'elle ne voulait pas qu'il en reste des traces. La fois suivante, elle m'a à nouveau posé la question pour la photo. Je lui ai dit que je l'avais donnée à Ellie, juste pour lui couper le sifflet. »

Bernie but une gorgée d'eau. Réfléchit. « En quoi Davis contribuait-elle aux estimations ?

– C'est elle qui prenait les photos. Elle laissait le vrai boulot à Ellie. Je me souviens que, pour la mienne, elles sont venues deux fois. La première, pour étudier les objets. Ellie prenait des notes et Maxie photographiait. Après, elles sont revenues avec le rapport. Ellie s'est assise sur la terrasse et on a parlé de la valeur des objets, on a discuté de choses et d'autres pendant que Maxie prenait de nouvelles photos. Comme s'il y en avait qui étaient floues ou je ne sais pas quoi.

– Ça donne l'impression qu'elles se complétaient bien.

– C'est ce que je me disais aussi. Mais quand Maxie est revenue, récemment, pour ses fouilles, elle a commencé à me poser des questions sur les vieilles archives d'Ellie. Si je savais où elle les rangeait, ce genre de choses. Je me suis dit que si Ellie ne la tenait pas au courant, c'était pas à moi de le faire. Je lui ai répondu qu'elle avait qu'à lui demander. »

Princesse, endormie, ne leva même pas la tête pour un dernier aboiement quand Bernie repartit. En arrivant à sa voiture, elle appela Chee, lui parla de la relation entre Davis et Ellie, et du mystérieux Leonard Nez, star de rodéo en devenir. Elle lui rappela de vérifier les antécédents d'Ellie et de faire de même pour Davis pendant qu'il y était.

« Et Collingsworth ? demanda Chee.

– Pourquoi pas ? » Puis elle trouva un endroit ombragé et mangea son sandwich avant de reprendre la route pour aller chez Mama.

16

Chee passa par son bureau à l'agence de Shiprock, n'y apprit rien de nouveau et se préparait à repartir pour Window Rock où il devait voir Mme Benally et Largo quand la sonnerie de la ligne intérieure retentit. Largo, sur la une.

« Qu'est-ce que vous fabriquiez à Chaco Canyon, nom de nom ? »

Le capitaine n'avait pas l'air content. Chee se raidit. Largo n'avait pas le droit de s'immiscer dans sa vie privée.

« Nous avons rendu visite à Leaphorn à Santa Fe. Comme Bernie n'était pas allée à Chaco depuis ses études, nous nous y sommes arrêtés sur le chemin du retour.

– Et vous vous êtes retrouvés mêlés à un possible homicide ?

– Un homicide ?

– Le personnel du parc a découvert un corps en contrebas de la piste. Celle que vous leur avez indiquée.

– Nous avons rencontré une femme qui avait assisté à une scène bizarre. Ça ne donnait pas l'impression d'être grave. Nous l'avons signalé à un des gardes du parc.

– Ouais. Ça commence toujours comme ça. » Largo poussa un soupir. « Cordova veut vous parler. Sur place. Il s'y rend, là.

– J'ai déjà dit au garde, il s'appelle Stephen, tout ce que cette femme nous a raconté. Qu'est-ce que je fais, pour Mme Benally et la réunion ?

– Vous savez comment ça se passe invariablement avec les Fédéraux. Je vais demander à Wheeler de s'occuper de Mme Benally.

– Ça fait un sacré trajet, pour aller à Chaco, argumenta Chee.

– Consacrez ce temps à réfléchir à l'affaire Leaphorn.» Largo se tut un instant. Chee perçut ensuite le changement de ton dans sa voix. «Comment va-t-il?»

Il réfléchit à ce qu'il était opportun de dire. «Le lieutenant est relié à tout un tas d'appareils et placé sous tranquillisants. Le chirurgien a découpé une partie de la boîte crânienne à cause du gonflement du cerveau. Mais en dépit de tout ça, il est possible qu'il nous ait reconnus.

– Est-ce qu'il vous a dit qui a fait ça? Qui lui a tiré dessus?

– Il ne peut pas encore parler. Nous lui avons demandé s'il connaissait son agresseur et Bernie est certaine qu'il voulait écrire quelque chose. Mais il n'en avait pas la force.

– Zut», fit Largo.

Pendant le trajet, Chee réfléchit à ce qu'il savait de la tentative d'homicide. Le suspect évident, Jackson Benally, n'avait pas le profil d'un tueur. Leonard Nez n'avait ni un passé de violence, ni apparemment le moindre lien avec le lieutenant. Garrison Tsosie? L'ombre d'un mobile et un alibi en béton.

Louisa? Là, c'était une autre histoire. Sa Jeep n'avait été signalée nulle part. Largo venait de lui confirmer que les Fédéraux s'en étaient assurés auprès du service du personnel de l'Université d'Arizona Nord et auprès de ses collègues. Nul n'avait parlé d'une conférence à laquelle elle aurait prévu d'assister dans le courant du mois. Et il n'y avait pas grand-chose dans son dossier, à l'exclusion de ses diplômes universitaires. Elle avait communiqué le nom de Leaphorn comme personne à contacter en cas d'urgence.

Après, la liste était aussi conséquente que la carrière du lieutenant avait été longue, les vérifications sur le terrain innombrables, et la piste de plus en plus froide. Ellie, qui avait eu l'impolitesse de laisser le lieutenant déjeuner seul en ne le prévenant pas ? Un ancien prisonnier rancunier ? Quelqu'un qui détestait la police et avait frappé au hasard, volant le véhicule de Mme Benally avant de le garer au même endroit et de disparaître ?

Dans la voiture de patrouille, Chee se maintenait sur la file de gauche, jetant un coup d'œil aux conducteurs qui respectaient tous la limitation de vitesse et tenaient leur volant à deux mains. Ils avaient vraisemblablement le portable posé sur les cuisses et attendaient qu'il les ait dépassés pour recommencer à rédiger des textos en buvant leur café, en mangeant une pâtisserie, en se maquillant ou en se rasant. Il y avait peu de circulation, le ciel était sans nuages, aussi bleu et pâle que des yeux d'homme blanc.

Tout en conduisant, il réfléchit à ce que Louisa avait dit à propos du lieutenant et d'un fantôme surgi du passé. Il pensa à Eleanor Friedman-Bernal et à ce que Bernie avait appris au sujet de ses estimations sous-évaluées. À en croire Davis, Ellie était quelqu'un d'instable. Chee se souvenait de Randall Elliot, l'homme qui avait failli la tuer. Il lui avait paru aimable, intelligent, inquiet à cause de la disparition d'Ellie.

Il se demanda à nouveau ce qui pouvait pousser quelqu'un à commettre un crime aggravé dans le seul but d'en masquer un autre, beaucoup plus bénin. En tant que policier navajo, il estimait que se livrer à des fouilles illégales pour en retirer un prestige universitaire était bien moins grave que d'infliger des coups et blessures dans l'intention de donner la mort. Un autre élément concernant Elliot et cette affaire lui échappait encore, mais flottait aux confins de sa mémoire. Si seulement il pouvait poser la question au lieutenant.

Il revint rapidement sur la visite à l'hôpital, puis il pensa à Bernie. Toujours elle l'impressionnait, et son bon sens le ravissait. Elle possédait un instinct très sûr, une intuition aiguisée, une capacité incroyable à se comporter avec les gens d'une façon adéquate. Au ranch Double X, elle allait découvrir sans le moindre problème tout ce qui avait trait à Ellie. Après, elle pourrait la contacter, en finir avec le travail de Leaphorn pour le compte du CRIA. Peut-être allait-elle trouver quelque chose qui ferait accéder Ellie au statut de suspect logique ou, plus vraisemblablement, qui la rayerait de leur liste.

Il dépassa le petit village de Nageezi, tourna en direction de Chaco, longea les rares propriétés installées sur ces terres semi-arides, une poignée de vaches désœuvrées sous le soleil. Il pensa au lieutenant, se souvint de la carte routière de la Nation Navajo accrochée sur son mur, celle qui était éditée par l'Association automobile américaine. Il y inscrivait chaque crime à l'aide d'une épingle de couleur différente, et s'en servait pour faire apparaître des schémas récurrents. Chee se demanda à quel genre de vérifications Leaphorn se livrerait pour résoudre le crime dont il était lui-même victime.

En cahotant sur la route déserte, il se rappela à quel point le lieutenant lui avait paru verdâtre lors du vol en hélicoptère qui avait marqué leur retour à la civilisation après le sauvetage d'Ellie. Ç'avait été une des premières et seules fois où il avait eu le sentiment que son chef occasionnel si fréquemment critique pouvait être sujet à d'humaines faiblesses. Lors de ce voyage agité, Leaphorn lui avait fait l'honneur de lui demander d'exécuter, pour lui, une cérémonie de la Bénédiction. Il n'avait jamais su quel terrible démon le lieutenant avait affronté dans ce canyon parsemé de ruines et ne le lui avait jamais demandé.

Après la mort de son oncle et professeur, Hosteen Nakai, Chee avait interrompu les études qu'il avait entamées en vue de devenir *hataalii*. Il ne pouvait, aujourd'hui, exécuter une cérémonie de guérison traditionnelle complète pour le lieutenant, avec les chants sacrés et les peintures de sable. Mais il pouvait en organiser une, passer plusieurs coups de téléphone dans la journée, se mettre au travail sur ce projet. À l'époque, il ne s'était pas du tout attendu à ce que le lieutenant témoigne d'un quelconque intérêt pour ce rite* guérisseur, mais Leaphorn avait toujours su le surprendre.

À l'endroit où la route se divisait, il s'engagea sur la voie principale qui menait au centre d'accueil des visiteurs, celle que Bernie et lui avaient empruntée la veille. Sa voiture officielle, un robuste 4×4, s'accommodait de la tôle ondulée, des pièges sableux et des nids-de-poule, pratiquement aussi bien, ou aussi mal, que son pick-up. Lorsqu'il pleuvait, cette route devenait traîtresse et glissante. Caravanes, 4×4, minivans remplis d'infortunés touristes dérapaient et s'embourbaient. Les visiteurs s'apercevaient alors qu'un téléphone portable n'est pas aussi intelligent que le prétend la publicité.

Il pensa à la victime qui l'attendait. Pourquoi les gens que Karen avait entendus se querellaient-ils ? Et s'il ne s'agissait pas d'un meurtre, mais d'un accident de randonnée ? Il ruminait ces pensées quand il se rangea sur le côté pour laisser passer une Honda blanche avec des plaques du Texas. Si Manches-Longues avait mentionné des idées de suicide, et si Chapeau-Risible l'avait invitée à venir pour lui remonter le moral ? Une stratégie qui avait échoué. Chapeau-Risible s'était énervé parce que Manches-Longues refusait d'écouter la voix de la raison. Une dispute s'en était suivie, Manches-Longues avait appuyé sur la détente et s'était tuée.

Il rejeta l'ensemble avant même d'être parvenu au terme du scénario. Si cette femme avait vraiment décidé de se tuer, pourquoi aurait-elle accepté de venir si loin ? Et qui donc prendrait la fuite en abandonnant une amie suicidaire en possession d'un pistolet ? Ou, après le coup de feu, laisserait son amie morte, peut-être seulement blessée, sans alerter les secours ?

Le meurtre, qu'il soit de sang-froid ou commis sous l'emprise de la colère, semblait être la seule hypothèse plausible. Il n'aurait pas été découvert avant longtemps si, par hasard, Karen n'avait pas entendu les protagonistes, et si, par coïncidence, Bernie et Chee ne l'avaient pas rencontrée au camping.

Il vit un nuage de poussière qui s'élevait au-dessus de la route devant lui et mit la climatisation sur recyclage interne d'air. Il rattrapa et dépassa un petit camion noir immatriculé au Nouveau-Mexique, pénétra dans le parc en retrouvant enfin la chaussée goudronnée. Juste après Pueblo Bonito, quelqu'un avait mis un écriteau « Route fermée » au-dessus des informations relatives à l'organisation du parc. Un des gardes de Chaco avait bloqué l'entrée du circuit en boucle avec son camion pour empêcher les touristes de s'y engager. Il lui fit signe de passer.

Chee longea le parking désert, poursuivit en direction de deux groupes de ruines en pierres. La barrière qui interdisait aux visiteurs d'aller au-delà des tables de pique-nique et du bureau d'information des randonneurs était ouverte. Une voiture des services du shérif du comté de San Juan y était garée. Chee reconnut Tim Morris, l'adjoint au shérif, avec qui il avait travaillé sur une affaire de garde d'enfant opposant la mère navajo au père qui travaillait sur les champs de pétrole et habitait à Shiprock.

Chee baissa sa vitre pour lui dire bonjour. « Alors c'est toi, le petit veinard qu'on a appelé ?

– C'est moi, confirma Morris. Comment tu vas ? Je ne t'ai pas vu depuis que tu t'es laissé passer la corde au cou. Comment ça se passe, la vie d'homme marié ?

– Tu ne trouveras pas plus heureux dans le monde entier. Où est l'agent Cordova ? »

Morris pointa le doigt sur le sommet de la mesa. « Là-haut.

– Tu veux rire. »

L'adjoint fit non de la tête. « Il y a une piste, de l'autre côté de ces ruines, elle grimpe à flanc de paroi. Cordova m'a demandé de te prévenir qu'il te retrouverait au sommet. Tu as vu le corbillard ?

– Noir, gros, l'idée qu'on peut se faire d'un véhicule banalisé ? Ouais, il est derrière moi. Ça doit être un nouveau qui vient chercher le corps. Il roule trop lentement sur la tôle ondulée. »

Il poursuivit son chemin, se gara près de la Ford Crown Victoria. Quand il mit pied à terre, il fut accueilli par une vague de chaleur sèche et impitoyable. Il trouva la piste qui menait aux ruines de Pueblo de Arroyo : les vieux murs de pierre qui avaient autrefois été des maisons, tout là-haut. Il marcha quinze minutes en cherchant la piste de Pueblo Alto, un autre ensemble de ruines à l'écart des chemins battus dans un lieu qui, déjà, était à l'écart des sentiers battus. Il resta prudemment sur la piste étroite qui montait au milieu des gros blocs rocheux, au-dessus des ruines de Pueblo de Arroyo, délogea deux serpents marron superbement camouflés pour se confondre avec la roche. Il suivit une série de petits signes marron qui disaient : « Piste ».

Finalement, il vit « Piste » avec une flèche pointée vers le ciel et remarqua dans le sable une trace de pas incomplète. Une empreinte qui attirait le regard, se dit-il, composée de lignes sinueuses.

La marche se transforma en escalade. Il lui fallut avoir recours à ses deux mains pour conserver son équilibre et se hisser dans la première partie de cette ascension très raide. Puis pour se glisser dans un étroit passage. Il observa un temps d'arrêt à l'ombre de l'anfractuosité, entre les parois de grès, en apprécia la fraîcheur. S'il avait eu d'autres chaussures, il aurait escaladé beaucoup plus facilement. Et il aurait dû apporter de l'eau. Pourquoi les Fédéraux ne prévenaient-ils jamais de rien ?

Il émergea de la crevasse sur la mesa où il découvrit une piste plus plane et une vue sur Pueblo de Arroyo, la voiture de l'adjoint et celle du FBI. Il progressa rapidement, remarqua la roche grise qui ressemblait à de la boue pétrifiée. Un panorama de terres desséchées par le soleil et divisées par les méandres d'un Chaco Wash* à sec s'ouvrit à son regard. Il remarqua un point de couleur rouille, sur un gigantesque bloc de grès érodé, et quand il l'observa de plus près, comprit qu'il contemplait une crevette fossilisée. La mesa grimpait légèrement sur sa gauche en une succession de wash asséchés et de saillies rocheuses. Il allait être plus facile d'atteindre le sommet que de grimper comme il venait de le faire. Il ne distinguait pas encore les ruines de Pueblo Alto ; pour ça, il fallait qu'il chemine encore un peu. Pourquoi Cordova avait-il tenu à le faire monter jusque-là ?

L'agent du FBI était accroupi près d'un vaste cercle de rochers où il prenait des photos. Chee le héla.

« Ça fait une sacrée grimpette.

– Je suis bien d'accord. Content que vous soyez arrivé avant les gars de la morgue.

– Je les ai doublés sur la tôle ondulée. Ils ont au moins vingt minutes de retard sur moi. Qu'est-ce qui se passe ?

– Si j'ai bien compris, c'est vous qui avez signalé des comportements suspects, ici. Vous et votre très jolie épouse.

– Au camping, nous avons rencontré une femme. Elle avait entendu des bruits qui l'avaient perturbée, c'était ça, la coïncidence. » Tout en luttant contre la jalousie que lui inspirait Cordova, il répéta son récit en essayant d'extraire de sa mémoire les mots exacts utilisés par Karen. « Elle conduit une Toyota Camry blanche, probablement de 2012. Immatriculée dans le Colorado. C'est à elle que vous devriez parler. »

Cordova posa des questions sur la dispute et se concentra sur les descriptions. Chee se souvenait que Karen avait parlé de quelqu'un, coiffé d'un chapeau, qui courait sur la piste après le coup de feu.

« Est-ce qu'elle savait si cette personne était une femme ?

– Dans son esprit, je pense qu'il s'agissait de deux femmes. Mais d'après sa description, ça aurait pu être un garçon. Elle n'a pas entendu de voix graves. »

Cordova rit. « Pour une fois, la chance est avec nous. Vous n'avez jamais remarqué comme certaines femmes tiennent les hommes pour responsables de tous les maux qui s'abattent sur le monde ? En tout cas, c'est ce que fait la mienne. » Il poursuivit : « Le nom complet de votre témoin est Karen Dundee. Nous l'avons retrouvée grâce à la fiche d'enregistrement du camping, et nous avons fini par réussir à contacter son fils, à Denver. Il nous a dit qu'elle avait l'intention de se rendre au Grand Canyon. Évidemment, c'est la seule personne, dans tout le pays, qui n'ait pas de téléphone portable. La police des routes recherche sa voiture.

– Pourquoi m'avez-vous fait venir ? Nous aurions pu parler de tout ça par radio.

– Deux raisons. » Cordova contempla le panorama. Il plongea les mains dans ses poches, les en ressortit. « Le Bureau essaie de se mettre davantage à l'écoute des spécificités des peuples autochtones, de travailler en collaboration plus étroite avec la Police Navajo et les autres forces de l'ordre tribales. Chaco est inclu dans le territoire de la réserve navajo. Vous avez tous les deux signalé le corps à notre attention, il nous a donc paru logique de vous considérer comme notre contact privilégié au cas où surgiraient des problèmes de juridiction tribale. » Il sourit à Chee. « On m'a dit que vous étiez très fort pour suivre la piste laissée par quelqu'un. Cela pourrait également nous être très utile. Et comme nous travaillons l'un et l'autre sur l'affaire Leaphorn, je me suis dit qu'il serait bon que nous fassions mieux connaissance. »

Cordova indiqua du geste l'endroit où Chee l'avait vu examiner le sol. « J'ai repéré des traces de pas, dans le sable. Je les ai prises en photo. J'en ai déjà vu d'autres semblables. Regardez. »

Chee s'accroupit près de l'empreinte. Différente de celle qui affichait les sinuosités. Bien sûr, se dit-il, c'est une piste destinée aux randonneurs. S'il s'en donnait la peine, il trouverait probablement des dizaines de marques différentes, une encyclopédie de semelles de chaussures. Devait-il se fâcher parce qu'on l'assimilait au stéréotype de l'éclaireur indien, ou considérer comme un compliment que le FBI sollicite son aide ?

Tourné vers le sud, Cordova contemplait cette vaste région parsemée de ruines encore ensevelies. « Quand l'appel du service de sécurité du parc signalant la découverte du corps est parvenu à mon bureau, le garde qui nous contactait a suggéré qu'il pouvait s'agir d'un suicide. Qu'en dites-vous ?

– Non, je ne pense pas. Peut-être la femme au chapeau essayait-elle de convaincre l'autre, que nous avons surnommée Manches-Longues, de ne pas se tuer. Ou Chapeau-Risible a peut-être tué Manches-Longues pendant la dispute, mais sans le vouloir. Manches-Longues est sur le point d'appuyer sur la détente, Chapeau-Risible lutte pour lui arracher le pistolet. Le coup part, Chapeau-Risible prend peur et s'enfuit. Mais je ne crois pas que ce soit un suicide.

– Bon, très bien. » La façon dont Cordova l'avait dit signifiait clairement que « la discussion était close ». L'agent du FBI s'approcha du bord de la falaise en prenant soin de ne poser les pieds que sur la roche. Il avait des chaussures de ville, remarqua Chee, très mal adaptées, elles aussi, aux excursions dans la nature.

Cordova s'immobilisa : « Regardez, là. »

Chee tourna les yeux vers le rebord de la paroi en grès. Il aperçut un enclos en contrebas, dans le fond du canyon.

« C'est la tombe de Richard Wetherill. Vous avez entendu parler de lui ?

– Probablement, répondit Cordova. Rafraîchissez-moi la mémoire.

– Il a été le premier à effectuer des fouilles ici. Il avait aussi un comptoir d'échanges à Chaco. » Chee distinguait la pierre tombale, à l'intérieur de l'enclos, et une piste de terre toute simple qui reliait le parking à la sépulture.

Il donna davantage de détails sur Wetherill, sa femme Marietta et la controverse attachée à ce meurtre, perpétré par un employé navajo.

Quand il eut terminé, Cordova hocha la tête. « Ce n'était pas ce que je voulais vous montrer. Vous voyez ces rochers ? »

Chee étudia les parois rocheuses couleur de miel, parcourues de saillies, d'énormes blocs rocheux et de plaques de grès verticales qui s'étaient détachées et avaient dégringolé des siècles plus tôt, ou peut-être seulement des décennies. Derrière la falaise qui constituait un mur naturel dominant le cimetière, il repéra un corps coincé dans la roche. « Vous êtes descendu ?

– Oui. Elle est tombée d'ici. »

Chee réfléchit à la façon dont il allait demander ce qu'il avait besoin de savoir. « Vous avez travaillé sur de nombreux cas de suicides ?

– Je faisais des rondes en tant que simple flic avant de rejoindre les forces fédérales. » Le ton de sa voix était froid. « Je sais faire la différence. Les animaux se sont attaqués au cadavre, mais elle a été tuée d'une balle dans la poitrine. Généralement, les femmes ne se suicident pas de cette façon. »

Ainsi, conclut Chee, les questions relatives au suicide avaient constitué un test. Il ne regretta pas d'avoir, quelques minutes auparavant, étalé son savoir au sujet de Richard Wetherill.

« Il y a quelque chose qui permette de l'identifier ?

– Je n'ai rien trouvé de tel, et pas de lettre de suicide non plus. Si elle avait quelque chose sur elle, le meurtrier l'a pris. L'équipe médico-légale est payée pour étudier les asticots et les restes de cadavres. Ils trouveront peut-être quelque chose. Mais ne vous gênez pas si vous voulez aller jeter un coup d'œil avant qu'ils arrivent.

– Pourquoi grimper jusqu'ici pour assassiner quelqu'un ?

– J'y ai déjà pas mal réfléchi. Peut-être ces deux-là étaient-elles ensemble. En couple. Pendant la promenade, Manches-Longues annonce à Chapeau-Risible que tout est fini entre elles. Elle a une arme parce qu'elles font du camping. Un crime passionnel spontané, sans préméditation.

– J'aime bien l'aspect crime passionnel. Il y a des quantités d'endroits où tuer quelqu'un, dans ce parc, où le corps pourrait rester des années avant d'être découvert. Ce n'est pas le cas ici. Ce qui plaide pour le caractère impulsif du geste.

– Moi, ça me paraît assez isolé, dit Cordova. Elle aurait très bien pu y rester des mois sans qu'on la trouve. »

Chee regarda la paroi, imaginant la trajectoire de la chute. Il vit les affleurements de roches, les saillies que le corps avait dû heurter, où il avait dû rebondir avant de rencontrer un nouvel obstacle et de finir par s'immobiliser. Cordova avait raison ; elle était tombée à peu près de l'endroit où ils se tenaient. Et il doutait que ç'ait été le fait du hasard. Si le coup de feu avait été tiré ailleurs, il aurait fallu pousser le corps pour qu'il chute du sommet de la mesa. Cet endroit précis dominait le fond du canyon, et l'impact de la balle en pleine poitrine n'avait pu que projeter le corps en arrière, dans le vide.

« Avez-vous remarqué ces empreintes sinueuses ailleurs ? demanda Chee en pointant l'index sur une trace, à un endroit où du sable s'était déposé sur une petite surface de roche plane.

– Non. Pour vous avouer la vérité, je n'en ai pas vu en bas.

– Vous vous souvenez de ce que la victime portait aux pieds ?

– Des chaussures de randonnée. Mélange de cuir et de tissu. Plutôt petites. Je n'ai pas vu de quelle marque.

– Les semelles ?

– Hum. Je ne me souviens pas. »

Chee jeta un coup d'œil sur les chaussures couvertes de poussière de Cordova. Des chaussures chères. Le FBI payait bien.

« Je vais fouiner un peu dans le coin. » Il marcha le long du sommet en quête d'autres endroits, sculptés par le vent et l'eau, susceptibles d'avoir conservé des traces. La surface était essentiellement rocheuse. Au début, il ne trouva rien, puis un mégot de cigarette attira son attention vers une petite zone sableuse qui conservait l'empreinte partielle d'une semelle au dessin sinueux. Il en vit une autre, légèrement plus grande, quadrillée. La trace d'une semelle lisse, enfin, laissée par une chaussure de taille supérieure aux deux autres : Cordova qui n'avait pas fait attention où il posait les pieds.

Chee s'accroupit et fit signe à l'agent du FBI de le rejoindre près de la dépression sableuse suivante. « Vous voudrez peut-être photographier ces traces, les sinuosités et le quadrillage. Le mégot de cigarette pourrait aussi s'inscrire dans le tableau.

– Sans filtre, constata Cordova. Comme les Camel que je fumais avant. » Il montra du doigt l'empreinte sinueuse. « Vous pensez que ça pourrait être Chapeau-Risible ?

– C'est possible.

– Curieux, que cette petite cuvette soit parfaitement ronde.

– Faite par l'homme, dit Chee. On appelle ça des bassins pour étancher la soif. Des dépressions dans la roche. Il y en a ici, au sommet, à cause du cercle de rochers. » Chee se rapprocha des grosses roches. « Cherchez-en d'autres comparables à celles-ci et vous commencerez à discerner un schéma d'ensemble.

– Hum, fit Cordova.

– Quand j'étais à UNM, le département d'archéologie menait toutes sortes de travaux, ici. On pense que ces cercles avaient vocation cérémonielle. Les petits bassins de rétention servaient aux gens qui montaient pour participer aux cérémonies. Ou pour une cérémonie qui nécessitait d'utiliser de l'eau.

– Je pense que nous en avons terminé, annonça Cordova. Prévenez-moi si cela vous donne des indications sérieuses. »

Un corbeau plana au-dessus de la falaise et Chee le regarda se poser sur les rochers près du cadavre. « Je vais voir en bas, avant qu'ils l'emportent. Histoire d'empêcher les oiseaux de faire davantage de dégâts.

– Assurez-vous que rien ne m'a échappé. »

Chee acquiesça sans savoir si Cordova l'avait dit pour plaisanter. « Est-ce que la piste que nous avons suivie est la seule qui permette de redescendre ?

– À ce que m'a dit le service de sécurité du parc. »

Tandis qu'il s'éloignait, Chee sourit au changement d'humeur qui s'opérait en lui. Si l'agent du FBI n'avait pas exigé sa présence, jamais il n'aurait grimpé jusqu'ici. C'était splendide. Sensationnel. Il avait lu que plus loin, au-delà de l'endroit où ils s'étaient arrêtés pour observer le corps, en contrebas, on pouvait distinguer les larges voies que les habitants de Chaco avaient construites et certaines des marches qu'ils avaient sculptées dans la roche. Il faudrait qu'il revienne avec Bernie.

Après être descendu, il progressa en longeant la base de la paroi pour se rapprocher du corps, inspectant les endroits où une arme à feu aurait pu se loger. Il découvrit des fragments de poteries noires et blanches, des traces de lézards, des excréments de wapitis. Même en ayant vu le corps du sommet de la mesa, il eut du mal à le localiser avant d'en être suffisamment près pour que l'inoubliable odeur de la mort le guide. Il entendit un véhicule, sur la route, vit le 4×4 noir se garer près de la sépulture de Wetherill. Il accéléra le pas.

Son arrivée dans le champ d'éboulis effraya le corbeau qui partit se poser sur un tas de cailloux en gardant l'œil sur lui, attendant son heure. Chee s'approcha du corps, espérant découvrir des indices. En plusieurs endroits, il vit les empreintes à trois doigts laissées par les corbeaux, des traces de pattes de coyote et le passage d'un serpent qui faisait penser à une corde. Nulle semelle, nulle marque indiquant que l'assassin était descendu s'assurer du décès.

La victime devait mesurer un mètre soixante, estima-t-il. Et pour autant qu'il puisse le déterminer, elle était déjà morte au moment de la chute.

Il emplit ses poumons d'air frais, se protégea le nez avec sa chemise pour atténuer l'odeur et s'avança vers l'endroit où les joues, les yeux, les lèvres et le nez de la victime auraient dû se trouver. Les prédateurs apprécient les tissus tendres. Il remarqua que les cheveux étaient châtains avec des touches de gris aux tempes. Un éclair de lumière attira son regard, quelque chose, autour du poignet, qui renvoyait un rayon de soleil. Il repoussa la manche de la chemise du bout de sa chaussure. En dessous, il découvrit un large bracelet en argent. Moulé dans le sable et présentant la forme d'un cœur. Il se pencha au-dessus du cadavre pour voir le dessin des semelles. Quadrillées. Un dessin très fréquent, mais la taille semblait la même que celle du sommet de la mesa.

Il se redressa, s'éloigna de plusieurs grandes enjambées. Aspira une goulée d'air plus frais en observant les environs. Étudia la pente qui partait à l'oblique en dessous de la femme morte. Aucun sac à dos ni portefeuille ne s'était détaché du corps pendant la chute le long de la paroi. Pas d'arme non plus.

Il reprit la piste par laquelle il était venu. Il sentait la chaleur du soleil à travers sa chemise et la sueur sous son chapeau, essayait d'apaiser son estomac tout retourné, d'oublier le spectacle de ce qui avait été un visage humain. Les anciens conseillaient de ne pas s'approcher des morts*, et il trouvait cette coutume séculaire très sage, lorsque son travail le confrontait à quelqu'un comme Manches-Longues.

Il entendit des voix, vit les blousons de protection des membres de l'équipe médico-légale. Quand ils se furent rapprochés, il reconnut un visage, celui d'un policier de Farmington retraité.

« Salut, Jim Chee. Il fait chaud pour partir en randonnée.

– Absolument. Un endroit mal choisi pour un cadavre.

– Y en a-t-il de bons ? »

Au parking, Cordova était assis dans son véhicule, moteur allumé. Chee sentit la vague d'air frais climatisé quand l'agent du FBI baissa sa vitre.

« Autre chose ?

– Vous voudrez peut-être vérifier dans les rochers, plus haut et légèrement sur la droite : une gourde moderne. Elle n'est pas là depuis assez longtemps pour avoir souffert du soleil. Ça pourrait faciliter l'identification.

– Entendu.

– Ce sont certainement ses semelles qui ont laissé les empreintes quadrillées que vous avez photographiées.

– Autre chose que je devrais savoir ?

– Elle a un bracelet au poignet. » Chee le décrivit.

« Comme celui que Bernie a vu ?

– On dirait.

– Merci d'avoir fait le trajet. Cette femme est peut-être celle qui a tiré sur Leaphorn. »

La voiture de patrouille de Chee était une vraie fournaise. Il y faisait encore plus chaud qu'au dehors. Il laissa les portières ouvertes pendant une minute avant de grimper sur le siège brûlant, de lancer le moteur, de tourner la climatisation au maximum et d'abaisser les vitres. En roulant, le vent emporta les vestiges de l'odeur rance de la mort. Il fit halte au centre d'accueil des visiteurs pour boire un verre d'eau et dire bonjour à Wakara, le chef de la sécurité du parc, un Ute qui venait d'à côté de Cortez, à qui il relata ce qu'il avait appris.

« À cause de la sécheresse, il y a plus de wapitis morts dans la région, lui répondit Wakara. Sans toi et Bernie, nous aurions sans doute pensé que c'était ça qui attirait les oiseaux. Pas un cadavre de femme. »

Chee appela Largo du bureau de Wakara.

« Et donc, conclut le capitaine, il ne reste plus aux Fédéraux qu'à identifier le cadavre et à découvrir la raison que pouvait avoir cette Blanche de tirer sur Leaphorn.

– C'est exactement ce que Wakara m'a dit. Une formalité.

– Dites-lui bonjour de ma part. À propos, nous avons les

résultats de deux des vérifications que vous avez demandées. Concernant Collingsworth et Friedman, ou Friedman-Bernal.

– Alors ?

– Aucun délit pour eux, à notre connaissance. Nous travaillons encore sur Davis. Évidemment, Maxie est un surnom. Vous ne connaissez pas son véritable prénom ?

– Je ne l'ai jamais entendu.

– Ça ne fait rien. Il faut que vous retourniez au bureau de Shiprock. Mme Benally veut vous parler de Leonard Nez.

– Elle vient à Shiprock ?

– Ouais. Vous avez de la chance. Elle a une sœur qui y habite. » Largo lui indiqua l'heure à laquelle elle pensait arriver. « Bon courage. »

En approchant de chez lui, Chee se souvint de la chatte. Il décida de s'arrêter un bref instant, puisque c'était sur le chemin du poste de police, et de lui laisser à manger, de s'assurer qu'elle avait de l'eau. En descendant de voiture, il vit qu'il y avait de la terre sur le tapis de sol. Comme il disposait d'un peu de temps avant l'arrivée de Mme Benally, il chercha sans succès dans les endroits logiques où l'aspirateur aurait dû se trouver. Ç'avait été le cadeau de mariage de plusieurs de ses proches : ils le lui avaient offert non sans plaisanter sur le fait que c'était pour lui.

Il appela Bernie sur son portable. À en juger d'après le bruit de la télévision en arrière-fond, il sut qu'elle était chez sa mère.

« Tu passes l'aspirateur ? lui demanda-t-elle.

– Ne prends pas tes désirs pour des réalités. Je suis retourné à Chaco aujourd'hui. Résultat, ma voiture est pleine de sable. »

Elle lui indiqua où le trouver. « Pendant que tu y es, la maison en aurait bien besoin, elle aussi. À cause des poils de chat. Qu'est-ce que tu es retourné faire à Chaco ?

– On m'a fait venir pour donner un coup de main à Cordova. » Il lui parla du bracelet.

« Si c'est cette femme qui a tiré sur Leaphorn, pourquoi est-elle morte ? Comment a-t-elle pris la voiture de Mme Benally ? Et qui est-elle ?

– Bonnes questions. Je rappellerai Cordova quand je serai au bureau, histoire de voir où les Fédéraux en sont pour les réponses.

17

Bernie éteignit son téléphone et essaya de chasser son sentiment de frustration. Elle devrait être chez eux, à aider Chee. Pas à passer l'aspirateur. À enquêter.

À son arrivée, Mama avait souri. « Fille aînée, je ne m'attendais pas à te voir aujourd'hui. C'est un bonheur de t'avoir avec moi. » Puis elle s'était remise à balayer la terrasse lentement et méthodiquement. La peinture, sur le manche du vieux balai, était terne, la paille usagée n'atteignait pas quinze centimètres de long.

« Est-ce que Sœur est là ?

– Je ne crois pas.

– Tu sais où elle est ?

– Partie quelque part avec la voiture. Ne t'inquiète pas autant pour elle. Dis-moi ce que tu as fait. »

Bernie avait apporté deux chaises sur la terrasse et elles s'étaient installées à l'ombre. Elle avait raconté sa rencontre de la matinée avec Slim Jacobs, parlé de sa visite à Chaco.

« Je n'y suis jamais allée, dit Mama. Mais je me souviens que les vieilles histoires en parlaient. »

Bernie les connaissait aussi. L'histoire de Grand Joueur qui avait asservi les Pueblos vivant dans le canyon en gagnant leurs biens, leurs femmes, leurs enfants et, pour finir, les hommes eux-mêmes. Un Navajo, avec l'aide du Peuple Sacré, l'avait battu à son propre jeu et avait libéré les habitants. Bernie se souvenait aussi de l'histoire qui relatait comment le cinquième clan du Diné avait rejoint, dans le canyon, les quatre clans des origines, et comment le Peuple était parti sur les rives de la San Juan.

Elles entendirent la voiture avant de la voir. La musique qui sortait des haut-parleurs se déversait par les vitres ouvertes. Darleen surgit sur l'allée, freina brutalement en soulevant un nuage de poussière.

« Bonjour, Sœur, hurla-t-elle à l'adresse de Bernie. T'es venue faire un tour ? C'est bien.

– J'avais quelqu'un à voir et, comme j'avais fini, je suis passée. Tu roulais drôlement vite, là, on aurait cru un pilote de stock-car. »

Darleen trébucha en mettant pied à terre, elle laissa la portière ouverte et le moteur tourner. Prit appui sur le toit.

« La vitesse, j'aime ça », dit-elle.

Bernie trottina jusqu'à la voiture. Elle tendit le bras à l'intérieur, assez près de sa sœur pour sentir l'odeur de l'alcool, et coupa le contact. Elle vit trois cannettes de bière écrasées sur le plancher, côté passager.

« Tu ne devrais pas conduire quand tu as bu. Tu pourrais te tuer. Te tuer ou tuer quelqu'un. »

Darleen rit. « De toute façon, je vais mourir. Qu'est-ce que ça change ? T'es flic. Arrête-moi. » Elle s'écarta de la voiture en vacillant, faillit perdre l'équilibre.

Bernie tendit les bras pour la retenir si elle tombait. Darleen lui échappa d'un mouvement brusque et mal contrôlé.

« Laisse-moi. Me touche pas. C'est pas tes affaires.

– Fille cadette, intervint Mama, tu es malade ?

– Ouais, répondit Darleen en s'essuyant la bouche avec la main. Malade d'être tout l'temps enfermée ici avec toi. Malade que madame la représentante de la loi sache toujours tout mieux que les autres, merde, et qu'elle critique tout c'que j'fais. »

Mama dit quelque chose en navajo, des mots durs visant le langage utilisé par sa cadette.

Une autre voiture arriva, une Chevy couleur de poussière. Bernie reconnut le conducteur : Garçon Voûté, Charley Zah. Il cria par la vitre : « Darleen, je t'ai cherchée partout. On est en retard. Monte. » Elle avait commencé à marcher vers la voiture avant même qu'elle soit complètement arrêtée.

« Elle ne peut pas partir avec vous, s'interposa Bernie. Elle est ivre.

– Qu'est-ce qu'il y a de nouveau ? » demanda-t-il.

Darleen trottinait à la limite du déséquilibre. Garçon Voûté lui ouvrit la portière de l'intérieur et elle monta avec des gestes maladroits.

« Je vais m'occuper d'elle, dit Garçon Voûté. Ne vous inquiétez pas.

– Où allez-vous ? Quand allez-vous la ramener ? C'est dangereux, pour elle, de partir dans cet état. »

Les paroles de Bernie furent englouties par le crissement des pneus sur le gravier et le grondement du moteur.

Mama émit le petit bruit qu'elle faisait quand les choses ne se passaient pas comme elles devraient. « Tu aurais dû l'empêcher de partir, dit-elle.

– Comment ? Elle est adulte.

– Tu es sa grande sœur. Tu dois veiller sur elle. C'est pour ça que nous avons des familles, des proches. Nous devons veiller les uns sur les autres.

– Je fais ce que je peux. »

Mama secoua la tête. « Ça ne suffit pas. Ta sœur a besoin de toi. Elle est trop jeune pour abriter une telle colère. »

Le chagrin gagna Bernie avec autant de précision et d'efficacité qu'en avait mis sa mère à manier le balai sur la terrasse. Elle avait trop souvent été témoin des horreurs que cause l'alcool. Elle n'avait pas envie de revivre la même chose avec sa petite sœur.

« Je crois qu'elle commence à me détester, dit-elle. Chaque fois que j'essaie de l'aider, que j'essaie de lui dire ce qu'elle devrait faire, elle se met en colère.

– Je sais, dit Mama en lui tapotant affectueusement la main. Tu fais de ton mieux. Ces choses-là prennent du temps. »

Ce n'est pas juste, pensa Bernie. Pourquoi devait-elle être celle sur laquelle on pouvait toujours compter, et Darleen la gamine à problèmes ? « J'aimerais que Petite Sœur assume ses responsabilités.

– Ne te tourmente pas pour ça aujourd'hui. » Mama referma ses doigts osseux autour de l'avant-bras de Bernie. « Sois heureuse. Toi et moi, nous pouvons passer la journée ensemble, ma fille. J'espère que tu vas retrouver le livre avec l'image de la couverture qui parle du Peuple Sacré.

– J'aimerais bien, moi aussi. »

Elle aida Mama à franchir le seuil pour pénétrer dans la maison et aller aux toilettes, se rendit à la cuisine où elle leur versa un verre d'eau à chacune. Même si elle buvait rarement de l'alcool, elle avait envie d'une Bud bien fraîche. Cette pensée la fit sourire. Était-ce le problème d'alcoolisme de Darleen qui lui inspirait ce désir de bière ?

Elle trouva le livre et Mama s'assit à côté d'elle, à la table de la cuisine, pour observer en détail la photo de Hosteen Klah et de sa couverture. Elle allait profiter de la présence de sa mère, se dit-elle, et ne laisserait pas la folie de Darleen lui gâcher ces instants.

Sur la table, elle remarqua des magazines et des catalogues de vente aux enchères d'art et d'artisanat indien. « Ça a l'air intéressant. D'où ça vient ?

– C'est Stella qui les a eus à la bibliothèque, sur l'étagère gratuite. Elle a vu une de mes vieilles couvertures, dans le catalogue bleu. Regarde à combien ils ont fixé l'enchère de départ. » Bernie tourna les pages à la recherche de la bonne. La photographie, entièrement en couleur, faisait honneur à la couverture.

« Je me souviens, quand j'étais petite, je te regardais la tisser. Après, nous l'avons emportée dans la voiture pour la vente aux enchères de Crownpoint. »

Mama rit. « Seuls des gens riches pourraient l'acheter maintenant. Ils pourraient acheter un réfrigérateur avec tout cet argent. Ils pourraient avoir un réfrigérateur et il leur resterait assez pour une de ces couvertures qui donnent l'impression d'être navajo. Tu sais, celles qui sont fabriquées au Mexique. »

Bernie eut un petit rire. « Tu as fait un travail splendide, Mama. Il n'y a pas beaucoup de femmes au monde qui savent faire d'aussi belles choses. Cette couverture vaut plus que vingt réfrigérateurs. Elle n'a pas de prix. »

Mama baissa les yeux sur ses doigts noueux et demanda : « Tu as recommencé à tisser ?

– Pas encore.

– Il faut que tu t'exerces. Chaque jour, comme tu le faisais. »

Bernie tourna les pages du catalogue. « Ces poteries me font penser à celles sur lesquelles mon ami enquêtait. » Elle montra les images, remarqua que la mise à prix des cylindres était deux fois plus élevée que celle des pots ventrus, même s'ils étaient de plus grande taille. Un point qui ne manquait pas d'intérêt, se dit-elle.

« Ton ami, c'est celui qui a été blessé ? »

Bernie hocha la tête. Elle tendit le catalogue ouvert à la page des poteries, et Mama contempla les photos. « Fabriquées par les anciens, dit-elle. Touchées par leurs mains. »

Quand Mama se retira dans sa chambre pour se reposer, Bernie s'assit au bord du lit. « Je pense à Darleen, dit Mama. Quand elle reviendra, je lui dirai que je ne veux pas la voir dans ma maison quand elle boit. » Et pour la première fois depuis le décès de leur père, à Darleen et à elle, Mama pleura.

Quand elle se fut endormie, Bernie réfléchit à la façon dont il lui faudrait s'organiser si Mama disait effectivement à Darleen qu'elle devait arrêter de boire ou s'en aller. Elle établit en pensée la liste des proches qui pourraient les aider, ne trouva pas de candidat tout désigné et repoussa ce problème potentiel. Peut-être la menace de Mama inciterait-elle Darleen à s'amender... Mais elle ne parvint pas à s'en convaincre.

Elle retrouva ses vieux manuels de classe et, au bout de vingt minutes, dénicha l'information qu'elle cherchait. Les poteries cylindriques que le CRIA s'apprêtait à acquérir, si elles avaient été fabriquées à Pueblo Bonito ou à l'une des autres Grandes Maisons, plutôt que par quelqu'un qui vivait sur un autre site, étaient extrêmement rares. Les ancêtres des Pueblos ne fabriquaient que peu de poteries dans les grands villages de pierre des canyons. La plupart des pièces retrouvées à Chaco avaient été créées en dehors du canyon, puis apportées en empruntant ces mystérieuses voies anciennes. Leur rareté, le petit nombre de pièces de fabrication locale, en général, et le fait qu'elles soient demeurées intactes mille ans signifiaient qu'elles étaient pratiquement inestimables. Pourquoi l'évaluation d'EFB avait-elle minimisé autant leur valeur ?

Une idée lui traversa l'esprit. Et si ces poteries ne venaient pas de Chaco, à l'instar des couvertures navajo fabriquées au Mexique dont Mama avait parlé ? Si cette estimation basse était en réalité la bonne ?

La vibration de son portable interrompit ses réflexions. Chee, pensa-t-elle. Mais la voix, dans l'écouteur, était celle du capitaine Largo. Il alla directement au fait.

« Je souhaite que vous reveniez lundi, dit-il. Bigman a déposé une demande de congé et nous serions trop peu nombreux à Shiprock. Ça vous convient ? »

Ça lui laissait quatre jours pour résoudre le problème de l'estimation réalisée pour le compte du CRIA, retrouver Ellie Friedman, découvrir qui avait tiré sur Leaphorn... et s'arranger pour qu'une aide-soignante vienne s'occuper de Mama si Darleen se mettait en colère et partait, ou continuait de boire.

« En ce qui me concerne, oui, répondit-elle.

– Ça va ?

– J'irai beaucoup mieux quand nous aurons découvert qui a tenté de tuer le lieutenant.

– Moi aussi. À propos, Mme Benally semble avoir retrouvé Leonard Nez.

– C'est une bonne nouvelle. Qu'est-ce qu'il a dit ?

– Je n'en sais encore rien. Chee s'en occupe. Vous serez probablement informée avant moi. »

18

Chee venait de se ranger sur le parking de la sous-agence de Shiprock quand son portable se mit à vibrer. Il consulta le numéro. Mme Benally. Comme à son habitude, elle alla droit au fait.

« Je ne peux pas venir à Shiprock aujourd'hui parce que ma sœur est malade. Je vous ai dit que je vous amènerai Garçon Lézard, vous vous souvenez ?

– Je m'en souviens. Le capitaine Largo m'a prévenu que vous vouliez m'en parler.

– Je sais où il est.

– Où ça ?

– Oh, non. D'abord, je récupère ma voiture et Jackson rentre chez nous. »

Jackson était toujours en détention provisoire « pour les besoins de l'enquête ». À moins qu'on ne trouve des charges à retenir contre lui, ce qui semblait peu probable, il serait libéré dans le courant de la matinée.

« Vous savez, répondit Chee, il arrive que des gens soient incarcérés parce qu'ils pratiquent la rétention d'informations dont la police a besoin.

– Vous n'avez aucune raison de jeter une vieille femme en prison. Si vous le faites, qui vous conduira jusqu'à Lézard ? »

Chee lui dit qu'il allait se renseigner pour la voiture, faire ce qu'il pourrait pour Jackson, et la rappeler.

La chance lui souriait. Le laboratoire scientifique en avait terminé. Le véhicule de Mme Benally serait disponible le lendemain matin à 8 heures. Il rappela.

« Vous viendrez me chercher, lui dit-elle. Nous récupérerons la voiture. Nous récupérerons Jackson. Après, nous parlerons avec Lézard. » Elle raccrocha avant qu'il ait pu prononcer un mot.

À la sous-agence, il eut la prémonition de mauvaises nouvelles. Sentit une tristesse palpable dans l'atmosphère.

La réceptionniste n'attendit pas qu'il lui pose la question. « L'aumônier de l'hôpital, un certain révérend Rodriguez, a téléphoné pour toi. » Elle lui tendit un bout de papier. « Il veut que tu le contactes le plus vite possible. Il croit que tu es le neveu du lieutenant Leaphorn, si j'ai bien compris. »

Elle leva des yeux où il vit des larmes. « J'ai demandé comment il allait. Au début, il ne m'a pas répondu. Après, il a dit que ce serait le moment de penser à lui dans nos prières. »

Chee entra dans le petit box qui lui servait de bureau, ferma la porte et composa le numéro.

Rodriguez n'y alla pas par quatre chemins : « Vous avez mentionné que votre ami souhaitait une cérémonie de guérison ?

– Oui, c'est ça.

– J'ai vu votre message et j'ai commencé à me renseigner auprès de mes contacts au sein de la communauté indienne de Santa Fe, voir si quelqu'un pouvait vous aider. Puis j'ai parlé au Dr Moxsley. Il m'a dit qu'à son avis mieux vaudrait ne pas tarder. Il m'a demandé de vous annoncer, à vous et à votre femme, que M. Leaphorn est atteint d'une pneumonie. »

Chee s'aperçut qu'il retenait son souffle depuis un moment. Il rejeta l'air. Attendit que Rodriguez ajoute quelque chose. Il n'ignorait pas qu'on peut attraper une pneumonie à l'hôpital. C'était ce qui avait tué son oncle. Aux yeux de Bernie, le lieutenant avait exprimé le désir que ce soit lui, Jim Chee, qui se charge de la cérémonie.

L'aumônier reprit la parole. « Étant donné que M. Leaphorn se trouve dans notre unité de soins intensifs, il y a davantage de règlements à observer que s'il était dans un autre service, mais je ferai de mon mieux pour vous aider. » Rodriguez récita la litanie : pas de fumée, de feu ni de bâtons d'encens car la majorité des patients de l'USI étaient sous oxygène. Pas de tambours. Tous les chants devaient être exécutés en sourdine. La liste était sans fin.

« Bon, dit Chee. Je ne peux pas trouver de chanteur dans l'urgence, mais j'ai suivi une formation suffisante pour pouvoir improviser. Je viens le plus vite possible.

– Je sais que ça vous fait un long trajet. Appelez-moi quand vous arriverez à Santa Fe et je vous rejoindrai à l'hôpital. Je veux être sûr que personne ne vous fera de difficultés à l'USI. Prévenez-moi. Ne vous inquiétez pas de l'heure qu'il sera. »

Chee appela Largo, lui demanda l'autorisation de disposer du reste de sa journée. L'obtint quand il mentionna la pneumonie. Puis il appela Bernie et lui répéta ce que Rodriguez avait dit.

« Je rentre chez nous, ajouta-t-il. Je vais prendre un bain de vapeur et me concentrer. Après, nous pourrons y aller. » Il se tut un instant. « Enfin, j'espère que tu vas venir. Ce serait très important que tu sois là.

– Je veux venir. J'ai quelques trucs à régler ici. Je t'appellerai quand je partirai de chez Mama.

– Merci, dit-il. Je t'aime. »

*

Grâce à son apprentissage prolongé auprès de son oncle, il savait mieux que personne quel danger il peut y avoir à exécuter des rites sacrés si la perfection n'y est pas. Savait qu'il est impossible et périlleux d'exécuter une cérémonie de guérison traditionnelle hors des limites de Dinetah, enfermé en ville dans un hôpital. Impossible d'effectuer la cérémonie dans un lieu clos, privé de contact avec le ciel et la terre, sans que la personne qui doit être guérie soit assise par terre afin d'être entourée par les peintures de sable sacrées. Certains hôpitaux de la réserve ont des hogans où les chanteurs peuvent officier. Mais Santa Fe est loin de Dinetah, et celui-qui-avait-été-blessé-par-balle avait besoin des appareils qui le maintenaient en vie.

Chee appela la fille d'un chanteur qui habitait près de Tsalie. Cette femme, une sœur de clan, avait entendu parler de la tentative d'homicide. Chee lui dit : « Il souhaite bénéficier d'un rite de guérison et m'a demandé de l'aider. Il faut que je parle au frère de votre mère afin de lui demander son avis. Ils disent que celui-qui-est-à-l'hôpital va peut-être mourir bientôt.

– Je pense que celui-qui-a-été-blessé est un homme bon. Et je me souviens quand mon Angela et ce garçon de Chinle ont failli s'attirer des ennuis avec la police. Vous lui avez remis les idées en place. Ça nous a beaucoup aidés. » Comme le vieux chanteur n'avait pas le téléphone, elle allait s'y rendre en voiture avant de rappeler.

Chee attendit une demi-heure.

« Il bricolait le tracteur. Je lui ai expliqué ce que vous vouliez. Le *hataalii* est à mes côtés. Je lui passe le téléphone. »

Chee écouta la vieille voix rocailleuse qui s'exprimait en navajo. Les instructions durèrent longtemps.

Chee prit ensuite un bain de vapeur à l'emplacement habituel, au bord de la San Juan, poursuivi par un sombre pressentiment. Il pensa à Hosteen Nakai, son oncle et professeur qui lui manquait tant, en psalmodiant les chants purificateurs qu'il avait appris. La guérison concernait bien plus que le corps. La mort avait son rôle à jouer. C'était pour cela que les Jumeaux Héroïques avaient épargné Sa, le monstre qui l'avait introduite dans ce monde. Sans Sa, les anciens qui étaient fatigués de vivre ne pourraient trouver le repos. Chee avait appris tout ce qu'il y a à savoir sur la mort, non seulement à travers la sagesse de son oncle qui l'avait accueillie le cœur en paix, mais de par son expérience de policier. La mort méritait le respect, mais il avait vu quantité d'autres choses beaucoup plus effrayantes.

*

Mama leva les yeux du livre où se trouvaient les photographies des tapisseries de Hosteen Klah.

« C'était Cheeseburger ?

– Oui. Il va chanter des prières à l'hôpital, pour celui-qui-a-été-blessé. Il veut y partir ce soir et m'a demandé de l'accompagner.

– C'est bien, dit Mama. Tu as choisi un homme de valeur.

– C'est aussi ce que je pense. De grande valeur.

– Tu peux t'en aller maintenant. Quand Petite Sœur rentrera, je la laisserai dormir ici. »

Mme Darkwater était chez sa fille et ne serait pas de retour avant une heure. M. Darkwater assura Bernie que sa femme serait heureuse de tenir compagnie à Mama, il n'en doutait pas un instant. Il allait venir en attendant, mais pouvait-il regarder ESPN ? Les Darkwater ne recevaient pas les émissions par satellite, ils n'avaient pas l'installation que Bernie et Chee avaient apportée.

Mama n'aimait pas partager sa maison avec le mari d'une autre femme, surtout quand il fallait, en prime, brancher la télé sur les émissions sportives. « Je vais accepter pour que tu ne t'inquiètes pas autant pour moi. Mais je ne prépare pas à dîner à cet homme.

– Non. Bien sûr que non. Je vais vous faire à manger. »

Elle réchauffa de la soupe en conserve, trouva les ingrédients pour des sandwiches au beurre de cacahuètes et laissa une pomme à couper en tranches comme accompagnement.

Puis elle s'assit à la table de la cuisine et rédigea un message à l'attention de Darleen :

Sœur,

J'ai dû partir brusquement à Santa Fe avec mon mari pour aller voir notre ami qui est là-bas. Je suis désolée que nous ne puissions pas parler ce soir.

Le fait que tu boives t'empêche de tenir ta promesse d'aider Mama. J'ai vu trop de vies brisées par l'alcool, celle de notre père y compris. Je vois la douleur que tu ressens. Je ne veux plus qu'on se dispute. S'il te plaît, réfléchis à comment nous pourrions nous y prendre pour que les chose s'améliorent. Je t'aime très fort.

Elle plia la feuille qu'elle posa sur l'oreiller de Darleen.

*

Ce fut elle qui conduisit jusqu'à Santa Fe et le trajet dura une éternité. Chee, qui portait une chemise blanche neuve avec des boutons en nacre, son plus beau jean et des chaussures cirées de frais, semblait détendu et plein d'énergie. Concentré. Fort.

Quand ils eurent dépassé Farmington et Bloomfield, la circulation se calma à l'exception du grondement des semi-remorques rectangulaires. Elle roula toute la soirée quinze kilomètres plus vite que la limite autorisée, sans parler ni écouter les bavardages à la radio.

Elle pensait au lieutenant, le plaçait au centre d'un cercle d'affection et de guérison, se souvenait de tous les gens qu'elle connaissait, qui l'appréciaient et le respectaient, et les ajoutait au cercle. Largo, Bigman, Wheeler, ses amis et collègues de la Police Navajo, de la Police des Frontières où elle avait brièvement travaillé[1], d'autres membres des forces de l'ordre. Elle élargit le cercle dans son esprit pour inclure leurs familles et ceux pour qui ils revêtaient une certaine importance. Cet exercice l'aidait toujours à chasser ses pensées négatives, à restaurer sa paix intérieure.

Elle se souvint de sa promesse au lieutenant et la renouvela en silence. Ellie constituait un suspect sérieux, s'ils parvenaient à la trouver.

Le temps qu'ils atteignent Cuba, les dernières lueurs du long crépuscule de juin s'étaient éteintes. En voyant voitures et camions sous les lumières du parking d'El Bruno, elle pensa qu'elle aurait dû se préparer un sandwich comme elle l'avait fait pour Mama et M. Darkwater. Elle savait que Chee refuserait de manger tant que la cérémonie n'aurait pas eu lieu. Elle s'arrêta pour prendre de l'essence, acheter un Coca et un sachet de cacahuètes, prit conscience qu'avec la tombée de la nuit la température, comme attendu, baissait fortement, un des avantages qu'il y a à vivre en altitude. Elle poursuivit son chemin dans Cuba, dépassa un ensemble d'entrepôts de petite taille, rongés par les années, derrière une clôture métallique. Quelques camping-cars et bateaux y étaient également garés. Elle imagina Slim Jacobs et Ellie Friedman nichés l'un contre l'autre sur un matelas dans un de ces petits compartiments, avec des bougies et un joint ou deux pour renforcer le sentiment d'aventure. Cette image lui arracha un petit rire.

« Qu'est-ce qui t'amuse autant ? lui demanda Chee.

– Je viens de me représenter notre mystérieuse évaluatrice et le vieux cow-boy ensemble dans le nid d'amour de leur garde-meubles. La version rurale de John Lennon et Yoko Ono. Avec de la fumée d'encens qui monte en volutes. Slim nu à l'exception de ses bottes et de son vieux chapeau cabossé. La porte

1. Voir *Le Cochon sinistre* (Rivages/noir n° 651).

du garage est ouverte, ils profitent de la vue qui donne sur des caravanes en train de rouiller, et non pas sur la ville de New York. »

Chee rit. « Des tourtereaux hippies à la mode cow-boy. » Il tendit le bras et lui serra la main. « Je suis heureux que tu sois venue. »

Elle la lui serra à son tour. « Tu vas t'en tirer très bien. Ton cœur et ton esprit vont dans la bonne direction. Tu aides quelqu'un qui a requis tes prières uniquement pour de bonnes raisons. »

Pendant quelques minutes, elle contempla les ténèbres au dehors avant de lui dire qu'elle avait montré les photos des tapisseries de Hosteen Klah à sa mère.

« Elle était comme hypnotisée. J'adorerais lui faire voir celle du CRIA mais je ne suis pas certaine qu'elle soit encore capable de rester assise dans la voiture assez longtemps pour ça. Je me demande s'ils me laisseraient la prendre en photo : je pourrais la faire agrandir et la lui donner. Elle serait contente. »

Ils restèrent sur la NM550 qui traverse des terres appartenant aux Apaches Jicarilla, aux pueblos de Jemez et de Zia. Ils atteignirent les limites de la périphérie urbaine en longeant le quartier de Rio Rancho, franchirent à vitesse soutenue l'embranchement qui conduit au casino de Santa Ana et au club de vacances de Tamaya, traversèrent les parties excentrées de Bernalillo et prirent l'I-25 vers le nord pendant encore quarante minutes. De La Bajada, quand ils virent les lointaines lumières de Santa Fe, Chee appela le révérend Rodriguez qui les retrouva devant l'USI.

« Vous avez bien roulé », leur dit-il. Il avait parlé de la cérémonie à l'équipe soignante. Ils ne devraient pas rencontrer de problèmes. Ils auraient toute la tranquillité désirée, avec un minimum d'intervention aussi longtemps que l'état de Leaphorn demeurerait stationnaire.

« Nous serions heureux si vous restiez pour associer vos prières aux nôtres, lui proposa Chee.

– Je vais rester. Dites-moi seulement ce que je dois faire, ou ne pas faire. Je ne veux pas gêner. »

Chee hocha la tête. Bernie dit : « Observez juste le silence. Associez vos souhaits de guérison aux nôtres.

– Je n'ai pas cessé de prier pour votre ami. Je prie pour tous ceux qui sont ici, ainsi que pour leurs familles.

– C'est une bonne chose, dit Chee. Chaque prière est une bénédiction. »

Leur infirmière favorite était de garde. « Il a été agité toute la journée, leur confia-t-elle. Je vais vérifier comment il va avant que vous commenciez. Êtes-vous prêts à me suivre dans sa chambre ? »

La peau du lieutenant avait pris une pâleur grisâtre. Ses yeux cernés étaient fermés, sa respiration précipitée. Son corps paraissait plus frêle encore, ratatiné dans le lit comme si la force de vie qui l'avait animé s'en était allée. Les écrans de contrôle des appareils vibraient sur un rythme régulier, mécanique.

« Monsieur Leaphorn, votre famille est arrivée. » Bernie remarqua qu'il n'avait pas l'air d'entendre. L'infirmière scruta les écrans. Elle indiqua à Bernie où se trouvait le bouton d'appel. « N'hésitez pas, si vous avez besoin de moi. Je serai au bureau, juste là. J'ai demandé au personnel soignant de ne pas entrer avant que vous en ayez terminé.

– Merci, dit Chee. Vous pouvez rester avec nous si vous le désirez.

– J'aimerais bien, mais nous sommes en sous-effectif, ce soir. » Des yeux, elle fit le tour de la chambre et de sa technologie dispendieuse. « J'ai assisté à des miracles qui n'avaient rien à voir avec la médecine ou nos appareils ultramodernes. »

Bernie, Chee et Rodriguez prirent place à côté du lit, environnés de gouttes-à-gouttes et de machines. Chee posa sur une chaise le sac en cuir qui contenait les objets sacrés nécessaires à la cérémonie. Il se pencha au-dessus du lieutenant et lui parla bas en navajo. « Les gens de cet hôpital m'ont dit qu'il était sage de venir vous voir maintenant. Bernie est à mes côtés, de même qu'un homme bon qui nous a aidés. Je suis venu comme vous me l'avez demandé afin d'exécuter pour vous un chant de guérison. De demander que vous retrouviez l'harmonie, que votre esprit chemine à nouveau dans la beauté. »

Les yeux de Leaphorn demeurèrent clos. Bernie trouva sa main fraîche et osseuse.

Puis, quand le moment fut venu, Chee commença à psalmodier en navajo, tout bas d'abord, puis en y mettant davantage d'énergie.

Bernie écoutait les chants ancestraux. Ils lui rappelaient ceux qu'elle avait entendus dans son enfance aux cérémonies organisées pour sa grand-mère, sa grand-tante et, l'année précédente, pour le frère aîné de sa mère. Le rythme doux, régulier, la répétition, la beauté des mots navajo qui relataient les histoires du Peuple Sacré l'apaisaient et la transformaient. Au bout d'un moment, sa poitrine lui sembla plus légère, sa respiration plus profonde, plus régulière. Rodriguez bougeait avec beaucoup d'intuition au rythme des chants. Il avait fermé les yeux. Bernie voyait les larmes qui s'insinuaient sous ses paupières, coulaient sur ses joues, tombaient doucement sur sa chemise. Elle l'inclut dans ses propres prières, comme tous les gens de l'hôpital et leurs familles, tous les gens des hôpitaux, partout, tous ceux qui étaient malades et tous ceux qui les aimaient. Et avant tout, c'était au lieutenant et à Chee qu'elle envoyait ses pensées de guérison.

Elle savait que Chee avait suivi toutes les injonctions du *hataalii* à qui il avait parlé. Elle savait aussi que des membres du Diné le critiqueraient d'avoir prié ainsi, sans les peintures de sable, sans les autres éléments de la cérémonie prescrits par le Peuple Sacré. Mais les temps avaient changé. Comment une personne au cœur ouvert pourrait-elle le juger sévèrement alors qu'il apportait du réconfort à un mentor respecté, un collègue, un ami qui se mourait ?

Quand la cérémonie fut terminée, le lieutenant lui sembla apaisé. Ses jambes avaient cessé de s'agiter convulsivement. Il reposait calmement. Puis il ouvrit les yeux. Il les fixa sur Chee, puis sur Bernie. Il leva sa main droite qui reposait sur le lit, le pouce et l'index joints à leur extrémité, et il les déplaça de gauche à droite.

Ils se regardèrent, sans comprendre. Leaphorn refit le même geste en esquissant un mouvement circulaire.

Bernie comprit. « Vous voulez écrire quelque chose ? »

Le lieutenant confirma de la tête. Elle prit son calepin et un crayon dans son sac à dos, glissa le crayon entre le pouce et le majeur du lieutenant. Puis elle ouvrit le calepin à une page blanche et le maintint fermement en place. Le lieutenant souleva sa tête entourée du pansement quatre ou cinq centimètres au-dessus de l'oreiller, et il traça deux pics pointus séparés par une étroite vallée. Il laissa retomber sa tête et le crayon lui échappa.

Ils étudièrent le dessin.

« S'agit-il d'un indice sur la personne qui vous a tiré dessus ? » lui demanda Chee.

Leaphorn bougea le menton de bas en haut presque imperceptiblement.

« Nous allons l'exploiter, affirma Bernie. Vous vous souvenez ? Je vous ai promis que je découvrirais qui vous a tiré dessus, et pourquoi. »

Leaphorn donna l'impression de hocher à nouveau la tête, et ses paupières retombèrent.

Rodriguez leur demanda s'ils voulaient du café, un milkshake, quelque chose à manger qu'il leur rapporterait de la cafétéria. Chee fit non de la tête. Il posa sa main sur l'épaule de Leaphorn avec légèreté. « Je veux rester avec lui jusqu'au lever du soleil. »

Il se tourna vers Bernie. « Toutes ces années, j'ai cru qu'il me jugeait, qu'il me critiquait. J'ai cru que je n'étais jamais à la hauteur de ses attentes, jamais assez performant. Maintenant, je sais que son rôle était de m'enseigner des choses. Je n'étais pas à la hauteur uniquement à cause de ce que j'attendais de moi-même. » Elle vit l'épuisement et la paix associés dans ses yeux.

« Je voudrais boire un peu d'eau, dit-elle. Je reviens dans un petit moment. »

Rodriguez et elle partirent. Dans le vaste hall, ils virent une femme aux cheveux gris assoupie, un livre sur les cuisses. Pour le reste, la salle était vide.

Rodriguez lui tendit une bouteille d'eau qu'il avait trouvée dans le petit réfrigérateur et il en prit une pour lui.

« Vous pouvez vous reposer ici. » Du bras, il indiqua un canapé inoccupé. « Ça ne dérange personne, si les gens dorment. Je peux vous trouver un oreiller et une couverture. Vous êtes sûre que vous ne voulez rien manger ?

– Je retourne moi aussi auprès du lieutenant. Je n'ai pas faim. Même si je suis fatiguée, je ne me suis pas sentie aussi bien depuis qu'il a été agressé.

– Remerciez pour moi votre mari d'avoir accepté que je reste. Ses prières avaient énormément de force.

– Je le lui dirai. »

Mais d'abord, elle sortit sur le patio, apprécia la paix qui régnait à 2 heures du matin, le ciel nocturne dégagé, la beauté de gens comme Rodriguez et les employés de l'hôpital. Cela méritait d'être souligné, pensa-t-elle. Cette chose horrible qui était arrivée au lieutenant avait modifié l'opinion qu'elle se faisait de Santa Fe : ce n'était plus une ville de riches prétentieux, mais un lieu où les gens avaient du cœur.

Elle emporta la bouteille d'eau dans la minuscule chambre pour la partager avec Chee. Il avait approché une chaise du lit et était assis, silencieux, les yeux fermés. Leaphorn semblait dormir. L'épuisement s'abattit sur elle comme un fin brouillard. L'infirmière avait laissé des oreillers sur la deuxième chaise. Elle s'y pelotonna et s'endormit.

*

Chee se réveilla, courbatu mais avec les idées claires. Il contempla les tendres lueurs rosées de l'aube qui teintaient le ciel. Il vit Leaphorn allongé, immobile à l'exception de sa poitrine qui se soulevait et s'abaissait légèrement. Et Bernie, les pieds ramenés sous elle comme la chatte qui était leur invitée. Ses cheveux raides, d'un noir de jais, couvraient un côté de son visage, ses yeux étaient clos. Très belle. Il se leva le plus silencieusement possible et quitta la pièce.

De nouvelles infirmières avaient pris leur service. Il leur souhaita le bonjour, traversa les couloirs déserts puis le hall avant de sortir sur le parking pour saluer le lever du soleil. Il était bon d'être vivant. Bon de respirer l'air frais du matin, de contempler les fins nuages qui étincelaient dans l'immensité du ciel bleu clair. Les Monts Jemez volcaniques, qui abritaient le Laboratoire National de Los Alamos et des douzaines de sites archéologiques, s'étiraient, en hauteur comme en largeur, sur l'horizon à l'ouest, leurs pics bleu marine éclairés par les premiers rayons. À l'est, quelques maisons disséminées, brunes comme le sol, des collines arrondies piquetées de genévriers et de pins pignons indigènes et, plus loin, les pentes des Monts Sangre de Cristo.

Il était rare qu'il se lève avant Bernie. Jamais, avant l'attaque dont le lieutenant avait été victime, il ne l'avait vue aussi lasse. Il doutait qu'elle ait eu une nuit de sommeil complète depuis. Il pensa au dessin du lieutenant, se demanda en quoi il pourrait constituer un indice. Peut-être était-ce un symbole représentant quelqu'un ou quelque chose. Et peut-être, en fin de compte, avait-il dessiné la vallée qui se trouvait au milieu, et non pas les pics.

Puis, sans bien savoir pourquoi, il repensa à Mme Benally. Il se souvint qu'il avait promis de passer la chercher avant de récupérer Jackson en échange d'un entretien avec Leonard Nez. Et à midi, il devait être au bureau de Window Rock pour y retrouver l'agent Cordova, le capitaine Largo et les représentants de la Police des Routes d'Arizona qui travaillaient sur la tentative d'homicide. S'ils partaient maintenant, Bernie et lui auraient le temps d'avaler un agréable petit déjeuner quelque part.

Il revint en trottinant dans la chambre d'hôpital pour lui soumettre son plan, l'esprit occupé par le bacon et les crêpes que son estomac réclamait bruyamment. Il s'attendait à la trouver réveillée, peut-être plongée dans un livre. Mais elle était exactement à l'endroit où il l'avait laissée, endormie sur la chaise. Leaphorn semblait dormir aussi, en dépit du bruit des appareils. Chee remarqua alors Louisa, assise à côté du lieutenant, qui lui tenait la main à travers les barreaux du lit.

Elle porta l'index à ses lèvres et montra la porte avant de reposer doucement la main de Leaphorn sur le lit et de s'approcher de Chee.

« Je ne m'attendais pas à vous voir », lui dit-il.

Elle le serra contre elle. Elle était un peu plus grande que Bernie et beaucoup plus en chair. « Je suis venue dès que j'ai pu. La vie est devenue folle depuis quelque temps, mais ça y est, je suis là. Pour ne plus repartir.

– Vous savez que vous figurez toujours au nombre des suspects ? »

Elle hocha la tête. « Hier, j'ai enfin réussi à me sentir assez en forme pour téléphoner à l'agent du FBI. Je lui ai signalé que je serais ici jusqu'à ce que Joe en sorte, qu'il pouvait m'y trouver s'il voulait me poser d'autres questions et que, si cela s'imposait, il pourrait m'arrêter quand Joe se serait remis ou…

ou nous aurait quittés. » Elle se tut et Chee vit qu'elle avait les yeux brillants. « Je me couperais le bras droit plutôt que de faire du mal à Joe. Mais vous le savez. Ils sont en train d'éplucher mon alibi. »

Il remarqua son épuisement, son teint jaune. Elle semblait avoir vieilli de plusieurs années depuis la dernière fois qu'il l'avait vue.

« Pourquoi ont-ils eu autant de mal à vous retrouver ? Ils ont même vérifié les vols à destination de Houston.

– Je n'ai jamais pris la peine de changer officiellement de nom, depuis l'époque où j'étais mariée, il y a des siècles. Professionnellement, j'utilise mon nom de jeune fille, Bourebonette. C'est seulement quand je prends l'avion que je dois retenir mes billets sous celui de L.A. Tyler pour que ça corresponde à mon permis de conduire.

– L.A. Tyler ? Ça fait très Hollywood.

– Louisa Ann, précisa-t-elle.

– Les Fédéraux s'intéressent au message que vous avez laissé sur le répondeur, et à la raison de votre disparition. Il faut vraiment que vous leur expliquiez ça.

– Je le leur dirai, comme je vous le dirai à vous et à quiconque voudra le savoir, ce qui s'est passé entre Joe et moi et pourquoi je n'ai pas pu revenir plus tôt. Cela peut attendre. Je veux lui consacrer toute mon énergie. »

Elle s'interrompit, jeta un regard en arrière vers le lit. « Est-ce que Bernie et vous allez rester toute la journée ?

– Il faut que je rentre à Window Rock pour une importante réunion des forces de police. Bernie est en congé parce qu'elle a assisté à la tentative d'homicide, mais nous sommes venus ensemble par la route.

– Vous pouvez partir, alors. Vous avez un long trajet devant vous. Bernie doit être vannée. Elle n'a même pas bougé quand je suis entrée. À son réveil, il faut que je lui parle, que je m'excuse pour mon comportement bizarre. Après, il se peut que j'aille faire un petit somme dans le hall, je la laisserai au chevet de Joe. »

Bernie lui avait dit que quelqu'un devait rester en permanence auprès du lieutenant, il s'en souvenait maintenant. Mais elle allait lui manquer, sur le chemin du retour aux Four Corners.

« Je lui prêterai ma voiture s'il faut que je reste plus longtemps qu'elle, ajouta Louisa. Nous verrons ça plus tard, selon l'état de Joe. »

Ses yeux étaient à nouveau pleins de larmes. « J'ai assisté au décès de mes deux parents. Ils ont eu la chance de mourir chez eux. Je suis ici pour Joe aussi longtemps qu'il faudra. Quand Bernie se réveillera, elle pourra décider de ce qu'elle veut faire. Allez-y. Il faut que vous trouviez qui lui a fait ça. Vous savez qu'il ne sert à rien de discuter avec une vieille femme acariâtre.

– Dites à Bernie que je l'appellerai.

– Je lui dirai aussi que vous l'aimez. Je suis désolée de ne pas l'avoir dit plus souvent à Joe.

– Oui, s'il vous plaît. »

Pendant qu'il quittait le parking de l'hôpital par St Michael's Drive, il repensa aux yeux de Bernie qui s'étaient illuminés devant la tapisserie de Klah. Au lieu de faire halte pour avaler un petit déjeuner, il décida de passer la prendre en photo avec son téléphone portable en quittant la ville. Il l'imprimerait et lui en ferait la surprise. Elle pourrait la montrer à sa mère… ou même la lui donner si elle voulait. Le détour ne devrait pas lui prendre bien longtemps. Après, il boirait un café quelque part.

Il n'y avait qu'un seul autre véhicule sur le parking du CRIA, un vieux pick-up truck rouge avec un autocollant qui perdait ses couleurs : *L'Amérique : aimez-la ou rendez-la-nous.* Des rateaux, houes et pelles pointaient la tête au-dessus des parois de la benne. Chee se gara tout près, devant l'accueil. Il prit conscience qu'il était tôt. Le site n'était pas officiellement ouvert.

Il photographia quelques fleurs, y compris de nouvelles pivoines rouge vif encore en boutons lors de leur visite précédente. Il photographia le petit cimetière que le couple de propriétaires, à l'origine, avait consacré à leurs animaux domestiques : chats, chiens et même un perroquet. Un signe de plus que les Blancs vivent dans un monde dénaturé. Il envoya les fleurs et deux autres photos à Bernie avec un texto : « Devine où je suis ? » Il savait qu'elle avait éteint son portable la veille au soir afin que la petite sonnerie indiquant la réception des messages ne risque pas de la réveiller.

Un tuyau d'arrosage noir courait sur les dalles. Il le suivit et trouva Mark Yazzie qui arrosait les lys d'un jour.

« *Yá'át'ééh.*

– *Yá'át'ééh.* » Le jardinier lui adressa un grand sourire aux dents mal alignées. « Qu'avez-vous fait de votre uniforme ? Vous vous êtes habillé en civil pour venir m'arrêter ?

– La chance est encore de votre côté. Je ne suis pas en service. J'étais à l'hôpital, au chevet d'un ami. Je suis venu prendre des photos pour Bernie. Après, je repars sur la réserve.

– Faites. Les fleurs ont fière allure aujourd'hui.

– J'aimerais aussi prendre une photo à l'intérieur du musée.

– Pour ça, je ne peux pas vous aider. Demandez à Mme Davis.

– Elle arrive à quelle heure ? Je n'ai pas vu d'autre véhicule.

– Oh, elle se gare au musée. Elle y passe énormément de temps. Elle veut être prête pour l'arrivée de la nouvelle collection. » Des lèvres, Mark Yazzie indiqua la direction. « Vous savez comment y aller, à pied ?

– En mettant un pied devant l'autre. Merci. *Ahéćhee' shínai.* »

La porte principale du musée était fermée. Il fit le tour par l'arrière du bâtiment, trouva la Lexus du Dr Davis dans la zone réservée aux livraisons. À travers les vitres teintées, il aperçut un tas de boîtes et un sac de toile bleu marine. Les sièges arrière étaient complètement inclinés.

Il trouva la porte de derrière du bâtiment bloquée en position ouverte par un caillou.

« Docteur Davis ? Vous êtes là ? »

À l'intérieur, il lui fallut un moment pour que ses yeux s'adaptent à la pénombre. Le seul bruit était le vrombissement de ce qui devait être le système de ventilation. À l'exception des panneaux indiquant la sortie en rouge, il n'y avait qu'une seule source d'éclairage, une pièce située au bout du couloir.

Il se dirigea vers elle, le bruit de ses pas sur le sol en béton se répercutant dans les entrailles du musée. À la différence de la zone publique, très moderne, c'était un espace de travail pragmatique équipé d'étagères métalliques ordinaires et de quelques tables toutes simples. L'environnement lui remit en mémoire sa brève expérience de réceptionniste dans un hôtel d'Albuquerque, à l'époque où il était étudiant. Par contraste avec l'opulence du grand hall, les bureaux du personnel étaient de petits espaces dépourvus de fenêtres dont le mobilier de récupération disparaissait sous du matériel superflu.

Il se tourna en entendant le bruit d'une lourde porte qui se refermait derrière lui. Dans la pénombre, il distinguait à peine Davis, sur le seuil. Elle tenait un pistolet dont le canon était pointé sur son abdomen.

19

« Hé, bonjour. Je suis Jim Chee. Ne tirez pas. Je suis juste venu prendre une photo. »

Elle tourna le canon vers le sol. « Bonjour. Quelle surprise.

– On dirait.

– Je suis un peu nerveuse, ici toute seule. Le service de sécurité me déteste parce que j'ai désactivé l'alarme. Même Yazzie me dit que je devrais toujours garder la porte fermée, mais c'est agaçant comme la peste quand on n'arrête pas de sortir et de rentrer pour fumer. Monsieur Beau Garçon, vous êtes le premier à venir ici avant l'heure d'ouverture normale.

– Je n'avais pas l'intention de vous déranger. Vous arrivez toujours aussi tôt ?

– Venez. Je vais vous montrer ce que je fais. » Le sourire de Maxie Davis lui rappela aussitôt qu'il était un homme dans la force de l'âge, seul dans ce bâtiment avec une femme dangereusement séduisante.

Il la suivit jusqu'à une pièce, sur l'arrière, qui abritait plusieurs rangées d'étagères surchargées de céramiques. Sur la table étaient posées des boîtes, du papier à bulle et des rouleaux de ruban adhésif.

« Je dois transférer ailleurs certaines des poteries de notre collection pour accueillir les nouvelles de la donation McManus. Certaines de ces vénérables merveilles vont devoir partir dans une réserve située en dehors du site. Au revoir les anciennes, bienvenue aux plus anciennes encore.

– Comment choisissez-vous celles que vous devez empaqueter ? Ne pourriez-vous laisser quelqu'un s'en charger à votre place ?

– Certaines sont semblables à celles de la donation, et il faut mon niveau d'expertise pour voir la différence. Ces merveilles-ci sont à moi. »

Elle s'assit sur le bord de la table où elle empaquetait les pièces, abaissa le pistolet le long de sa jambe. Chee pensa au sien, rangé dans le pick-up.

« Vous savez, dit-il, je suis presque sûr que nous nous sommes déjà rencontrés. Avec Leaphorn, à Chaco Canyon, à l'époque où vous étiez chercheuse.

– Je me demandais combien de temps il allait vous falloir pour faire le rapprochement. Chaco. Un lieu de magie et de mystère. Ces merveilles très rares viennent de Chaco, elles aussi. » Ses lèvres parfaites dessinèrent l'amorce d'un sourire. Elle souleva une poterie haute et fine décorée de lignes verticales, dans le but, peut-être, de la faire paraître plus grande encore. Chee repensa à l'urne. Davis portait des gants en coton noir. « Une œuvre d'art, non ? Qui remonte à l'an 1200 environ. Et qui n'a pas été apportée depuis l'extérieur, mais fabriquée dans le canyon même. Parmi les poteries McManus, nous allons en récupérer plusieurs similaires à celle-ci. Aussi exceptionnelles.

– Je n'y connais pas grand-chose en poteries. Pourquoi les gants ? »

Davis la reposa et entreprit de l'empaqueter. « Pour empêcher la graisse de mes doigts d'adhérer à la surface. Allez, dites-moi pourquoi vous êtes venu. J'aimerais croire que c'est parce que vous saviez que vous me trouveriez seule.

– Rien de ce genre. J'espérais prendre une photo de la couverture de Klah, pour Bernie. Le jardinier m'a dit que vous arriviez tôt. J'ai pensé que vous accepteriez peut-être une infime entorse à la règle interdisant de photographier les objets.

– Où est votre femme ? Elle vous attend dans votre camion ?

– À l'hôpital, avec Leaphorn.

– Il n'est pas encore mort ? »

Chee laissa ces mots sans réponse, attendant la suite.

« Aucune photographie n'est autorisée dans le musée, mais vous êtes trop mignon, alors je vais y réfléchir. Vous savez, chaque poterie raconte une histoire. Même après avoir travaillé dessus pendant des années, des pièces comme celle-là continuent de me couper le souffle. » Elle prit du papier à bulle, le dévidoir de rouleau adhésif, et entreprit de fabriquer un cocon transparent pour la poterie qu'elle lui avait montrée. « Chaque fois que je me tiens là, je pense aux femmes qui les ont fabriquées, mères et filles, grands-mères et tantes, jeunes et vieilles. Les heures qu'elles ont consacrées à prélever l'argile, à la nettoyer, à la mélanger avec de l'eau et à la malaxer, à modeler les pots, à peindre sur l'engobe. À les cuire et à les décorer. Penser que mes mains touchent ce que ces femmes ont créé me rend humble. »

Chee aperçut un objet en argent autour de son poignet droit. « Je parie que c'est un homme qui a fabriqué votre joli bracelet de montre.

– Là, vous avez raison, mais je n'ai pas de montre. » Elle coucha la poterie dans la boîte et s'approcha de lui, si près qu'il sentit son parfum associé à une odeur de tabac. Elle releva sa manche pour qu'il puisse contempler le bijou. Il observa la façon dont l'argent semblait ruisseler autour de la farandole de cœurs ouverts.

« C'est un bijoutier de Gallup, un Navajo, qui l'a fait. Tsosie. Vous le connaissez peut-être ?

– J'en ai rencontré un qui vend chez Earl. Serait-ce Garrison Tsosie ?

– Son frère, peut-être. Notah Tsosie. Mon fiancé lui avait demandé d'en faire un pour lui aussi, plus large, plus masculin, et un autre, identique au mien, pour Ellie… Eleanor Friedman : avant, elle s'appelait Friedman-Bernal. Vous vous souvenez de l'avoir vue, autrefois ?

– Comment est-elle, physiquement ?

– Oh, un peu plus petite que moi. Les cheveux châtain clair. » Davis repoussa une mèche de cheveux blond roux derrière son oreille. « Je ne suis pas surprise qu'elle ne vous ait pas laissé une impression impérissable.

– Je me souviens d'elle. Elle a eu un problème grave, à l'époque, non ?

– Les problèmes, c'est elle qui les causait. Elle racontait des choses horribles sur mon compagnon, mon Randall. Elle prétendait qu'il falsifiait ses données de recherche, fourrait son nez dans des choses qui ne le regardaient pas. Elle avait réussi à répandre des bruits qui auraient définitivement brisé sa carrière. Elle a eu un grave accident dans les ruines où elle s'était aventurée pour l'espionner. Après, elle est partie vivre en Arizona. J'ai perdu contact avec elle, mais je n'ai jamais oublié ce qu'elle avait fait. »

Chee sentit une sueur froide courir le long de son échine. Cette femme le mettait mal à l'aise. « Quand nous vous avons posé la question, à propos des estimations d'EFB, vous nous avez dit que vous n'en aviez pas entendu parler. C'était pourtant le cabinet d'Ellie. »

Davis rit. « Si vous avez bonne mémoire, j'ai dit qu'EFB ne figurait pas dans les archives du CRIA. C'est exact, car ses premières estimations datent d'avant nos dossiers. Et elle n'a pas adressé d'offres de service au CRIA ni à aucun de nos donateurs depuis qu'elle est installée à Santa Fe.

– On m'a prié de me rendre à Chaco Canyon, hier. Un des employés du parc a découvert le corps d'une femme. Elle semble avoir été tuée par balle. Les agents fédéraux pensent qu'il pourrait s'agir d'Ellie.

– Vraiment ? »

Chee remarqua un léger changement d'intonation dans sa voix.

« Rien ne permet de l'identifier, mais sa disparition a été signalée, et le corps correspond à la description qu'ils ont d'elle. Comme les charognards se sont attaqués à la dépouille, il est difficile de savoir depuis combien de temps elle est morte.

– Un suicide ? »

La question le surprit. « Nous n'en sommes pas sûrs, à l'heure qu'il est. Pourquoi me demandez-vous ça ?

– Elle était instable. Elle possédait une arme. Et elle avait probablement mauvaise conscience. Je pense que c'est elle qui a tiré sur Leaphorn.

– Il lui avait sauvé la vie, objecta Chee. Pourquoi aurait-elle essayé de le tuer ? »

Davis prit une coupe de la taille d'un pamplemousse, décorée de lignes et d'angles noirs sur fond blanc. Elle entreprit de l'empaqueter. « À cause du travail que Leaphorn devait faire pour Collingsworth, la vérification des estimations de la collection McManus. Bernie vous a donné des détails ? » Ses mains continuaient de s'activer en parlant. « C'est Ellie qui a procédé aux évaluations sur lesquelles Leaphorn a émis des doutes. Elle redoutait qu'il dénonce son cabinet et ses méthodes. Elle me l'a dit.

– Vous lui avez donc parlé ? – demanda Chee en dissimulant son étonnement.

– Elle m'a appelée quand elle a découvert que le CRIA allait bénéficier de la donation McManus. Elle savait que certaines poteries ne correspondent pas à ce que s'imagine la fondation. Elle redoutait que Leaphorn s'en aperçoive.

– Pourquoi aurait-elle falsifié l'estimation ? »

Davis eut un petit rire. « Vous êtes mignon. Vous ne comprenez pas les rouages de la malfaisance.

– Il faut croire que non.

– D'ordinaire, les gens truquent leurs estimations pour gagner plus d'argent. Mais Ellie détestait l'idée que des poteries indiennes puissent sortir du pays, et elle détestait particulièrement se dire que ses poteries favorites et très rares, celles de Chaco Canyon, puissent partir en exil chez un riche en Asie. Après deux ou trois verres, elle se mettait à pleurnicher et disait des choses idiotes comme : "Les pauvres merveilles d'argile des Anasazis, exilées à jamais." Alors elle a libéré les poteries anciennes et les a remplacées par des copies.

– Et où a-t-elle trouvé ces faux ?

– Ce n'étaient pas des faux. » Davis arborait une de ces expressions dédaigneuses que Chee avait observées chez les gens qui se croient plus intelligents que la moyenne. « C'étaient des répliques exactes qu'elle avait façonnées en s'inspirant de photos des pièces à estimer. Elle les a faites à la main, dans son petit logement, ce qui lui permettait d'affirmer sans mentir qu'elles avaient été fabriquées à Chaco Canyon.

– Difficile à réaliser », objecta Chee.

Davis sourit. « Pas pour Ellie. Elle avait commencé la poterie à l'école, bien avant de devenir archéologue. Et elle avait étudié la technique des Anasazis à l'université. Dans le canyon, elle a découvert un endroit où il y avait de la très bonne argile, et elle a utilisé des tessons pilés qu'elle a ajoutés afin de conférer à ses pièces l'authenticité de l'ancien. » Elle lui adressa un clin d'œil. « Je sais ce que vous pensez : détruire des tessons anciens est illégal. Mais ce n'était pas aussi répréhensible qu'il y paraît. Elle avait une immense collection de poteries brisées, que justifiait son travail de recherche et qui lui venait d'une famille de potiers bien précise originaire de Chaco. Elle ne détruisait que celles dont elle n'avait pas l'usage, et je l'avais auparavant aidée à les photographier et à les décrire. On pourrait discuter du problème d'éthique que cela posait, mais Ellie poursuivait un but supérieur.

– Et vous étiez d'accord ? »

Davis ne répondit pas. « Nous disions toujours pour plaisanter qu'elle était à moitié anasazi, vu la facilité qu'elle avait à copier les motifs des anciens, leurs particularismes. Elle avait également un talent de magicienne pour la peinture.

– Elle a donc volé les poteries authentiques pour leur substituer les siennes dans la collection McManus. Le lieutenant l'a découvert…

– "Volé" me paraît exagéré. Je dirais sauvé. Elle a réagi comme ça parce que la collection McManus contenait des poteries cylindriques rares. Comme celle-ci. » Elle en souleva une avec des rectangles entremêlés peints au-dessus d'une base blanche. Chee se souvint d'un des dessins qu'il avait vus dans le petit calepin du lieutenant.

« Procéder à des substitutions ne lui était pas venu à l'esprit avant d'apprendre l'existence de ces poteries et d'en tomber amoureuse. Mais une part plus honnête de sa personnalité s'est inquiétée de la valeur de ces pièces, et elle l'a minimisée dans son évaluation pour qu'elle reflète leur valeur probable. Il y avait tellement d'objets dans la collection McManus qu'ils ne s'en sont jamais rendu compte. Ou qu'ils ont été ravis de payer des frais d'assurance moindres. Tout allait très bien pour Ellie jusqu'à ce que Leaphorn vienne mettre son nez partout.

– Et c'est pour cette raison qu'elle a essayé de le tuer ? C'est bien ça ?

– De le tuer avant de se suicider. Le monde de l'estimation des objets d'art indiens représente un petit cercle fermé. Si le bruit se répand que vos évaluations ne sont pas dignes de foi, tout est fini. Cette vieille affaire aurait signifié la fin de sa carrière. D'un côté comme de l'autre, elle était fichue. »

Chee réfléchit. « Ellie a probablement procédé de même pour d'autres estimations. Pourquoi ne s'est-elle pas contentée de garder le produit de la vente et de disparaître, de partir quelque part, sur une île ? Pourquoi est-elle revenue ? »

Davis déposa le cylindre dans une boîte. « Elle a gardé les poteries, elle n'en a jamais vendu aucune. Après la collection McManus, elle n'a plus jamais accepté de travailler sur des objets d'art indiens s'ils étaient vendus hors des États-Unis. Le caractère clandestin de l'opération l'angoissait trop, selon elle.

– Et que les poteries McManus étaient les seules qu'elle avait remplacées par les siennes ? Vous la croyez ? »

Davis sourit. « Je la haïssais à cause des mensonges qu'elle avait colportés sur mon Randall. Mais là-dessus, elle ne mentait pas. »

Chee respira profondément. « Et donc Ellie a une cachette secrète, pleine de poteries rares, et elle abat l'homme qui lui a sauvé la vie afin de préserver sa réputation professionnelle ?

– C'est ça.

– Pourquoi ne lui a-t-elle pas tout simplement expliqué ce qui s'était passé ? Si elle les avait toujours…

– En fait, elle a sollicité un rendez-vous pour en discuter avec lui. Mais elle a pris peur.

– Vous êtes très bien renseignée.

– Nous avons été amies. »

Chee hocha la tête. « Le FBI va vouloir vous interroger. »

Elle eut l'air surprise. « Vous êtes policier. C'est votre travail. »

Il secoua la tête. « Je ne suis pas persuadé que quelques poteries anciennes aient pu constituer un mobile suffisant pour tenter d'assassiner un homme de bien qui lui avait sauvé la vie. »

Davis le dévisagea. « Vous ne comprenez rien. Ce Leaphorn est quelqu'un de profondément malfaisant. Il a abandonné mon Randall sur la mesa. Il a abandonné son corps aux coyotes.

– Vous vous trompez sur son compte. » Et, pensa-t-il, vous vous trompez sur Ellie. « Je ferais mieux de vous laisser vous concentrer sur votre travail. Il faut que je retourne voir Bernie. Nous avons une longue route pour rentrer chez nous.

– Par où passez-vous ?

– Par Cuba.

– Cuba ? On m'a recommandé un restaurant là-bas. El Bruno. Vous en avez entendu parler ?

– C'est dans la grand-rue, un peu avant des garages à louer, des box de garde-meubles.

– Des box de garde-meubles ? J'ignorais qu'on trouvait ce genre de choses à Cuba.

– Ça existe depuis toujours. Il y a un grand parking, pour les camping-cars et les caravanes, parce que ce n'est pas très loin de Chaco. »

Davis prit une autre coupe. « Il va falloir que je vous ouvre. La porte de derrière s'est verrouillée quand je l'ai fermée. Donnez-moi une minute pour en terminer avec ces dernières pièces. Vous avez mentionné une photo de la tapisserie de Klah ? Vous savez où se trouve la salle. Allez prendre votre photo. Profitez-en. Je vous y retrouve. »

Dès qu'il fut dans le couloir, il sortit son téléphone. Pas de signal, probablement en raison de la structure du bâtiment. Il envoya un texto à Cordova : *Leaphorn rap. urgent.* Il tenta d'ouvrir la porte donnant sur l'arrière sans faire de bruit. Verrouillée, comme l'avait affirmé Davis.

Celle de la salle des couvertures ne l'était pas et la lumière s'alluma automatiquement quand il entra. Il referma derrière lui, essaya à nouveau d'utiliser son téléphone portable avec le même résultat.

Il contempla la couverture de Klah, prit des photos pour Bernie, une de loin et plusieurs gros plans de différents éléments de la composition. Il s'exhorta à profiter de ce moment. Si Davis faisait la méchante, il pourrait la maîtriser facilement et la garder dans les lieux en attendant les renforts envoyés par Cordova.

Quand il tenta d'ouvrir la porte de la salle, la poignée refusa de tourner. Il se souvint que Marjorie avait entré un code dans le pavé numérique, à côté de la serrure. Il essaya vainement les combinaisons les plus courantes, suivies de plusieurs variations.

Par la fenêtre, il vit Davis approcher. Elle poussait un chariot. D'un seul geste délié, elle ouvrit la porte, immobilisa le chariot afin de boucher le passage et pointa une arme sur lui.

« Merci de m'avoir parlé des box de garde-meubles, lui dit-elle. Le moment est venu d'aller voir ce qu'il y a dans celui d'Ellie.

– Attendez. »

Elle tira et, quand la douleur incapacitante du Taser l'atteignit, il comprit qu'il lui avait fourni l'information dont elle avait besoin si elle voulait échapper à une condamnation pour meurtre avec préméditation.

*

Bernie ouvrit les yeux, vit le plafond blanc, entendit le bruit rythmé des appareils de surveillance respiratoire et cardiaque. Etait-ce eux qui maintenaient le lieutenant en vie ou sa résistance farouche ? Elle sentit une autre présence dans la chambre, quelqu'un qui, debout à côté du lit, observait l'homme et non pas les machines.

« Louisa ! Quand êtes-vous arrivée ?

– Il y a un petit moment. » Son visage, d'ordinaire replet, était marqué, son teint couleur de cire. « J'ai dit à l'accueil que j'étais sa femme. Je le suis, officieusement du moins. Ils m'ont répondu que ma nièce et mon neveu étaient là. Je suppose qu'il s'agit donc de vous et de Jim ? »

Bernie acquiesça. « Largo m'a chargée de retrouver les membres de sa famille. Je n'en ai trouvé qu'un, Austin Lee, et je ne l'ai même pas eu au téléphone.

– Joe ne parle jamais de sa famille. » Louisa respira lentement puis rejeta lentement l'air. « Vous et Chee, moi, les membres de la Police Navajo. C'est nous, sa famille. »

Elle s’assit sur la chaise placée près du lit et grimaça.

« Vous ne vous sentez pas bien ? demanda Bernie.

– Mieux, maintenant que je suis ici avec lui plutôt qu’à Houston.

– Vous avez l’air fatigué. Vous êtes sûre que ça va ? »

Louisa hocha la tête. « Ça va. J’étais à MD Anderson, vous savez, le grand hôpital. On ne vous laisse pas repartir tant qu’on ne vous a pas inspectée de fond en comble.

– Je ne savais pas que c’était là que vous étiez. Vous nous aviez dit que vous alliez à une conférence. » Bernie savait que MD Anderson était un centre de cancérologie.

« C’était une sorte de conférence : j’ai beaucoup conféré avec les médecins. Il fallait que je me prête à des examens, des consultations, de nouveaux examens, que je voie des experts. Je ne l’ai pas dit à Joe, je ne voulais pas qu’il s’inquiète après ce qu’il a vécu avec Emma. C’est à cause de ça qu’on s’est disputés. »

Emma, l’épouse qu’il avait chérie, était décédée d’une infection consécutive à l'opération d’une tumeur cérébrale.

« C’est bien assez dur comme ça, de voir mourir une femme qu’on aime. Je ne voulais pas lui en parler, du moins pas avant de savoir à quoi nous étions confrontés.

– Et alors ? demanda Bernie. Le cancer ?

– Non. Un de ces problèmes d’immunodéficience dont on n’entend jamais parler avant d’en être atteint. Les médecins disent que je mourrai probablement d’autre chose avant que ça ait eu le temps de me tuer. C’est le bon côté de la vieillesse. Il y a moins d’inquiétudes à avoir.

– Ça fait quand même beaucoup à assumer seule.

– Je vous ai laissé un message disant que j’avais quelque chose d’important à vous annoncer, mais je sais qu’il vous était difficile de me joindre à Anderson. » Elle regarda Leaphorn. « Il a dû penser que j’étais en colère contre lui à cause de la façon dont je suis partie, c’est sûr. J’étais de mauvaise humeure, ergoteuse, j'avais l'esprit de contradiction. J'espère que j'aurai la possibilité de lui expliquer. Je suis partie sans lui dire que je l'aime. Je ne m'attendais pas à le retrouver comme ça.

– Tous les couples traversent des moments difficiles. Il sait bien que vous l'aimez.

– À propos. Jim est parti tôt pour Window Rock. Je lui ai dit que nous pourrions rentrer ensemble avec ma voiture, ou que vous pourriez la prendre si je veux rester. Il m'a demandé de vous dire qu'il vous aime.

– Je ne l'envie pas pour la matinée qui l'attend. Cette Mme Benally qu'il doit voir est une vraie tigresse. »

Leaphorn bougea, gémit. Louisa reprit sa place à son chevet.

« Je vais aller courir un peu pour chasser les dernières brumes du sommeil », dit Bernie.

Elle dépassa la cafétéria, vit les tables où aides et bénévoles discutaient en prenant leur petit déjeuner, et quelques personnes, peut-être des visiteurs en attente de nouvelles, qui faisaient une pause avant de retourner veiller un malade. L'odeur alléchante du café frais flottait dans le hall. Elle décida d'en boire à son retour.

Elle franchit les larges portes, le patio paysager aux bancs incurvés, marcha sans se presser sous le soleil, profitant de la chaleur des rayons sur sa peau, de la brise légère, de l'arôme plaisant de la verdure.

Elle alluma son portable, vit qu'elle avait des messages. Darleen. Slim Jacobs. Des photos envoyées par Chee. Elle les remit à plus tard.

Elle traversa en courant St Michael's Drive où la ciculation était dense, continua en longeant l'Église unifiée de Santa Fe et emprunta un chemin de terre. C'était merveilleux d'être dehors, d'être vivante. La vue des contreforts montagneux qui se dressaient à l'est, parsemés de pins pignons, la ravit.

Pourquoi le lieutenant avait-il consacré des forces précieuses à tracer un dessin ? Elle y réfléchit et résolut de l'étudier à nouveau à l'hôpital. Peut-être ce matin y verrait-elle autre chose.

Elle déclencha son chronomètre, rebroussa chemin au bout de vingt minutes. Quand elle s'arrêta devant l'entrée pour reprendre sa respiration, elle remarqua une statue souriante de François, le saint patron de la ville et, elle ne l'ignorait pas, des animaux. Elle repartait vers les larges portes vitrées au moment où son téléphone sonna. Elle pensa que c'était son mari, entendit une autre voix masculine, celle de Cordova.

« Bonjour. Savez-vous où est Chee ? Je n'arrive pas à le joindre. Je viens de recevoir son message.

– Il est sur la route de Window Rock. Il doit vous y retrouver, vous, Largo, et les gars de l'Arizona. Il a dû laisser son portable en mode silencieux depuis la nuit dernière à l'hôpital.

– Vous n'êtes pas avec lui ?

– Non, je suis restée à Santa Fe. Nous sommes venus veiller Leaphorn.

– Comment va-t-il ?

– Il est apaisé.

– Cela signifie-t-il "mort", en langue indienne ? »

Bernie soupira. « Non. Je ne me permettrais pas de plaisanter là-dessus.

– Pourriez-vous demander à Chee de me rappeler dès que possible ? Il faut que j'annule la réunion. La femme morte retrouvée à Chaco est bien Eleanor Friedman.

– Ça alors, fit Bernie. Que s'est-il passé ?

– Une balle dans la poitrine. Même calibre que pour Leaphorn. Nous avons interrogé Karen, la femme avec qui vous avez parlé. Elle n'avait pas grand-chose à ajouter, mais vous pouvez dire à Chee qu'il a fait du bon boulot en repérant les traces sinueuses de ses semelles.

– Qu'est-ce que vous avez découvert d'autre ?

– Davis, la femme sur laquelle il nous a demandé de nous renseigner : elle a eu un mari, il se trouve, qui a demandé le divorce avant de porter plainte contre elle pour violences conjugales.

– Attendez, je croyais que l'archéologue était son fiancé.

– Ça, je n'en sais rien. Quand c'est arrivé, elle avait dans les vingt-cinq ans et elle vivait dans le Midwest.

– Vous êtes sûr que ce n'est pas le contraire, que ce n'est pas elle qui a porté plainte ?

– Oh, il a dû lui aussi se plier à une injonction de ne pas s'approcher d'elle. Ce qu'il y a de troublant, c'est que son ex, un ancien flic, a disparu. Trois ans plus tard, ses ossements ont été retrouvés, à l'écart d'un sentier isolé. À l'époque, personne n'a réussi à déterminer ce qui s'était passé, mais il avait reçu une balle dans le crâne.

– Et il s'agit bien de la directrice adjointe, le Dr Davis ?

– Maxie Davis. Elle-même. À une époque, elle a été membre de la Garde nationale. Elle avait d'excellentes notes au tir.

– Est-ce qu'on a retrouvé la balle qui a tué son ex ?

– Voilà ce que j'appelle savoir réfléchir, dit Cordova. Nous sommes en train de vérifier. »

Quand il raccrocha, Bernie appela Chee sans obtenir de réponse. Elle appela Largo. Non, il n'avait pas de nouvelles de Chee, pas plus que de Cordova. Bernie le mit au courant des événements.

« Dès que vous parviendrez à le joindre, dites à Chee d'appeler Cordova, acheva-t-elle.

– Je croyais que vous ne travailliez pas sur l'enquête, une raison de plus pour ne pas la diriger, répliqua Largo.

– Mes excuses, capitaine. Je ne voulais pas avoir l'air de donner des ordres.

– Pas de problème, Manuelito. On ne se refait pas. Comment va Leaphorn ? Comment s'est passée la nuit ? »

Elle lui parla un peu de la cérémonie. « Ça y est, Louisa est ici, elle aussi.
– J'en suis heureux. Dites à notre ami que je suis de tout cœur avec lui.
– Je n'y manquerai pas, capitaine. Mais je pense qu'il le sait déjà. »

20

En regagnant la chambre du lieutenant, Bernie pensa au message de Chee. Louisa sommeillait, assise, la tête dans les mains. Bernie la toucha légèrement et elle se réveilla en sursaut.

« Ça ne me dérangerait pas du tout de m'asseoir un moment si vous voulez aller boire un café ou manger un peu. Ou si vous préférez rester, je peux aller vous chercher quelque chose et vous pourrez vous installer dans la salle d'attente, ou dehors sur la terrasse.

– Pour l'instant, ça va. » Louisa lui tendit le croquis que Leaphorn avait fait la veille. « Qu'est-ce que c'est ?

– Nous lui avions demandé s'il savait qui lui avait tiré dessus et hier, il a dessiné ça. Il pensait sans doute nous donner un indice. »

Louisa fronça les sourcils. « Un W pour dire "*white man*" ? À moins que ce ne soit le M de "mystère". Ou une montagne avec une vallée profonde ? Ça vous a aidés ?

– J'essaie d'en comprendre la signification. Je lui ai fait la promesse que je découvrirais qui a essayé de le tuer. »

Le MMS de Chee, qu'elle n'avait pas ouvert, lui revint et elle lut : « Devine où je suis ? » Elle vit une très belle pivoine rouge en pleine floraison. Superbe, pensa-t-elle. Pourquoi la lui avait-il envoyée ? Puis la vérité s'imposa : elle l'avait vue alors que ce n'était encore qu'un bouton.

Elle se tourna vers Louisa. « Est-ce que je peux emprunter votre voiture ? Chee a éteint son téléphone et je viens de recevoir des informations dont il a besoin. »

Louisa sortit un jeu de clés de son sac à main. « La Jeep est dans la première rangée. Il y a un macaron handicapé accroché au rétroviseur. Et un pistolet chargé dans la boîte à gants. »

Bernie lui adressa un regard interrogateur.

« C'est le macaron ou le pistolet qui vous surprend ?

– Les deux. Le FBI a cherché votre Jeep dans tout l'aéroport. Vous l'aviez cachée ? »

Louisa sourit. « Une amie m'avait autorisée à la laisser chez elle. C'est elle qui m'a conduite à l'aéroport et qui est venue me rechercher hier. J'ignorais combien de temps j'allais devoir rester à Anderson et ça finit par coûter cher en parking.

– Je reviens très vite, assura Bernie.

– Je l'espère bien. Nous avons beaucoup de choses à nous dire. »

La Jeep démarra du premier coup et elle roulait très bien. Même s'il ne faisait pas encore très chaud, Bernie mit la climatisation, uniquement parce qu'elle était disponible.

Elle vit le pick-up de Chee près de l'accueil des visiteurs, se dit qu'il était probablement au musée. Absorbé par les collections, il avait oublié que son téléphone était coupé depuis la cérémonie de guérison.

Mais le musée était fermé, les lumières éteintes. Il n'y avait personne, même pour faire le ménage. Elle alla à la porte de derrière. Fermée à clé. Aucune voiture. Un grand chariot, sur la rampe de chargement, des traces profondes dans le gravier, plusieurs mégots de cigarettes.

Elle chercha Chee aux alentours en essayant de tromper son inquiétude, trouva Mark Yazzie près du bâtiment de l'administration où il enroulait des tuyaux d'arrosage.

« C'est mon jour de chance, dit-il. Deux représentants de la loi, et je suis toujours en liberté.

– Vous avez vu Chee, alors ?

– Bel homme. Même sans l'uniforme.

– Je suis à sa recherche.

– Quand je l'ai vu, il allait au musée.

– J'en viens. C'est fermé.

– Je lui ai conseillé d'entrer par la porte de derrière.

– J'ai essayé aussi, mais elle est fermée à clé.

– Il faut croire qu'elle est déjà partie, répondit le jardinier.

– Qui ça ?

– Le Dr Davis. Si je vois l'agent Chee, je lui dirai que vous le cherchez. »

Bernie se dirigea vers le bureau de Davis non sans remarquer que le 4×4 n'était pas là. Elle frappa mais personne ne vint ouvrir. Elle rappela sur le portable de Chee. Rien.

Elle se rendit au bâtiment de l'administration où elle trouva Marjorie qui arrosait les plantes du grand bureau. Collingsworth était parti petit déjeuner avec des donateurs potentiels, lui apprit-elle, il devrait être de retour vers 10 heures. Bernie pouvait attendre là si elle le désirait, boire un café. Et non, elle n'avait pas vu Chee.

« Et le Dr Davis ? demanda Bernie.

– Oh, elle travaille hors site aujourd'hui. Je peux lui transmettre un message. Elle a un projet de recherche sur un ranch, dans le sud du Colorado.

– Le ranch Double X ?

– En général, c'est là qu'elle va. Et parfois à Chaco Canyon.

– Il faut contacter la sécurité du campus. Mon mari a disparu. Son camion est sur le parking, mais il a disparu. Il ne répond pas à son portable. J'ai peur qu'il lui soit arrivé quelque chose. Le jardinier m'a dit qu'il était au musée, mais c'est éteint et fermé.

– Pourquoi serait-il venu aussi tôt ? Il ne semble pas très vrais… »

En voyant l'expression de Bernie, elle s'interrompit et composa un numéro. Elle prononça quelques mots, raccrocha. « Le gardien sera là dans une minute. »

Bernie attendit sans bouger, dehors sur le banc, en repositionnant les pièces du puzzle et en se remémorant le mantra du lieutenant : les coïncidences n'existent pas. Un W pour signifier *woman* ? Était-ce une femme qui lui avait tiré dessus ? Était-ce Ellie ? Si oui, qui l'avait tuée, elle ? Ou un M, un M pour désigner Maxie ? Quand elle aurait trouvé Chee, elle lui soumettrait cette théorie, après s'être moquée de lui pour s'être laissé enfermer avec les objets d'arts.

Il fallut un quart d'heure au gardien de la sécurité pour arriver : bien bâti, cheveux gris acier, la présence physique d'un ancien Marine et le pistolet dans l'étui. En voyant la rigidité de ses épaules et son visage renfrogné, Bernie sentit qu'il y avait du conflit dans l'air.

« Que puis-je faire pour vous ? lui demanda-t-il.

– Je crois que mon mari est enfermé dans le musée. Il faut que vous… »

Il lui coupa la parole. « Non, madame. C'est impossible. L'alarme est enclenchée et les détecteurs de mouvement montrent qu'il n'y a personne à l'intérieur. J'ai vérifié avant de venir.

– Et s'il est inconscient ? »

Le gardien fit un petit bruit avec sa langue. « Écoutez, à moins de faire partie du personnel, il n'a aucune raison de s'y trouver de toute façon. Les employés du musée seront là dans environ une heure. Je suis certain qu'ils… »

Elle sentit monter sa colère, prit son portefeuille dans son sac à dos, lui présenta son badge officiel de la Police Navajo.

« Mon mari est également membre de la Police Navajo. Je suis ici pour enquêter à la demande du Dr Collingsworth, et mon mari m'assiste dans ma tâche. Je ne tiens pas à faire intervenir des gens de l'extérieur, mais si je suis obligée d'appeler la Police de Santa Fe ou celle de l'État, je suis sûre qu'ils viendront.

– Je vois.

– En quoi consiste le système d'alarme ? » lui demanda-t-elle pendant qu'ils marchaient.

Il lui expliqua que des systèmes électroniques complexes surveillaient tous les bâtiments, les portes et les fenêtres donnant sur l'extérieur, et qu'il y avait des détecteurs de mouvements disposés aux endroits sensibles. Les membres du personnel autorisé qui avaient des raisons de travailler tard ou d'arriver tôt, connaissaient le code qui désactivait le système, et ils le réinitialisaient en partant.

« Ça marche super bien, déclara-t-il. Pratiquement jamais de fausse alarme. Le seul problème possible, c'est l'erreur humaine, quand quelqu'un oublie de réinitialiser en partant. »

Il voulait marcher d'un pas tranquille, mais accéléra le rythme lorsqu'elle se mit à trottiner. Ils atteignirent le boîtier du lecteur de badge, à côté de la porte. Il y inséra sa carte.

« Attendez-moi pendant que je vais jeter un coup d'œil.

– Je viens avec vous. Vous savez, deux fois deux yeux… »

Elle le vit se crisper.

« Quelle différence ça fait ? insista-t-elle. S'il n'est pas à l'intérieur, je vous paie un café.

– Ce n'est pas… Oh, et puis zut. J'aime les femmes qui ont du caractère. Après vous. »

Ils entrèrent à l'accueil qui était désert.

« Chee ? appela-t-elle. Chee ? Tu es enfermé ? »

Ils suivirent le couloir vers les salles de recherche, les bureaux et les réserves, des endroits où Bernie n'était pas venue la première fois. Dans la salle des poteries, elle remarqua les boîtes vides, les rouleaux d'adhésif, le papier à bulle.

« D'ordinaire, c'est impeccablement rangé, remarqua le gardien. Le Dr Davis aime ces vieux objets comme s'ils faisaient partie de sa famille, même plus que dans certaines familles que je connais. Je n'ai jamais vu cette salle en désordre, mais elle passe beaucoup de temps à empaqueter ces vieux machins pour les stocker ailleurs et faire de la place à la nouvelle collection fabuleuse.

– Elle est venue, ce matin ?

– Ouais. Elle a désactivé l'alarme et l'a réinitialisée en partant, il y a une demi-heure. Peut-être qu'elle a laissé votre cher mari entrer et qu'après ils sont partis prendre un petit déjeuner ensemble, ou allez savoir. Vous en avez vu assez ? J'ai gagné mon café ?

– Une dernière vérification. »

Les lumières jaillirent automatiquement au plafond de la salle des couvertures, mais pendant la fraction de seconde que cela prit, Bernie aperçut une petite lumière verte qui clignotait sous la table.

« Qu'est-ce que c'est ? » demanda-t-elle.

Il tendit la main. « On dirait que quelqu'un a laissé tomber un téléphone portable. » Lorsqu'il le toucha, l'écran s'alluma, affichant une photo de Bernie et de Chee en tenue navajo traditionnelle. Leur photo de mariage.

Bernie s'accroupit, scruta la moquette. Repéra plusieurs taches de sang. Humides.

« Vous pouvez vérifier avec les caméras de surveillance ? »

Il leva les yeux vers la caméra vidéo braquée sur la salle et secoua la tête. « Celle-là ne marche pas. C'est inscrit sur la liste des choses que je dois faire aujourd'hui.

– Appelez tout de suite la police. Ne laissez entrer personne, dans le bureau du Dr Davis non plus. » Elle courut vers la porte, regagna la voiture de Louisa. Appela Cordova en conduisant. Lui expliqua ce qu'elle avait découvert.

« Le gardien est en train de prévenir la police locale, dit-elle. Mais je crois qu'il est trop tard.

– Vous êtes sûre qu'elle l'a kidnappé ? C'est une femme séduisante, à ce qu'il paraît… »

Bernie l'interrompit : « Il y avait du sang près de l'endroit où il a laissé tomber son téléphone. »

Cordova lui promit de prévenir les gardes de Chaco Canyon, au cas où Davis s'y rendrait, et d'alerter les polices du Colorado et du Nouveau-Mexique en leur communiquant le signalement du 4×4. Les agents du Colorado iraient également vérifier au Double X, l'autre endroit où Davis avait des raisons de se rendre. Il promit d'appeler Largo pour lui exposer les derniers développements.

« Et vous, où allez-vous ?

– Je retourne à Chaco et, s'ils n'y sont pas, j'irai au Double X. Je ne peux pas rester… »

Il lui coupa la parole. « Ne jouez pas les héroïnes. Ne faites rien de dangereux. »

La Jeep de Louisa la surprit par sa puissance et ses reprises. Elle avait, malheureusement, moins d'un quart d'essence dans le réservoir. Ça devrait lui permettre d'atteindre Cuba, et l'arrêt à la station-service locale devrait être ultra-rapide. Elle coupa la climatisation pour économiser le carburant, fonça vers le sud au milieu d'une circulation qui se raréfia après la sortie de La Cienega. La plupart des véhicules roulaient dans la direction opposée, celle de Santa Fe. Elle se concentra sur sa conduite, maintenant sa vitesse à cent trente-cinq kilomètres à l'heure, sondant sa mémoire à la recherche du moindre détail au sujet de Davis. S'obligeant à garder son calme. Ils avaient trouvé le portable dans la salle des tapisseries. Davis avait dû laisser Chee entrer et, auparavant, ils avaient probablement parlé des poteries qu'elle rangeait dans les boîtes. Il avait dû dire quelque chose et elle s'était sentie menacée. Mais quoi ? C'était une femme intelligente. Elle n'aurait pas couru le risque d'enlever un policier, à moins que l'enjeu soit suffisamment important et qu'elle soit persuadée de s'en tirer impunément.

Bernie s'interrogea sur l'impression que cette femme lui avait laissée. Elle aimait son travail. Elle avait aimé son compagnon qui était mort dans des circonstances mystérieuses, avait conservé ses cendres sur son bureau, dans cette urne qui ressemblait à un bocal à bonbons. Elle aimait vraisemblablement autant le pot cylindrique dans lequel il reposait qu'elle l'avait aimé lui.

Le pot. *Pot*[1]. L'image d'Ellie et de Slim fumant de la marijuana dans leur cachette de hippies, environnés par les boîtes d'Ellie remplies de tessons et de débris, s'imposa à elle.

Elle se souvint de la photo que Slim lui avait montrée. Se souvint de ce qu'il avait dit : c'était Davis qui prenait les photos pour Ellie quand elle avait ouvert son cabinet d'estimations. Davis devait savoir qu'Ellie falsifiait la valeur des objets. En fait, Ellie avait dû utiliser les photos de Davis pour réaliser ses copies. En pointant du doigt les évaluations suspectes, Leaphorn avait dû provoquer des questions sur une escroquerie dans laquelle Davis était impliquée. Chee était vraisemblablement parvenu à cette conclusion et Davis avait compris qu'il savait.

Elle repensa à l'état du bureau et de l'appartement d'Ellie. Elle en avait conclu que c'était une femme désordonnée, qu'elle avait quitté la ville précipitamment ou essayé de retrouver quelque chose. Mais si c'était Davis qui était venue, mettant les lieux sens dessus dessous en quête de photos compromettantes ?

Le voyant orange du niveau d'essence commença à s'allumer après San Ysidro, ce qui détourna brièvement son attention. Elle poursuivit sa route, essayant de ne pas s'en préoccuper, pas plus que de la lettre E, sur la jauge, indiquant que le réservoir était vide, puisqu'il n'y avait pas d'endroit où s'arrêter pour faire le plein. Elle couvrit les quinze derniers kilomètres en roulant sur les vapeurs d'essence, espérant ardemment que la

1. Mot désignant la marijuana.

Jeep atteindrait la station-service. Elle fut libérée d'une grande partie de la tension accumulée quand elle vit les bâtiments le long de la chaussée, le garde-meubles avec ses box de rangement, et, finalement, la station Conoco après le carrefour. Elle allait remplir le réservoir et poursuivre sa route.

Au moment de se ranger devant les pompes, une idée lui vint : ils avaient, Chee et elle, présumé que le terrain clos où se situaient les garages de location avait dû être le nid d'amour d'Ellie et son premier bureau. Or, Davis voulait à tout prix mettre la main sur les photos. Est-ce qu'elle avait pensé à les y chercher ? Et quel meilleur endroit aurait-elle pu trouver pour se débarrasser de Chee ?

Elle bifurqua vers l'entrée du garde-meubles, se gara, sortit de la boîte à gants le pistolet qu'elle glissa dans son sac à dos. Elle mit les clés de la Jeep dans la poche de son pantalon, se précipita au bureau d'accueil, un cabanon devant l'entrée clôturée. Un mur de trois mètres de haut, composé de blocs de ciment surmontés de fils de fer barbelé, entourait le complexe de stockage.

Le jeune homme qui était assis derrière le bureau quitta des yeux le jeu vidéo qu'il tenait entre ses mains. La console de surveillance, derrière lui, se composait de quatre écrans dont trois proposaient des images en noir et blanc du périmètre de l'entreprise : vers l'entrée, vers la route, vers un champ désert. Le quatrième était noir.

« Vous êtes intéressée par un espace de rangement ? Nous en avons de disponibles dans les deux tailles, et une offre spéciale pendant tout le mois de juin.

– Non. Je suis membre de la Police Navajo et j'ai besoin de votre aide.

– Ah ? »

Elle continua de parler en sortant son badge du sac à dos. « Je suis à la recherche d'une femme qui a disparu et qui pourrait avoir loué un box chez vous. Ellie Friedman, mais elle vous a peut-être donné le nom d'Eleanor Friedman-Bernal, ou du cabinet d'estimations EFB. Si vous voulez bien vérifier.

– Je n'ai pas besoin de vérifier. Vous avez failli arriver en même temps. Elle ne se souvenait plus du numéro de sa location. Ça n'a rien d'étonnant car elle n'est pas venue depuis des années. Elle paie régulièrement, en tout cas.

– Elle est ici ? Vous en êtes sûr ?

– Elle m'a présenté ses papiers. Elle est plutôt blonde, maintenant, alors qu'elle était châtain sur la photo. Vous connaissez les femmes. »

Il lui communiqua le numéro du box, lui indiqua où il était.

Comment Davis s'était-elle procuré les papiers d'Ellie ? La solution la plus simple aurait été de l'assassiner. Chee avait dû arriver à cette conclusion. Le mobile viendrait plus tard. C'était pour ça que Davis devait le faire disparaître.

« Elle conduisait un 4×4, c'est bien ça ? demanda-t-elle.

– Oui. Une Silver Lexus. Belle voiture.

– Vous êtes sûr qu'elle n'est pas repartie ?

– Oh, elle est là. Tout le monde sort par l'arrière. La grille déclenche un bruit, ici. Ça me rend dingue. »

Bernie sortit le pistolet du sac à dos et l'enfonça dans sa poche. « Je veux que vous contactiez la police locale. Dites-leur qu'ils doivent m'envoyer des renforts, tout de suite. Vous avez compris ?

– Eh ben dites donc. Mais le téléphone… »

Il n'acheva pas sa phrase. Bernie était partie comme une dératée.

Le complexe se composait de six longs abris contenant chacun des unités de rangement de petite taille équipées de portes en fer, et de grande taille avec des accès semblables à ceux de garages individuels. Les caravanes et les camping-cars disposaient de leur propre section, au nord du terrain. L'entrée du box que louait Ellie devait donner dessus.

Bernie ralentit en approchant des box qui offraient la vue dont s'étaient amusés les amants. En courant, elle avait remarqué des voitures et plusieurs personnes, mais aucune trace du 4×4, de Davis ou de Chee.

Elle atteignit le bout de la rangée, se plaqua contre le mur et passa la tête pour voir si la Lexus était là. Bingo. Davis l'avait garée, le nez argenté pointé vers l'extérieur, l'arrière à demi enfoncé dans l'espace de rangement grand comme un garage.

Bernie sentait le poids du pistolet dans sa poche. Elle essayait de ne pas y penser, car elle serait peut-être obligée de s'en remettre à une arme qu'elle n'avait jamais utilisée pour sauver sa vie et celle de Chee. Elle s'approcha en se plaquant contre le mur, évitant les sacs en plastique et les papiers décolorés qui avaient contenu de la nourriture avant d'être poussés par le vent devant les portes closes. Elle l'entendait souffler, entendait le lointain grondement de la circulation et percevait des notes de musique aiguës qui provenaient du garage d'Ellie. Quand elle y fut, elle s'accroupit à côté de la voiture en tendant l'oreille pour détecter des signes de la présence de Chee ou de Davis. Se débarrassa du sac à dos qu'elle posa dans une touffe d'herbes, vit une prise électrique dans le mur, juste au-dessus. Si cela tournait mal, le sac à dos pourrait indiquer qu'il se passait quelque chose d'anormal.

De minuscules haut-parleurs diffusaient de la musique classique, du violon. N'entendant ni conversation, ni dispute, ni gémissements, elle se releva lentement et essaya de voir à travers les vitres teintées du 4×4. Il y avait un gros sac à main couleur turquoise sur le siège du passager, pas du tout dans le style de Davis. Un sac de toile bleu marine par terre. À l'arrière, les sièges étaient rabattus, le hayon ouvert.

Elle se remit en position accroupie, se déplaça assez pour distinguer une partie du garage : une succession de meubles de rangement sombres, le long du mur du fond, des boîtes en carton marron soigneusement empilées dessus. Une table avec une nappe en plastique clair sur laquelle étaient posés des chiffons et un monceau de papiers en désordre. Elle repéra la source de la musique, un petit lecteur de cassettes noir. Sur le sol en béton, sous la table, il y avait plusieurs seaux et des boîtes contenant de la terre. Non, pas de la terre. De l'argile. Un atelier de poterie.

La voix de Davis la fit sursauter. « J'ai presque fini, Beau Gosse. » Bernie la vit. Une cigarette pendait à ses lèvres charnues peintes en rouge. Elle portait une pleine brassée de dossiers en papier kraft qu'elle renversa pour en faire tomber le contenu sur la table. « En voilà encore. Ellie gardait tout. Après, il me reste à ranger les petites merveilles d'Ellie dans des boîtes et nous partons. » Elle rit. « Mais bien sûr, nous ne partons pas au même endroit. Vous, mon cher, vous allez en enfer. Quel gâchis, un homme aussi sexy. »

Bernie sortit le pistolet de sa poche et ôta le cran de sécurité.

« J'aurais dû vous forcer à m'aider, mon grand. La prochaine fois, il faudra que j'y pense. Non pas que j'envisage qu'il y en ait une. » Elle jeta un regard en direction de la voiture. Bernie se figea sur place, mais Davis reporta son attention sur la table.

Bernie changea de position, s'efforça d'apercevoir Chee. Si Davis lui parlait, il devait être vivant. Elle vit un seau en acier galvanisé rempli de fragments de poteries. Des tuyaux d'arrosage verts bien enroulés. Un étui à guitare noir. Une vieille luge aux patins rouillés. Deux bidons d'essence rouges dans un coin. Un kayak jaune. Elle s'écarta davantage de la voiture pour mieux voir. Elle apercevait maintenant le bord d'un matelas, une chaussure et une jambe dans un jean. Elle s'avança encore et vit Chee allongé sur le dos. Un grand morceau d'adhésif noir lui couvrait la bouche. Davis en avait aussi utilisé pour lui entourer les chevilles. Il avait les bras derrière le dos, les poignets liés. Elle essaya, par la pensée, de lui faire ouvrir les yeux et regarder dans sa direction.

« Ah, agent Manuelito. » La voix de Davis s'éleva derrière elle à peu près au moment où un objet dur s'enfonça dans ses côtes. « J'ai une arme. Lâchez la vôtre et avancez dans le garage. Maintenant. »

Bernie se retourna d'un geste vif, mais Davis fit un bond en arrière avant qu'elle n'ait pu tirer, et une douleur fulgurante la jeta à genoux. Un feu liquide partit de son épaule, gagna son cerveau et chacune des molécules de son corps. Elle reconnut les effets du Taser avant de s'affaisser : elle avait reçu une décharge moins forte lors de sa formation de policière.

Elle entendit le pistolet de Louisa glisser sur le sol en béton. Son système nerveux, surchargé d'électricité, ignora l'ordre qu'elle donnait à son corps de se relever et de lutter pour sa survie.

Davis gardait l'arme pointée sur sa poitrine.

« Mon ex adorait ce nouveau Taser à triple décharge. Une des rares choses positives qui me soit restée de notre relation. »

Bernie percevait le crissement des violons. Elle tenta de se concentrer sur n'importe quoi à l'exception du bruit assourdissant de la musique et du déferlement de douleur pure. Elle savait qu'elle devait se détendre. Se détendre et attendre que son système nerveux recommence à fonctionner normalement.

Davis s'approcha, le Taser toujours braqué sur sa poitrine.

Elle la saisit par le bras gauche, puis le droit, et entreprit de la traîner vers les profondeurs du garage.

« Vous êtes plus légère que je n'aurais cru. Une petite jeune. Il aurait été plus simple de vous tuer avec un pistolet, mais je ne veux pas déranger les voisins. »

Bernie se libéra brusquement et roula sur le sol, prête à se relever. Davis bondit comme une panthère.

Cette fois, la décharge de Taser vida ses poumons de tout l'air qu'ils contenaient et que renfermaient les cellules de son corps, le remplaçant par une souffrance qui la consumait, une brûlure qui prenait naissance au-dessus de sa tête et ruisselait plus bas que ses pieds. Elle s'entendit crier, puis entendit le gémissement de Chee. Elle se força à se taire, se força à ouvrir les yeux, à les fixer sur Davis.

« Beau Gosse aussi, il lui a fallu un certain temps pour comprendre la puissance de la technologie. Un corps de femme encaisse moins bien ce genre de chose. »

Bernie sentit un violent coup de pied dans ses côtes, une nouvelle sensation de douleur. « Mettez-vous sur le ventre. » Elle y parvint difficilement, sentit que Davis l'empoignait brutalement, lui tordant les bras derrière le dos pour rapprocher ses poignets et les attacher avec de l'adhésif. Elle vit le rouleau vide rebondir sur le sol.

« Les Tasers sont des petits outils bien utiles. Je l'avais mis dans la voiture, avec le pistolet et le matériel de démolition, en prévision du jour béni où je m'assurerais qu'aucune des estimations falsifiées d'Ellie ne pourraient plus conduire jusqu'à moi. »

Bernie essaya de réfléchir en oubliant les côtes douloureuses qui lui perforaient la poitrine à chaque respiration. Du matériel de démolition ?

« Cette Ellie. Elle avait tout sauf un deuxième rouleau d'adhésif. Mais ceci fera l'affaire. » Bernie demeura inerte, n'opposant aucune résistance, pendant que Davis enroulait un sandow autour de ses chevilles et serrait fort.

« Sur le dos, que je puisse voir votre figure. »

À cause du poids de son corps, ses mains emprisonnées derrière son dos lui firent plus mal qu'elle n'aurait pu l'imaginer. Elle vit Davis s'approcher de l'étagère improvisée pour en retirer précautionneusement une nappe en la roulant afin de ne pas disséminer la poussière. Dessous, il y avait quatre poteries noires et blanches, similaires en style, différentes par la décoration.

Davis resta un moment à les admirer tandis que les violons poussaient leurs plaintes criardes. Elle prit une Camel, l'enflamma, rangea le paquet et la pochette d'allumettes.

« Superbes », commenta Bernie. Elle avait consenti un gros effort pour couvrir le bruit de la musique. L'impression que quelqu'un avait garé une voiture sur son front ne la quittait pas.

« Celles-là sont authentiques, ma chère, dit Davis qui se tourna vers elle, aspira une longue bouffée. Votre lieutenant a été le seul à s'apercevoir qu'il y avait quelque chose d'anormal dans l'évaluation des poteries faite par Ellie. La stupidité de l'une et la curiosité envahissante de l'autre m'ont donné l'occasion de régler mes comptes avec eux, pour ce qu'ils ont fait à mon Randall. » Elle aspira une nouvelle bouffée. « Et après, votre beau gosse de mari m'a permis de comprendre où Ellie rangeait les photos que j'avais prises. Gagné ! »

Elle éteignit sa cigarette et tira de sa poche une paire de gants en coton noir. Elle se saisit d'une poterie qu'elle présenta à Bernie. La policière navajo vit les cœurs sur le bracelet. Les cœurs, les gants noirs. Les dernières pièces du puzzle.

« Regardez bien cette merveille. C'est la première qu'Ellie a copiée. » Elle rit. « Je ne l'ai pas vue depuis des années. Voyez ces très fines bandes noires à l'intérieur des triangles. La perfection. Mais le double exécuté par Ellie était presque aussi beau.

– Comme celles d'Acoma ? » Bernie avait l'impression que sa voix venait de très loin. Parler intensifiait son mal de crâne, mais aussi longtemps qu'elle discourrait sur les poteries, Davis ne les tuerait pas.

« Exactement. J'ai lu un jour que certains Américains des Origines considèrent les poteries comme des êtres vivants, l'union de l'eau et de l'argile. Les mains du potier incarnent la magie, elles transmettent la vie au récipient. La cuisson correspond à la naissance et, quand les poteries se brisent, elles retournent à notre Mère la Terre. »

Avec infiniment de précautions, Davis prit la poterie suivante.

« Celle-là date à peu près de l'an 1100. Vous comprenez facilement pourquoi ces salopards de rapaces la voulaient. Elle est d'une délicatesse absolue. Les archéologues ont longtemps pensé que les Indiens s'en servaient de tambours. Aujourd'hui, nous savons que les femmes les fabriquaient pour boire du chocolat, des fèves de cacao qui venaient d'aussi loin que le Mexique. Ellie a bien fait de les sauver, de toutes les sauver. Quand Leaphorn est venu fourrer son nez partout, j'ai conseillé à Ellie de ne pas s'inquiéter, je lui ai dit que je pourrais faire jouer mon influence au CRIA pour arrondir les angles. Il suffisait qu'elle me donne les anciennes poteries : je les aurais intégrées à la collection McManus quand elle serait arrivée au musée, et je lui aurais rendu les copies. Simple. Mais elle avait changé. Elle voulait les conserver. Pour lui faire entendre raison, je l'ai emmenée à Chaco en espérant que le fait de voir le lieu de leur naissance la ferait changer d'avis. Je voulais qu'elle me dise où elles étaient et aussi où étaient les photos. »

Elle contempla la poterie. « Je me souviens du jour où j'ai vu celle-là pour la première fois. Ellie ne m'avait encore jamais demandé de venir prendre des photos pour ses estimations. Ç'a toujours été une de mes préférées. »

Bernie se força à demander : « Oiseau ? » Elle avait l'estomac retourné. Si elle devait vomir, heureusement que Davis ne l'avait pas bâillonnée avec de l'adhésif.

« Quoi ? C'est dur d'entendre, avec cette musique. Oh, ça ? » Davis posa son index ganté au-dessus d'un motif. « Ellie et moi avons décidé que c'est un ara. Ils avaient aussi un commerce d'aras avec le Mexique, ils les élevaient pour leurs plumes, à Pueblo Bonito. Les archéologues ont trouvé leurs os creux, mais ils n'ont jamais eu la preuve qu'ils se reproduisaient. »

Davis regarda Bernie. « Certains de mes collègues s'opposent même à l'appellation d'aras. Les universitaires sont parfois extrêmement bornés. Mais ça m'est égal. Dès qu'elle sera dans notre collection, je la verrai chaque jour. Ça ne sera pas fantastique, ça ? »

Elle enveloppa la poterie, la rangea dans une boîte avec les gestes d'une mère pour un nourrisson.

Bernie prit conscience que si elle tournait le cou complètement sur la gauche, elle verrait Chee. Il avait la peau grisâtre et des petites gouttes de transpiration luisaient sur son visage. Elle parcourut le sol du regard en quête d'un outil, d'une idée, d'un moyen de se sortir de cette situation.

« Voici une de mes préférées, reprit Davis en lui présentant un cylindre de telle sorte qu'elle puisse voir les décorations en zigzags, à l'intérieur. Une représentation classique de la pluie.

– Acoma ? » demanda à nouveau Bernie. C'était vraiment étrange de passer les dernières minutes de sa vie à parler de poteries.

Davis s'assit sur la chaise pliante. « Vous ne manquez pas de finesse. Les potiers d'Acoma l'utilisent assez souvent, et leurs variantes, à eux, sont plus proches de ce que faisaient les anciens que celles des autres pueblos. Regardez ces splendides petites anses. » Elle tourna le pot afin que Bernie puisse les voir. « Extrêmement rares. Ellie et moi pensions qu'il devait y avoir une sorte de lien entre clans. Des proches qui avaient enseigné une technique à d'autres. Aucun moyen de le prouver, mais une théorie intéressante, non ? »

Bernie sentit le bout de la chaussure de Davis appuyer avec force contre ses côtes. La douleur l'empêcha presque de parler, mais, d'une voix étranglée, elle parvint à dire : « Oui. Tout à fait. » Elle repensa au message qu'elle avait laissé au gardien, à l'entrée du garde-meubles. Avait-il transmis sa demande de renforts ?

Elle regarda Davis prendre deux boîtes en carton et, quand la musique s'interrompit, entendit l'écho sourd de ses chaussures de randonnée sur le sol bétonné. À dix pas d'elle. Elle perçut le raclement des boîtes, sur les tapis de sol en caoutchouc, quand Davis les poussa à l'arrière de la voiture. Elle sentit sa poitrine se comprimer et lutta contre la panique qui montait, concentrant son attention sur ses mains engourdies et la violente douleur qui lui perçait le flanc. Elle entendit à nouveau les pas de Davis. La vit soulever les deux dernières boîtes.

Elle se tourna pour regarder Chee. Il lui fit un clin d'œil.

Davis revint avec le sac à main turquoise et le grand sac de toile que Bernie avait vus par terre, devant le siège du passager. Après les avoir déposés sur la table en bois encombrée, Davis reprit le Taser. « Une bonne chose que j'aie été à court d'adhésif. J'ai bien aimé vos questions.

– La voiture de Jackson ? demanda Bernie.

– Hein ?

– Pour tuer Leaphorn.

– Oh, le jeune Benally et sa voiture. Astucieux, non ? » Davis sourit. « Il m'a proposé d'utiliser sa voiture, au ranch, en échange d'un peu d'argent pour acheter de l'essence. Comme je déteste prendre la Lexus sur ces routes épouvantables, je me suis servie de la sienne pour diverses courses, toujours en enfilant mes gants de chercheuse. J'ai dupliqué sa clé. Je suis allée chez Bashas le jour où je savais qu'il s'y garait. J'ai laissé mon 4×4, j'ai emprunté sa voiture et je l'ai ramenée sur la même place du parking. Je savais qu'Ellie était allée au ranch, elle aussi. Elle avait dû avoir accès à la voiture de Benally, et cela la rendrait suspecte. »

Elle parcourut du regard divers outils, en rangea plusieurs dans une boîte puis appuya sur un bouton pour arrêter les notes stridentes des violons, rangea la cassette et examina les autres enregistrements.

« À propos, ce n'est finalement pas plus mal que Leaphorn souffre au lieu d'être mort. Un juste châtiment pour ce qu'il a fait à Randall. Merci pour les précisions sur son état de santé, Bernie, votre aide m'a été précieuse. » Elle enfonça le bout de sa chaussure dans le flanc de Chee. « Et merci à vous aussi, Beau Gosse. Sans notre conversation sur Cuba, je n'aurais pas pensé à cet endroit. J'ai perdu beaucoup de temps à chercher des garde-meubles à Farmington. »

Elle s'éloigna à nouveau, puis Bernie entendit le grondement du moteur ainsi que le bruit des pneus sur le béton quand la voiture sortit du garage. Quand elle revint, Davis ouvrit la fermeture éclair du sac de toile d'où elle sortit une rallonge électrique orange, un fil de raccordement marron foncé et un boîtier blanc. Bernie comprit qu'il s'agissait d'un programmateur.

À l'une des extrémités du boîtier, Davis brancha le fil électrique qui donnait l'impression d'avoir servi, autrefois, pour une vieille lampe. Elle en avait retiré l'isolation, au bout, et avait torsadé plusieurs petits filaments de cuivre. Elle enfonça la rallonge orange à l'autre extrémité.

« Je savais qu'un jour je retrouverais Ellie et qu'après je mettrais la main sur ses archives. Le moment venu, j'ai compris qu'il me faudrait détruire toutes ces vieilles traces écrites. J'ai donc fabriqué ce petit programmateur, que j'ai rangé dans ma voiture avec la rallonge. Il n'y a pas que vous, les policiers, à être malins. »

Elle manipula le cadran, reprit le Taser qu'elle braqua sur Bernie.

« Allez vous allonger à côté de Chee. »

Bernie progressa sur le dos, centimètre par centimètre, remarquant que le sandow glissait légèrement le long de son pantalon en frottant sur le sol. Elle s'arrêta au bord du matelas.

« Montez. » Davis lui donna un petit coup de pied dans les côtes, à l'endroit le plus douloureux. « Vite, maintenant. Vous savez que je n'hésiterai pas à tirer. »

Bernie manœuvra pour s'allonger près de Chee. Ses côtes l'élançaient.

« Vous êtes très mignons, tous les deux. »

Davis alla au fond du garage et en revint avec les deux bidons d'essence rouges qu'elle posa par terre.

« Je pourrais vous bâillonner, mais vous avez été tellement sage que je vais mettre cette vieille cassette de Janis Joplin au cas où l'idée vous prendrait de crier au secours. C'était une des préférées d'Ellie à l'époque où nous étions à Chaco. Une belle musique pour mourir. »

Elle appuya sur le bouton. La voix rauque de Joplin emplit l'espace. Davis monta le volume jusqu'à ce que la musique se réverbère sur les murs en parpaings et le béton du sol. Elle emporta un des bidons à la table où elle avait entassé feuilles de papier, photos, vieux journaux et boîtes en carton. Elle posa le sac turquoise au milieu de la pile, déboucha le bidon et versa l'essence qui imbiba le sac, les papiers, et continua de se répandre.

« Le sac ? demanda Bernie.

– Vous êtes flic jusqu'au bout, vous, hein ? Quand nous sommes arrivées à Chaco, j'ai dit à Ellie de le laisser dans ma voiture. Si elle m'obligeait à la tuer, je ne tenais pas à rendre les choses trop faciles à la police. Ses papiers m'ont été très utiles et il y avait la clé du verrou du box sur son anneau. »

Elle entreprit de verser l'essence du deuxième bidon sur le matelas, le jean et la chemise de ses victimes. Bernie sentait l'humidité sur sa peau. Les émanations lui piquaient les yeux et accentuaient son mal de crâne.

« Ne faites pas ça, dit-elle.

– J'ai réglé le programmateur de manière à ce que je puisse sortir les poteries d'ici sans danger et vous laisser un petit moment pour réfléchir au chaos que vous avez semé. Pensez à la façon dont mon Randall a dû souffrir à cause de votre sympathique lieutenant. Pensez à la façon dont il m'a obligée à tuer Ellie en venant fureter partout. Même si on peut dire qu'elle le méritait à cause des mensonges qu'elle a racontés sur Randall.

– Attendez, dit Bernie. Arrêtez. Je vous en prie. »

Tout en marchant, Davis déroula la rallonge jusqu'à la porte du garage. « Il ne me reste plus qu'à la brancher et à refermer le cadenas. »

Elle abaissa la porte coulissante. L'obscurité envahit instantanément les lieux. En dépit du vacarme de la musique, Bernie entendit encore sa voix.

« Vous savez quoi, Bernie ? Votre sac à dos est ici. Je vais le mettre dans la Lexus comme porte-bonheur. Comme ça, j'ai un endroit où ranger votre pistolet. »

Bernie essaya d'entendre le claquement de la portière.

« Sers-toi du bout de ta chaussure pour m'aider à libérer mes jambes, hurla-t-elle pour couvrir le bruit de la musique. Il faut que j'arrête le programmateur. » Elle allongea ses jambes sur celles de son mari, se laissa descendre. Au bout de trois tentatives, elle parvint à faire passer une des boucles du sandow sous la semelle de Chee. Quand il appuya, elle le sentit trembler à cause de la douleur. Le sandow bougea, s'immobilisa. La boucle se resserra au niveau du mollet de Bernie, s'y enfonça comme un garrot.

« Encore, dit-elle. Encore. Encore. »

Il parvint à repousser une des boucles au-dessus des chaussures de Bernie qui se libéra en se tortillant.

Elle se leva. Tituba. La tête lui tournait. Elle était à la limite de la nausée, les mains toujours liées derrière le dos. Si seulement l'adhésif qui bâillonnait Chee n'était pas aussi serré, il pourrait parler, l'aider à décider comment elle devait s'y prendre.

Quand la pièce cessa de tourner, elle s'approcha du programmateur dans l'obscurité. Son pied droit buta contre un objet. En tombant, elle heurta la table de l'épaule, la renversa sur elle. Elle se retrouva allongée sur le ventre, prise en sandwich entre la table et le sol. Un goût de sang salé se mêla dans sa bouche à celui, âcre, de l'essence. Elle s'efforça de ne pas suffoquer.

Chee émit un grognement.

« Ça va », lui cria-t-elle. L'épouvantable cassette de Joplin continuait de hurler. Cette chute lui avait coûté un temps précieux. Elle fit appel à des réserves musculaires qu'elle ignorait posséder, repoussa la table, réussit à s'asseoir et, au prix de nouveaux efforts, redressa son corps perclus de douleurs.

Elle se souvenait de l'endroit où le système de déclenchement s'était trouvé, mais la chute avait modifié la donne. Comment le localiser, maintenant ? Elle devait trouver la rallonge, la suivre jusqu'au programmateur, vraisemblablement enseveli sous un amoncellement de papiers et de chiffons imbibés d'essence.

Les jambes toujours engourdies par le sandow, elle avançait en tapant du pied par terre comme une aveugle qui utiliserait une canne, en quête de l'épais cordon arrondi, non sans regretter que ses semelles soient aussi rigides. Elle tendait l'oreille pour percevoir le tic-tac du dispositif. N'entendait rien d'autre que la lamentation des guitares électriques et le rythme de la batterie.

Elle progressait dans le fatras qui était tombé de la table. Utilisait ses pieds comme des sortes d'antennes. Elle repéra la boîte qui contenait l'argile, le seau rempli de tessons de poteries. L'odeur écœurante et âcre de l'essence lui retournait l'estomac. Elle devait lutter contre une terreur croissante.

Derrière la cacophonie de la musique, elle entendit un nouveau bruit, des coups réguliers frappés contre la porte métallique du garage. Elle ne pouvait voir Chee, mais elle comprit qu'il s'était traîné à l'autre bout de la pièce et faisait de son mieux pour leur éviter de mourir brûlés vifs.

Quelque chose roula alors sous sa chaussure droite. Elle le perdit, le retrouva. Appuya dessus, le sentit bouger. La rallonge. Gardant le pied dessus, elle se rapprocha rapidement du programmateur. Son pied ripa et elle perdit à nouveau du temps.

Ses yeux avaient commencé à s'habituer aux ténèbres. En dépit des larmes provoquées par les émanations, elle l'aperçut, serpent orange qui se détachait sur les journaux plus clairs. Elle le suivit jusqu'au boîter blanc. Renversé dans l'essence. Du pied, elle repoussa les journaux imbibés qui y adhéraient. Ils allaient peut-être vivre ! Une fraction de seconde, elle se raccrocha à cette idée.

Il lui fallait maintenant débrancher la rallonge. Elle se mit à genoux, tenta de la saisir avec ses doigts insensibles attachés derrière son dos. Elle ne pouvait pas les remuer. Une troisième chanson de Joplin avait débuté. Huit minutes, à peu près, depuis le départ de Davis. Les coups frappés par Chee l'incitèrent à réfléchir.

Le vieux cordon électrique de la lampe, de l'autre côté du boîter, était plus petit encore, encore plus impossible à débrancher. Avait-elle une chance d'empêcher le système de fonctionner en le brisant à coups de talon ? Douteux, d'autant que son équilibre était précaire.

Une vague pensée s'agita au fond de son crâne. Elle se représenta le dispositif au moment où Davis l'avait sorti du sac bleu marine. Il y avait le cadran, qu'elle avait réglé pour déclencher l'incendie, et un interrupteur. Au lieu de tenter de démolir le boîtier, elle pouvait en couper l'alimentation. Ou, si elle se trompait, allumer le tout en engendrant l'étincelle qui les engloutirait dans les flammes.

Elle s'assit et progressa sur les fesses au milieu des obstacles et de l'essence. Du pied, elle remit le boîtier à l'endroit. Elle en entendait le tic-tac, maintenant, en dépit de la musique et du vacarme que faisait Chee. Elle approcha le visage de l'interrupteur, s'efforçant de distinguer s'il fallait qu'elle le pousse dans un sens ou dans l'autre. Mais c'était écrit trop petit, elle avait les yeux trop irrités par les émanations, la pièce était trop sombre. Le tic-tac devenait plus fort, aussi rapide que les pulsations de son cœur. Dans un sens ou dans l'autre ? Déclencher ou désactiver ?

Les accords de la chanson de Joplin montaient en puissance. Elle recouvrit ses dents de ses lèvres avant de les refermer sur l'interrupteur qu'elle tira à elle en y mettant toutes ses forces.

21

Le tic-tac s'arrêta. Elle rejeta l'air contenu dans ses poumons puis hurla, à destination de Chee : « J'ai réussi. Je libère mes poignets et je viens t'aider. »

Elle frotta ses poignets contre le montant de la porte du garage pendant un temps infini avant d'arracher assez d'adhésif pour retrouver l'usage de ses mains.

Elle enfonça le bouton, réduisant au silence les hurlements de Joplin, trouva sous la table, dans l'amoncellement d'objets, un outil de potier, métallique et tranchant.

« Par quoi je commence ? Les mains ? »

Il fit non de la tête

« La bouche ? »

Il acquiesça.

Même si, dans ses doigts, une insupportable douleur avait remplacé l'engourdissement, elle parvint à décoller suffisamment d'adhésif, au coin de sa lèvre supérieure, pour avoir une prise. « Ça va faire mal. » Elle tira d'un coup sec et retira le tout comme s'il s'agissait d'un gros sparadrap qui collait bien.

Elle le sentit tressaillir.

« Désolée. Ça va ?

– Je survivrai. »

Il l'embrassa avec une douceur infinie. « Une chance que je ne porte pas la moustache. Et cette fois, c'est fichu. »

Elle trancha le lien qui lui entourait les poignets, lui donna l'outil pour qu'il libère ses jambes pendant qu'elle cherchait un bâton ou une tige de fer afin de forcer la porte du garage. Elle trouva le sac à main d'Ellie imbibé d'essence. Le téléphone portable, dans une des poches extérieures, marchait toujours. Elle appela le 911, dit à la standardiste de contacter l'agent Cordova, et lui indiqua où ils étaient. Puis elle appela le capitaine Largo.

Enfin, elle entendit une sirène. Le bruit se rapprocha, se rapprocha encore et cessa. Elle entendit une portière qui s'ouvrait, des gens qui couraient vers eux.

« Police de Cuba, cria une voix masculine. Ça va, là-dedans ?

– Ouais, ça va, leur cria-t-elle. Contente que vous soyez arrivés.

– Le gars de l'entrée est juste derrière moi, d'ici une minute il aura retiré le cadenas. On va vous sortir de là. Vous avez besoin d'une ambulance ? »

Elle se tourna vers Chee, qui fit non de la tête. À plusieurs reprises.

« Pas d'ambulance. Soyez prudent. C'est plein d'essence, ici. »

Elle entendit un raclement de métal sur le métal. Une deuxième sirène. D'autres voix, probablement celles des loueurs de box présents rendus curieux par l'irruption des secours. Survint enfin le grincement tant attendu de la porte du garage qu'on relevait.

Elle n'avait jamais trouvé l'air sec aussi frais ni la lumière du soleil d'une intensité aussi merveilleuse. Elle aida Chee à se relever et à trouver son équilibre.

« Les techniciens du FBI vont arriver, annonça le policier. Ils auront des questions à vous poser.

– Le plus important, c'est d'arrêter la femme qui a fait ça.

– Tout le monde est à sa recherche. Nul ne peut tirer sur Joe Leaphorn et essayer de faire griller vifs deux autres policiers sans attirer l'attention des forces de l'ordre.

– Il n'y a pas que ça, dit Bernie. Elle m'a volé mon sac à dos préféré. »

Le petit jeune de l'entrée la regarda. « Je n'aurais jamais pensé que vous étiez policière.

– Vous avez appelé les renforts ? lui demanda-t-elle. Ils ont pris leur temps.

– C'est ce que j'ai essayé de vous dire quand vous êtes partie en courant. Le téléphone du bureau ne marche pas. J'ai été obligé d'aller à la station-service pour leur demander d'appeler. »

Le policier observa les poignets de Bernie et la pâleur de Chee.

« Ça va, lui dit Chee. Vraiment. J'ai juste un peu de mal à garder mon équilibre.

– Si on considère le nombre de fois où Davis a dû te tirer dessus avec le Taser, c'est un miracle que ton cœur batte encore.

– C'est pour toi qu'il bat. »

*

Cordova arriva dans la demi-heure qui suivit. Il prit la direction des opérations avec beaucoup d'efficacité et, constata Bernie, une touche d'humilité. « Il faut croire que je me suis trompé sur Jackson Benally et Leonard Nez. Nous avons retrouvé Nez au rodéo de Crownpoint. Il ne savait même pas que nous étions à sa recherche. Quand nous l'avons interrogé, il est devenu évident qu'il ne connaissait pas Louisa, Leaphorn, ni rien de ce qui avait trait à la tentative de meurtre. Ou de ce qui ne se rapporte pas aux broncos sauvages. »

Ils franchirent la clôture extérieure, regagnèrent la Jeep de Louisa. Bernie sortit les clés de sa poche et déclencha l'ouverture des portières. Chee grimpa sur le siège du passager. Elle démarra et abaissa sa vitre avant de traverser la rue, d'entrer à la station-service et de se garer devant la pompe la plus proche.

« Je n'en ai pas pour longtemps, dit-elle. Tu as besoin de quelque chose ?

– Une aspirine ou deux, ça ne me ferait pas de mal. »

Quand elle revint, il se tenait à côté de la voiture, les mains sur le toit, et respirait à fond. « C'est à cause des émanations, expliqua-t-il. Je ne veux plus jamais renifler l'odeur de l'essence. Ni qu'on me tire dessus avec un Taser. »

Il vit qu'à la place de son chemisier, elle portait un T-shirt bleu propre avec le drapeau jaune du Nouveau-Mexique sur la poche.

Elle lui en tendit un, ainsi qu'un paquet de lingettes. « Ça t'aidera, pour l'odeur. Ils n'ont pas de pantalons, mais j'ai eu de la chance, pour les T-shirts. En solde cinq dollars.

– C'est moi qui ai eu de la chance. Tu m'as sauvé la vie. Tu as résolu toute l'affaire.

– J'aurais dû comprendre plus tôt. J'avais tous les indices sous les yeux. »

Il ôta sa chemise blanche et vit les endroits ensanglantés où les électrodes du Taser s'étaient logées sous la peau. « Je l'aimais beaucoup, cette chemise. C'était la plus belle que j'avais. Tu crois que tu pourras la récupérer ? »

Elle la regarda. « Ne t'inquiète pas pour ça maintenant. »

Quand il eut fini de se changer, ils remontèrent dans la Jeep. Bernie sortit du sac de courses une grande bouteille d'eau, un flacon d'ibuprofène extra-fort et un sachet de tranches de bœuf séché en disant : « Je t'ai acheté ça. »

Il prit les cachets et l'eau, lui rendit la viande. « Mange-la, toi. Mon estomac n'est pas encore d'aplomb. » Il lui sourit. « Davis a pris ton sac à dos. Comment tu as payé tout ça ? Et l'essence ?

– Le gars qui tient le magasin m'a tout donné quand je lui ai dit qu'on m'avait volé mon portefeuille en même temps que mon sac à dos. C'est lui qui a appelé les renforts. Et je crois qu'il était pressé de me voir partir, à cause de l'odeur. »

Chee but une gorgée d'eau et ferma les yeux.

Comme ça fait bizarre, pensa Bernie, de ne pas disposer de communications électroniques. Ni de téléphone. Ou de contact radio. Avant qu'elle ressente le désir de parler, ils avaient parcouru la moitié du trajet pour aller rendre sa Jeep à Louisa et récupérer le pick-up de Chee. Par la fenêtre ouverte, il contemplait la vallée du Rio Puerco, les falaises de grès, le paysage plus plat et plus morne qui servait de cadre à la ville de Rio Rancho, modeste mais très étalée.

« Si tu as le courage, nous devrions prendre des notes sur ce qui s'est passé, dit-elle. Cordova ne va pas manquer de nous poser d'autres questions.

– Je commencerai par lui dire que je me suis comporté comme un imbécile, au musée, en laissant à Davis la possibilité de me mettre hors d'état de réagir avec le Taser. Je la sentais coupable, mais je ne savais pas de quoi.

– Et moi, quand elle nous demandait des nouvelles de Leaphorn, je croyais qu'elle s'inquiétait pour lui. Elle voulait juste s'assurer que son état ne s'améliorait pas assez pour qu'il nous raconte ce qui s'était passé.

– Ouais, dit Chee. M pour Maxie. M pour meurtre. »

*

Sur le chemin de la chambre, l'infirmière leur communiqua des messages.

« Monsieur Chee ? L'agent Cordova, du FBI, essaie d'entrer en contact avec vous. Il veut que vous le rappeliez. Il m'a demandé de vous dire : "Nous la tenons." Vous savez ce que cela signifie ?

– Oui. C'est une bonne nouvelle.

– Et il y a un autre message. Comme je n'étais pas sûre de l'avoir compris, je l'ai écrit. » Elle lui tendit un bout de papier. « Qu'est-ce que vous avez, à la figure ?

– C’est une longue histoire. Il n’y a pas lieu de s’inquiéter. Je ne vais pas avoir besoin de me raser pendant un an. »

Elle se tourna vers Bernie. « On dirait que vous êtes tombée.

– Oui, j’ai buté sur un obstacle. Comment va le lieutenant ? »

L’infirmière marqua un temps de silence. « Pas beaucoup de changement depuis ce matin. »

Dans la chambre, en plus de Louisa, ils trouvèrent un Navajo d’une quarantaine d’années qui portait une belle chemise et un pantalon repassé de frais. Il se présenta comme étant Austin Lee.

« C’est moi que vous avez essayé de joindre à Farmington », dit-il à Bernie. Des lèvres, il indiqua le lit. « Il a toujours été très bon envers moi. Je vais voir si je peux l’aider, travailler auprès de sa dame. »

Bernie trouva que Leaphorn avait à peu près la même allure, relié à son dédale de tuyaux, allongé sur le dos, immobile comme la mort.

« Vous avez tous les deux l’air assez fatigué, leur dit Louisa.

– Et vous, vous paraissez épuisée. »

Bernie n’avait jamais pensé à Louisa comme à quelqu’un d’âgé, mais elle semblait l’être plus encore ce soir, au bout du rouleau.

Elle leur répéta ce que le médecin lui avait dit. Les paramètres fondamentaux déclinaient lentement en raison de la pneumonie. Rien de dramatique ni de spectaculaire, mais une tendance régulière qui conduisait souvent à la mort. Elle se mit à pleurer. « Je vais sortir une minute ou deux, peut-être aller manger quelque chose, un peu de soupe, je ne sais pas quoi. »

Austin Lee l’accompagna.

« Prenez votre temps, dit Bernie. Nous ne partirons pas avant votre retour.

– Je veux que vous me racontiez en détail où vous êtes allés et ce qui s’est passé, dit Louisa. Mais plus tard, d’accord ? »

Après leur départ, Chee prit la main du lieutenant entre les siennes et s'exprima en navajo, lui disant combien il le respectait, combien il avait appris à son contact. « Non seulement sur la façon d'être un policier. Mais sur celle d'être un homme. De marcher dans la beauté en dépit du mal et de l'harmonie sans cesse rompue. Pour tout cela, je vous remercie. »

Bernie l'écoutait. Son mari était bien plus que son ami et son amant. Elle avait besoin de lui pour que le sens de la vie continue de lui apparaître clairement... comment chacun peut contribuer à rendre le monde différent et vivre dans l'honneur.

Debout en face de Chee, elle posa sa main sur la poitrine du lieutenant. Quand son mari se tut, elle parla à son tour. Elle appela Leaphorn « oncle », pas lieutenant. Elle lui dit qu'elle lui était reconnaissante de l'avoir encouragée à suivre le chemin de son cœur, et d'avoir su que son cœur l'incitait à accepter l'amour de Jim Chee.

Elle se tut et leva les yeux. Les larmes de Chee étaient le reflet des siennes.

Chee reprit : « Bernie a identifié la femme qui vous a tiré dessus, je voulais que vous le sachiez. Elle a découvert pourquoi. Par vengeance et par cupidité. »

Le lieutenant ouvrit les yeux et regarda Bernie, puis Chee, et à nouveau Bernie. Il refit le signe de demander un crayon.

Bernie en trouva un dont Louisa s'était servi, ainsi qu'un bout de papier.

Cette fois, le lieutenant dessina plus lentement. Une image plus petite. Elle ressemblait exactement à un cœur. Puis il ferma les yeux. Ils demeurèrent un instant silencieux, chacun d'un côté du lit, à regarder sa poitrine se gonfler et s'abaisser dans sa lutte contre la pneumonie.

Chee commença alors à psalmodier, d'abord tout bas. Le Chant de l'Oiseau Bleu, celui qui, traditionnellement, accueille le lever du jour, celui que les mères enseignent à leurs très jeunes enfants. Bernie chanta également, surprise que sa voix s'associe à ce chant. Ni l'un ni l'autre ne se préoccupait qu'on puisse les entendre.

Leaphorn ouvrit les yeux. Il regarda le plafond puis, sur la gauche, dans la direction de Chee, et, sur la droite, dans celle de Bernie. Il les referma doucement.

*

Quand elle revint, Louisa dit: « Vous devriez rentrer chez vous. Je reste ici jusqu'à, euh, jusqu'à ce que le moment soit venu que je parte. Je vous appellerai pour vous tenir au courant.

– Je ne veux pas vous laisser seule, dit Bernie.

– Je ne suis pas seule. Joe est là. Austin Lee va revenir. Je suis entourée par le personnel de l'hôpital. Et par tout votre amour.

– Dans ce cas, entendu. Nous allons nous occuper de votre chatte jusqu'à votre retour.

– Ce n'est pas vraiment la nôtre. Elle était perdue. Joe a commencé à lui donner à manger et elle a trouvé moyen d'entrer dans la maison. La semaine dernière, il l'a laissée lécher son bol quand nous avons mangé de la crème à la vanille. Cela a scellé nos relations.

– Je suis sûr qu'elle est très en colère de ne pas avoir été nourrie depuis vingt-quatre heures, dit Chee, mais je lui ai laissé plein d'eau.

– Il a acheté une sorbetière, dit Bernie. Il menace de m'utiliser comme cobaye. Quand il le fera, nous vous inviterons, vous, le lieutenant et la chatte, à en manger. »

Elle plongea la main dans sa poche et lui rendit les clés de la Jeep. « Je l'ai garée près de l'endroit où vous l'aviez laissée. J'ai raccroché le macaron handicapé. Je crains d'avoir perdu votre pistolet, mais nous le récupérerons.

– Ne vous inquiétez pas pour ça. Après tout ce que vous avez fait pour Joe quand je... » Sa voix fut prise d'un tremblement. « Vous ne saurez jamais à quel point... »

Chee posa un doigt sur les lèvres de Louisa. Elle pleurait maintenant et il l'entoura d'un bras vigoureux.

L'infirmière autorisa Chee à utiliser le téléphone de l'hôpital pour appeler Cordova.

« Nous avons arrêté Davis au CRIA et retrouvé les poteries. Le sac à dos de Bernie était dans la benne à ordures, derrière le bâtiment. Davis avait l'air vraiment surprise de nous voir.

– A-t-elle opposé de la résistance ?

– Nous ne lui en avons pas vraiment laissé l'occasion, après ce qui vous est arrivé à tous les deux. Est-ce que je peux parler à Bernie une minute ? »

Chee transmit le téléphone.

« John Collingsworth, du CRIA, m'a demandé de vous remercier. Et je tenais à vous dire que vous avez fait du super boulot. Vous et Chee. Dites-lui de ma part.

– Je n'y manquerai pas.

– Soyez prudents. Ne prenez pas de risques, là-bas, par chez vous.

– Merci du conseil. Pareil pour vous. »

Chee fit tinter les clés du pick-up. « Rentrons, dit-il.

– Le pick-up est au CRIA.

– Non. J'ai oublié de te montrer le message que l'infirmière m'a remis. »

Il sortit le papier et le lut. « Mark Yazzie dit : "dernière rangée ouest proche benne."

– Qu'est-ce que… ?

– Moi, je comprends, dit Chee. C'est un truc de mecs. »

Ils trouvèrent le pick-up à l'endroit où Yazzie l'avait garé. Il y avait un message à l'intérieur. « D'autres policiers sont venus au CRIA. Ils ne m'ont pas arrêté non plus. J'ai vu votre pick-up. J'ai pensé que vous pourriez en avoir besoin. »

Bernie rit : « Comment a-t-il fait pour forcer la portière et le conduire jusqu'ici ?

– C’est un des avantages des vieux camions. Ou un des inconvénients, selon le côté de la barrière où on se trouve.

– Une dernière question. C’était quoi, le dessin ? Celui du cœur ?

– Je pense que c’était le cœur sur le bracelet. Sur les bracelets identiques que Davis et Ellie portaient. À mon avis, il l’avait remarqué au poignet de Davis quand il est allé au CRIA, et à nouveau quand elle lui a tiré dessus.

– Peut-être, dit Bernie. Peut-être est-ce sa manière de nous dire qu’il nous aime.

– Je n’y crois pas, répondit Chee. Ou alors un tout petit peu. »

22

Chee et Bernie étaient arrivés à l'Auberge Navajo, vêtus de leurs plus beaux uniformes. Le FBI avait créé une récompense spéciale pour honorer le lieutenant Joe Leaphorn pendant qu'il se remettait lentement de ses blessures, et l'agence avait décidé d'en faire l'annonce dans la région où il avait officié, en présence des policiers navajo.

Cordova était là, en compagnie d'autres membres du FBI de haut rang, tous en costumes sombres. La Police Navajo, les polices des États d'Arizona et du Nouveau-Mexique, différents services des shérifs, des marshals des États-Unis, des inspecteurs des filières d'élevage et d'autres représentants de la loi qui avaient travaillé avec Leaphorn au fil de sa longue carrière étaient assis dans la salle, de même que des représentants des services auxiliaires civils. Même Joe Wakara était venu de Chaco Canyon.

« Je déteste ce genre de cérémonie, avait déclaré Chee en arrivant. Trop de discours.

– Tu devrais être content, lui avait-elle répondu. Ce n'est pas tous les jours qu'on nous invite ensemble à un petit déjeuner gratuit. »

C'était la première fois qu'elle revenait au restaurant depuis la tentative d'homicide perpétrée contre le lieutenant. Chee s'était garé sur le parking latéral proche du motel, volontairement ou par pur hasard, et ils avaient franchi l'entrée. Quand la cérémonie prendrait fin, se dit Bernie, elle sortirait par la porte de devant et irait regarder l'endroit où Leaphorn était tombé. Cela lui permettrait peut-être d'échapper à l'emprise de ce souvenir.

« C'est agréable de voir les Fédéraux faire ça, avait-elle dit. Je suppose que le responsable actuel ignore les ennuis que l'agence a causés à Leaphorn dans je ne sais combien d'affaires.

– Il faut pardonner et oublier », avait répondu Chee.

Tous s'étaient retrouvés dans la salle de réunion de l'hôtel. Un podium avait été dressé à une des extrémités, de même qu'un buffet proposant œufs brouillés, bacon, crêpes, petits pains et fruits en boîte mélangés à du cantaloup et du melon miel.

La serveuse, Nellie Roanhorse, s'activait pour qu'ils aient du café chaud. « Comment va celui-sur-qui-on-a-tiré ?

– Il s'accroche, répondit Bernie. Un long chemin l'attend. »

Les agents Bigman et Wheeler les rejoignirent à la table.

« Comment va ta mère ? demanda Bigman à Bernie.

– Bien. En fait, elle vient à Santa Fe avec nous, demain, pour admirer une ancienne couverture qu'elle a toujours rêvé de voir.

– C'est drôlement bien. Celle qu'elle a tissée pour ma femme et moi est sur le plancher de notre chambre. »

Chee intervint : « Bernie s'est vu proposer un poste de chercheuse au musée de Santa Fe où ils ont tous ces objets d'artisanat indien. Le gars qui le dirige est prêt à s'accommoder de ses horaires de policière. Il veut qu'elle l'aide à réunir des récits oraux sur certaines tapisseries d'autrefois.

– Il paraît qu'il y a eu à nouveau des problèmes à la station-service qui n'en est pas loin, dit Wheeler, celle qui fait l'angle de la 491 quand on tourne dans la direction de Toadlena.

– J'en ai entendu parler moi aussi », confirma Bernie. Elle se demanda si Darleen était impliquée. Elle savait qu'elle aurait dû l'inviter à les accompagner à Santa Fe, mais la perspective de passer une journée entière avec elle l'en avait dissuadée.

Chee annonça : « Ils ont eu de la pluie au col de Narbona, hier. La vue devait être splendide, après.

– J'adore être là-haut, dit Bigman. On voit le monde entier. Ou du moins, le monde navajo entier, quand la poussière retombe. »

Cordova avait branché le micro, et il tapotait dessus avec son pouce.

« On entend », brailla Wheeler.

Il y avait du bruit dans le fond de la salle, et Bernie aperçut Mme Benally et Jackson, sur leur trente et un, qui lui dirent bonjour de la main. Mme Benally signifia du geste à Wheeler qu'elle voulait lui parler à la fin de la réunion. De ses esquimaux au chocolat, pensa Bernie.

Cordova souhaita la bienvenue à tous, présenta les dignitaires, y compris un membre du Conseil* Navajo, plusieurs gros bonnets du FBI, un haut responsable du Comté d'Apache et un marshal des États-Unis à la retraite.

Il prononça quelques mots sur Leaphorn et la récompense qui, chaque année, serait décernée à un représentant des forces de l'ordre du Sud-Ouest exceptionnellement méritant.

« Et aujourd'hui, la surprise est que la première récipiendaire de la Médaille Leaphorn est ici parmi nous. Agent Bernadette Manuelito, si vous voulez bien venir ? »

Bernie eut un mouvement de recul. Avala difficilement sa salive.

« L'agent Manuelito s'est vu octroyer cette récompense pour de hauts faits qui ont exigé force mentale et capacités physiques, et parce qu'elle a su conserver son sang-froid dans des circonstances périlleuses et démontrer sa persévérance en dépit de maints obstacles. »

Bernie cessa d'écouter. Il n'était pas normal d'être récompensé parce que l'on faisait simplement son travail. Ce n'était assurément pas ça, la Voie Navajo. Elle fixait la table. Ses joues étaient en feu.

Chee l'encouragea d'un geste et murmura : « Monte sur l'estrade, reçois la plaque et dis merci. Tu pourras protester plus tard en m'expliquant pourquoi tu ne la mérites pas. »

Elle se leva.

Remerciements

Avec ma reconnaissance…

Avant tout, je tiens à remercier mon père, Tony Hillerman, pour, eh bien, en réalité, pour tout. Pour avoir écrit le premier livre de la série, *La Voie de l'ennemi*, publié en 1970. Dans ce roman apparaissait Joe Leaphorn, son premier enquêteur navajo. Pour mon père, il importait que l'histoire soit intéressante, le récit bien écrit, et sa passion pour les livres m'a inspirée dès l'enfance. À jamais, je lui dois de m'avoir encouragée à lire, à écrire, écrire encore et toujours. Même si à aucun moment nous n'avons directement discuté de la possibilité que je reprenne la série après son décès, c'est en travaillant avec lui sur mon ouvrage précédent, *Tony Hillerman's Landscape : On the Road with Chee and Leaphorn*[1], que le travail préparatoire de *La Fille de Femme-Araignée* s'est effectué. L'exemple qu'il m'a donné en tant qu'écrivain et le soutien qu'il m'a apporté en tant que père m'ont inspiré l'ambition et le courage nécessaires pour adopter Leaphorn, Chee, et surtout Bernadette Manuelito, et me les approprier. Si j'ai énormément aimé tous ses romans,

1. « Les paysages de Tony Hillerman : sur la route en compagnie de Leaphorn et de Chee ».

Le Voleur de temps, avec son intrigue et ses décors splendides, figure à l'origine de *La Fille de Femme-Araignée*. Si vous ne l'avez pas lu, ou si vous ne l'avez pas relu récemment, je vous encourage à aller y regarder de plus près.

Carolyn Marino, qui de longue date était son éditrice, a réagi avec enthousiasme, et non scepticisme, lorsque je lui ai annoncé mon projet. En 1990, Marino avait travaillé avec Tony comme coéditrice aux côtés de Larry Ashmead, avant de devenir éditrice principale jusqu'au dernier roman de la série. Elle a également travaillé sur son autobiographie, *Rares furent les déceptions*. Elle m'a aidée à sortir du domaine confortable où, depuis des années, j'écrivais des textes qui ne relevaient pas de la fiction, pour m'attaquer au défi qu'elle représente. Je lui suis reconnaissante de m'avoir fait bénéficier de sa longue expérience et de son savoir-faire en tant qu'éditrice des romans policiers de Tony Hillerman. Ma gratitude s'étend à son assistante, Amanda Bergeron, pour la perspicacité dont elle a fait preuve en accompagnant *La Fille de Femme-Araignée*, et à mon agent, Elizabeth Trupin-Pulli, dont le flair professionnel n'est plus à démontrer.

Je ne sais comment exprimer ma gratitude à mes collègues auteurs Margaret Coel et Sandi Ault, qui, toutes deux, m'ont fortement et à de nombreuses reprises incitée à faire perdurer les histoires de Leaphorn, Chee et Manuelito. J'incline mon chapeau à l'adresse de mes amies écrivains de Santa Fe, Cindy Bellinger et Rebecca Carrier, pour leur claivoyance et leur discernement, leur harcèlement affectueux, et leur refus de me laisser opter pour la porte de sortie la plus facile. Des remerciements tout particuliers à Jean Schaumberg, mon associée à l'atelier d'écriture Wordharvest et à la Conférence annuelle Tony Hillerman, pour le surplus de travail dont elle s'est chargée pendant que je travaillais sur ce roman. Et à Miranda Ottewell-Swartz pour son aide sur les histoires navajo consacrées aux étoiles.

Rick Iannucci, marshal des États-Unis à la retraite et ancien Béret vert, a partagé avec moi sa connaissance des procédures policières et des criminels. Iannucci est directeur général et instructeur de Des chevaux pour les héros, Nouveau-Mexique, Inc. Vous en apprendrez davantage sur le travail de son équipe auprès des anciens combattants rentrés au pays en vous rendant sur le site http://horsesforheroes.org. David J. Greenberg, qui a récemment pris sa retraite du FBI, m'a renseignée sur les crimes commis à Chaco Canyon et sur la coopération interagences dans le Pays Indien. Ces deux gentlemen m'ont permis d'apprendre ce que le travail de représentant de la loi implique dans le Sud-Ouest. Je remercie Louis Montoya, membre de la Police de Santa Fe, et ses collègues des Services du shérif du Comté de Santa Fe et de la Police de l'État du Nouveau-Mexique, pour toutes les informations qu'ils m'ont fournies pendant les semaines de cours organisées par la Citizens' Academy, dont la tâche consiste à présenter au public les difficultés, les dangers et les satisfactions liés au travail des policiers.

Je me suis inspirée des recherches de Laurence D. Linford exposées dans son livre *Tony Hillerman's Navajoland* pour puiser des précisions sur les lieux authentiques qui peuplent les romans de mon père. Pour leur générosité et leur soutien, j'exprime ma reconnaissance au Dr Joe Shirley et à tous les membres du Diné que j'ai rencontrés, pendant ces trois années de recherche. Je n'ai que respect et admiration envers les hommes et les femmes dévoués de la Police Navajo qui risquent leur vie pour assurer la protection et la paix de la Nation Navajo.

Ma mère, Marie Hillerman, n'a cessé de m'encourager à écrire sur les personnages que mon père a créés, m'assurant que Tony serait heureux qu'ils continuent à vivre. Elle a lu mes jets successifs, m'a fait profiter de sa finesse et de son ressenti, et a travaillé avec moi sur les deux relectures d'épreuves finales. Brandon Hillerman Strel a accompli des prodiges, repérant des erreurs et soulevant des questions qui m'ont permis d'améliorer le livre. Mon mari, Don, mérite un plein camion de chocolat pour son aide indéfectible et sa patience tout au long de ces journées où l'écriture du livre était devenue une obsession.

Et, de tout mon cœur, je remercie les nombreux fans de mon père qui m'ont demandé s'il y avait dans ses tiroirs un manuscrit non publié (non, il n'y en avait pas). Comme moi, ils souhaitaient lire d'autres histoires avec Joe Leaphorn, Jim Chee et Bernadette Manuelito. Ils m'ont incitée à me lancer dans cette tâche en partageant chacune des histoires affectives et personnelle qui les unissaient à papa, à ses personnages, et aux paysages dans lesquels ils vivent.

Glossaire

Acoma (ou la cité du Ciel) : pueblo bâti au sommet d'une mesa, à une vingtaine de kilomètres au sud de Laguna, au Nouveau-Mexique.

Adobe : briques de boue et de paille séchées au soleil.

Anasazi : les premiers habitants de l'Amérique du Nord. Venus probablement par le détroit de Béring, ils se réfugient dans les habitations troglodytiques du plateau du Colorado et parviennent à vivre de la chasse et des cultures dans ce climat semi-aride. Puis, brusquement, ils disparaissent à la fin du treizième siècle. Ce mot est de plus en plus souvent remplacé par « les habitants des anciens pueblos ».

Apache : dans le Sud-Ouest, on recense généralement huit tribus apaches aux traditions nomades et guerrières (*apachu* signifie ennemi en langue zuni).

Arroyo : terme espagnol désignant le lit à sec, en général au fond d'une gorge ou d'un canyon, d'une rivière dont l'eau se tarit en été.

Bain de vapeur : il a vocation purificatrice.

Bâtons de prières : offrande faite aux esprits tutélaires chez les Pueblos. Le plus souvent, il s'agit d'une tige de saule rouge décorée de plumes. Également appelée plume de prière.

Bilagaana : homme blanc en navajo.

Ceux-qui-Changent-de-Forme (ou Changeurs-de-Forme) : terme plus approprié que porteurs-de-peau pour désigner maints sorciers navajo puisque l'appellation ne limite pas leur présence tangible à une tentative de dissimulation sous une peau d'animal.

Chant : voir Chanteur et Rites guérisseurs.

Ceux-qui-Changent-de-Forme

Chanteur (*hataalii* en navajo) : il est celui que l'on appelle pour tenir les rites guérisseurs car il est le dépositaire de ces procédures extrêmement complexes destinées à libérer le malade de l'emprise d'un sorcier (par exemple), au moyen de prières et de chants associés à des peintures de sable (v. ce mot). Un chanteur ne peut donc connaître que plusieurs chants, et certains rites disparaissent car ils appartiennent exclusivement à la tradition orale. Mais le chanteur n'est ni un *medicine-man* ni un shaman : la guérison est collective, profite d'abord au patient puis à l'univers tout entier qui retrouve l'harmonie (*hozho*). Encore convient-il de comprendre qu'il s'agit souvent davantage d'un retour à la sérénité morale du patient au sein de son environnement que d'une véritable guérison au sens médical du terme.

Chindi : mot navajo désignant le fantôme. Les Navajos ne croient pas à l'au-delà. Au mieux, ils trouvent le néant. Au pire, la partie malsaine et malfaisante de l'individu (le vent sombre) revient hanter les vivants et leur apporter la maladie et la mort.

Clan (ou peuple) : concept familial très élargi. Chez les Navajos, on en dénombre 65 (voir Famille). La quatrième partie du *Diné bahané* (transcription par Paul G. Zolbrod du cycle relatant les origines des Navajos) retrace leur création et la façon dont ils ont reçu leur nom.

Conseil tribal : créé vers 1930, il siège à Window Rock et administre la Grande Réserve et ses richesses naturelles. Ses membres, élus au suffrage universel à bulletin secret, représentent les 78 divisions administratives.

Couverture (ou tapisserie) : les tisserandes navajos sont réputées dans le monde entier pour la qualité et la variété de leur art, pratiqué sur d'immenses métiers. Autrefois, ces couvertures servaient à se vêtir, à s'asseoir ou à s'allonger sur le sol, à protéger l'entrée du hogan bien plus qu'elles n'avaient vocation décorative. Au fil de l'histoire elles ont beaucoup changé mais les motifs en demeurent les lignes droites ou en zigzags associées aux losanges, et les couleurs, rouge, jaune, marron, noir, blanc et gris presque exclusivement. Les différents styles et leurs couleurs et motifs dominants prennent aujourd'hui le nom de la région d'où ils proviennent.

Diné : le Peuple (également le Clan) ; tel est le nom que se donnent les Navajos. Ils habitent la région qu'ils appellent Dinetah, la plus grande réserve des États-Unis, d'une superficie de 71 000 km^2 environ.

Dinetah ou Dineh Bike'yah : les limites de la terre du Peuple, marquées par les quatre montagnes sacrées qui correspondent grossièrement aux quatre points cardinaux : Dook o' ooshid (ou monts San Francisco, à l'ouest, associés à la couleur jaune), Tsoodzil (ou mont Taylor, au sud, bleue), Sis no jin (ou Blanca Peak, à l'est, blanche), et Debe'ntsa (ou La Plata Mountains, au nord, noire).

Dualisme : Dieu-qui-Parle et Dieu-qui-Appelle, Premier Homme et Première Femme, Garçon Abalone et Fille Abalone, la source de vie qui contient à la fois la « matière » nécessaire à la vie et le moyen lui permettant de passer l'épreuve du temps, la forme non physique dissimulée à l'intérieur de la forme physique des choses, tous ces éléments de la mythologie navajo relèvent d'un dualisme presque systématique pouvant être associé à un pôle positif et un pôle négatif, un caractère masculin et un caractère féminin ; ces contraires complémentaires sont ensuite regroupés pour donner des séquences de quatre dont le premier couple est à son tour considéré comme « positif », le second comme « négatif », l'association des « contraires » pouvant culminer dans la fusion finale et le recommencement symbolisés par le chiffre neuf.

Emergence : voir Origines.

Famille : système matrilinéaire chez les Navajos ; les jeunes époux se mettent en quête d'un endroit où construire leur hogan (voir ce mot), tant pour s'isoler que pour avoir suffisamment d'espace afin de pratiquer l'élevage des moutons.

Four Corners : la région des États-Unis où, fait unique dans le pays, les frontières séparant quatre États (Arizona, Utah, Colorado, Nouveau-Mexique) se coupent à angle droit.

Harmonie : voir Hozho.

Hataalii : terme navajo pour désigner le chanteur.

Hogan : la maison du Navajo, structure au toit arrondi faite de rondins et de boue séchée. Un abri et un corral au minimum viennent la compléter. Le hogan d'été, utilisé pendant le pacage des moutons, est de facture plus grossière. Des règles précises commandent l'orientation de l'habitation traditionnelle.

Hopi : dans la langue de ces Indiens pueblos, *hopitu* signifie « le peuple paisible ». Leur réserve se trouve enclavée dans la réserve navajo du nord de l'Arizona. Le recensement de 2000 indiquait que 6 946 personnes habitaient sur la réserve hopi, mais ils ne seraient pas plus de 3 000 à vivre vraiment dans les villages ancestraux perchés sur les trois mesas (voir ce mot). Leur mythologie est proche de celle des autres Pueblos et ils sont célèbres pour leur Danse du Serpent, leurs cérémonies religieuses et leurs statuettes katsinas (voir ce mot). Ce sont avant tout des cultivateurs et des chasseurs.

Hosteen : mot navajo qui exprime le respect dû à la personne (en général l'homme adulte) à laquelle on s'adresse.

Hozho : mot navajo qui signifie la beauté, l'harmonie entre l'individu et le monde qui l'entoure.

Jumeaux Héroïques : dans la mythologie navajo, Premier Homme et Première Femme donnent naissance à Femme-qui-Change. Celle-ci s'accouple avec Jóhonaa'ei le Soleil-Père et engendre les jumeaux Tueur-de-Monstres et Fils-Né-des-Eaux (ou Né-de-l'Eau, son nom changeant à plusieurs reprises durant le cycle des origines ou selon la version considérée), qui anéantissent presque tous les ennemis mortels du Peuple (voir Mort).

Katsinas : essentiellement, ce sont les esprits tutélaires ancestraux chez les Hopis, mais également les masques portés pour les personnifier et les statuettes qui les représentent. Ils protègent, nourrissent et guident les vivants auxquels ils apparaissent sous la forme de nuages de pluie.

Kiva : chez les Indiens pueblos, une chambre cérémonielle souterraine (on y accède par une échelle) où se tiennent et se préparent danses et rites ; il en existe plusieurs par village. Le terme désigne souvent aussi une fraternité religieuse regroupant des membres masculins appartenant à des clans différents.

Longue Marche : en 1864, vaincus par Kit Carson, les 8 000 Navajos rescapés furent acheminés en plusieurs convois au cours d'une Longue Marche de près de 500 kilomètres, puis parqués à Bosque Redondo, à côté de Fort Sumner (Nouveau-Mexique) jusqu'à 1868, date à laquelle les 7 000 survivants purent regagner leur territoire.

Medicine-man : voir Chanteur.

Mesa (mot espagnol) : montagne aplatie caractéristique des États du Sud-Ouest. Parmi les mesas les plus connues, citons Mesa Verde dans le Colorado, haut lieu archéologique, les Première, Deuxième et Troisième Mesa sur lesquelles se perchent les villages hopi ancestraux, celle d'Acoma.

Mort : les Navajos éprouvent une crainte maladive de la mort au point de s'entourer de toutes sortes de précautions et d'éprouver une intense répugnance à toucher un cadavre, qu'ils enterrent le plus rapidement possible dans un lieu secret. Dans le cycle des origines, deux hommes plongent le regard dans le monde inférieur dont ils sont issus. Ils voient une morte qui peigne ses cheveux et ils meurent quatre jours plus tard. « Dès lors, le Peuple refusa de poser les yeux sur les cadavres (...). Et c'est pourquoi les Navajos ont toujours peur, depuis, de fixer un fantôme du regard. » Par la suite, les Jumeaux Héroïques, après avoir obtenu du Soleil les armes nécessaires pour triompher des monstres qui apportaient la mort au Peuple (ils les lui dérobent dans certaines versions), épargnent plusieurs maux nécessaires : Sa, Celle-qui-Apporte-le-Grand-Âge, et d'autres qui correspondent à la Misère, à la Faim et au Froid. Puis Tueur-de-Monstres conclut : « Et maintenant, l'ordre et l'harmonie règnent en ce monde. »

Navajo : les prêtres espagnols les appelaient *Apaches de nabaxu* ; le terme actuel est donc la corruption du mot pueblo signifiant « grands champs cultivés ». Arrivés tardivement en Arizona, ils se rendirent odieux par leur violence et leurs rapines avant d'acquérir, au contact des autres civilisations, nombre de techniques et de connaissances. Leur faculté d'adaptation s'est une nouvelle fois vérifiée lors de la Seconde Guerre mondiale. Ils habitent la plus grande réserve des États-Unis et constituent la nation indienne la plus importante du pays (environ 180 000 personnes vivant à Dinetah et 270 000 au total, recensement de 2000).

Oncle : appellation commune chez les Navajos, due à la particularité du système clanique. Ce terme respectueux n'a qu'un rapport fort lointain avec ce qu'il évoque dans les sociétés occidentales.

Origines : avant d'atteindre la surface de la terre, les hommes durent émerger des mondes inférieurs (de quatre à douze suivant les mythologies locales) en suivant le tronc d'une plante ou d'un arbre perçant les différentes couches successives. Les Navajos émergent du dernier monde souterrain, alors envahi par les eaux, en empruntant un roseau. Le monde actuel est pour eux la fusion des mondes précédents.

Peintures de sable : elles font partie des rites guérisseurs. Le chanteurs et ses aides y travaillent pendant des heures et utilisent pollens, pierres écrasées, charbon de bois etc. pour représenter des sujets ayant trait au Peuple Sacré. L'œuvre est détruite avant la tombée de la nuit de peur que les esprits mauvais ne reprennent le dessus et ne rendent la guérison impossible.

Peuple Sacré : concept navajo. Ils sont capables du bien comme du mal et on peut arriver à les manipuler à l'aide de chants et de prières appropriés ; le Peuple de l'Esprit de l'Air, issu des mondes souterrains, qui donnera naissance au Peuple de la Surface de la Terre à Cinq Doigts, peut avoir l'aspect d'animaux (Grand Serpent, Grande Mouche, Coyote...), d'êtres humains (Femme-qui-Change, Premier Homme...) ou d'éléments naturels (le Peuple du Vent, le Peuple du Tonnerre...).

Porteurs-de-Peau : les sorciers navajo, hommes ou femmes, décidés à apporter le mal à leurs congénères, commettent leurs méfaits la nuit en se dissimulant sous des peaux d'animaux. On les appelle aussi Changeurs-de-Forme car ils peuvent se déplacer en prenant la forme d'une chauve-souris ou d'un loup...

Pueblo : village en espagnol. Au contraire des bergers navajo, semi-nomades, les Peuples Pueblos (Hopis, Zunis, habitants des pueblos de Chaco Canyon, etc.) sont des agriculteurs sédentaires. On les trouve exclusivement dans le Sud-Ouest. Taos, au Nouveau-Mexique, est le plus visité des pueblos.

Quatre : ce chiffre joue un grand rôle chez les Navajos qui dénombrent quatre montagnes sacrées, quatre plantes sacrées, quatre bijoux, quatre couleurs, etc. (voir aussi Dualisme).

Religion : pour l'essentiel, les Indiens du Sud-Ouest croient à l'interdépendance des choses de la nature ou à l'harmonie qui doit régner dans leur réserve et, par voie de conséquence, dans l'univers tout entier.

Mais les rites navajo sont, à l'exception de la Voie de la Bénédiction, destinés à guérir, alors que, chez les Pueblos, les cérémonies religieuses ont pour but d'appeler les bienfaits que les *katsinas*, ou esprits ancestraux, pourront leur apporter sous la forme de nuages de pluie.

Chez les Pueblos, il existe une pluralité de prêtrises et de fraternités, réservées aux hommes, qui se partagent l'administration du sacré en renforçant la cohésion de la tribu et ses principes moraux.

Riche : le désir de posséder (la cupidité) est, chez les Navajos, le pire des maux, pouvant même s'apparenter à la sorcellerie. Citons Alex Etcitty, un Navajo ami de Tony Hillerman : « On m'a appris que c'était une chose juste de posséder ce que l'on a. Mais si on commence à avoir trop, cela montre que l'on ne se préoccupe pas des siens comme on le devrait. Si l'on devient riche, c'est que l'on a pris des choses qui appartiennent à d'autres. Prononcer les mots "Navajo riche" revient à dire "eau sèche". » (*Arizona Highways*, août 1979.)

Rites guérisseurs : chez les Navajos, à chaque maladie correspond un rite guérisseur qui peut durer jusqu'à neuf jours (voir Dualisme). Parfois, pour un seul chant, plusieurs centaines de prières et d'incantations doivent être exécutées au mot près. Si le chanteur (voir ce mot) est à la hauteur, le patient retrouvera l'harmonie (voir ce mot). Par exemple, la Voie de l'Ennemi permet de guérir celui qui est sous l'emprise d'un sorcier, la Voie du Sommet de la Montagne celui qui s'est trop approché d'un ours...

Sorcier (Sorcellerie) : homme ou femme décidé à faire le mal.

Ute : tribu du Colorado formée de sept nations, originaire des Rocheuses, ennemie des Navajos, qui vécut en relative bonne entente avec les Blancs jusqu'en 1878, lorsque ceux-ci la spolièrent de ses territoires pour en exploiter les ressources.

Végétation : genévrier (*juniperus*), olivier de Bohême (*elaeagnus angustifolia*), orme de Sibérie (*ulmus pumila*), pin pignon (*pinus pinea*), pin ponderosa (*pinus ponderosa*), tremble de Fremont (*populus tremuloides*), pour les arbres.

Pour les plantes : sauge, yucca.

Voie (de l'Ennemi, etc.) : un des nombreux rites (voir ce mot) guérisseurs navajo. La Voie de la Bénédiction est la seule à avoir un but préventif en enseignant comment le Peuple Sacré a créé le Peuple de la Surface de la Terre à Cinq Doigts et comment il lui a communiqué les techniques nécessaires pour y vivre.

Voie de la Beauté ou **Voie Navajo** : ce terme désigne l'ensemble de la culture et des coutumes traditionnelles des Navajos.

Wash : le lit, souvent asséché, d'un cours d'eau d'importance variable que des pluies torrentielles, parfois tombées très loin en amont, peuvent soudain transformer en un torrent en furie.

Yá'át'ééh : salutation navajo.

Zuni : peu nombreux, vivant en accord avec leurs coutumes ancestrales, ils ont su préserver leur identité au fil des siècles. Ce sont avant tout des agriculteurs travaillant une terre aride. Ils sont 5 500 à vivre sur la réserve du pueblo le plus important du Nouveau-Mexique.

Achevé d'imprimer en avril 2014
sur les presses de Normandie Roto Impression s.a.s.
à Lonrai (Orne)
pour le compte des Éditions Payot & Rivages
106, bd Saint-Germain – 75006 Paris
N° d'imprimeur : 1401458
Dépôt légal : avril 2014

Imprimé en France

PQU2351198